D1273424

LE NEUVIÈME CERCLE

DU MÊME AUTEUR
CHEZ LE MÊME ÉDITEUR

LES MÉDECINS DE L'IMPOSSIBLE, septembre 1981
LES 186 MARCHES, février 1982

CHRISTIAN
BERNADAC

LE NEUVIÈME CERCLE

TÉMOIGNAGES ET DOCUMENTS INÉDITS SUR GUSEN I ET II, CAMPS SS

LES ÉDITIONS LE NORDAIS (livres) LTÉE
Une filiale de: Les Placements Le Nordais Ltée
100, ave Dresden
Ville Mont-Royal, Qué. H3P 2B6
Tél.: (514) 735-6361

Dépôts légaux, deuxième trimestre 1982:
Bibliothèque nationale du Québec et
Bibliothèque nationale du Canada

ISBN 2-89222-032-7

A Richard CANCELA

parce qu'il connaît le prix
de l'amitié.

« Tu sais, répondit-il, que l'enfer est tout rond;
Or, combien que tu aies longuement cheminé
Toujours à gauche, en gagnant vers le fond,
Tu n'as pas fait encore le tour complet du cercle.
Pourtant, si quelque chose insolite apparaît,
Elle ne doit frapper tes yeux d'étonnement. »

DANTE - *La Divine Comédie* (L'Enfer, chant XIV.)

Au milieu du terrain vague, près du concasseur rouillé, deux jeunes garçons se disputent la commande d'un cerf-volant à entoilage vert et rouge. Une petite fille, contemplative, est assise sur un monticule de gravats. Plus loin, deux bicyclettes montent et redescendent une dune de terre battue.

Louis Deblé s'est arrêté. Lèvres serrées. Poings fermés, qu'il cache vite au profond de ses poches. Peut-être pour se donner du courage et surmonter son émotion il se courbe légèrement. Ses yeux embrassent le décor. Longuement. J'aï l'impression qu'il n'aperçoit pas les enfants. Sur la gauche, un lotissement : maisons neuves, légères, bâclées. Tristes « villas » déjà vieilles après leur premier hiver. Seules les bordures des trottoirs sont en place. Tout le reste n'est que boue; flaques. Deux, trois jardins utilitaires. Un homme maigre, en pantalon de treillis bleu, devant une baraque de bois, lave à seaux d'eau une Volkswagen noire. Derrière, en fond, la colline. Quelques haies, un platane, une petite route et là, enchassée dans un bâtiment lourd, aux douze fenêtres de façade, la double porte. Double haute porte de bois. Les fenêtres du rez-de-chaussée ont conservé leurs barreaux.

Louis Deblé s'est avancé :

— Il y a des jolis rideaux aux fenêtres!

Encore deux pas.

— C'est une chambre à coucher. Toutes ces pièces étaient des cellules. Combien d'hommes ont été torturés, assassinés dans ce bunker. Aujourd'hui, une famille s'est installée... Elle ne sait probablement pas.

Depuis une dizaine de minutes, son visage, sa voix, sa silhouette se sont transformés. Grave, pâle, défait, muscles noués, front plissé. Il essuie une larme. Se reprend.

— Cette colline de Gusen, cette porte d'entrée, ce terrain vague où il y avait autrefois les blocks, enfin tout cela, c'est le paysage qui est resté définitivement gravé en moi. C'est ce que je dis souvent à ma femme et à mes enfants. Je n'ai pas besoin de fermer les yeux pour revoir Gusen. C'est le paysage qui m'est le plus familier.

Gusen. 350 mètres de long sur 150 de large. Trente-sept mille morts d'avoir trop souffert, trente-sept mille morts de faim, trente-sept mille morts d'avoir été trop battus. Nous nous arrêtons devant le mémorial coincé entre trois murs du lotissement.

— Trente-sept mille morts. Et presque personne ne le sait. Qui connaît Gusen? Il est vrai que nous ne sommes qu'une poignée de survivants. Vous voyez ce mémorial. Tout allait être détruit, rasé... le lotissement. Alors nous avons acheté le terrain sur lequel se trouvait le crématoire. Nous nous sommes cotisés, d'anciens déportés français, belges, italiens, pour acheter notre crématoire et nous avons construit, sur souscription, le mémorial. Et là, à la place du camp, les gens vivent. Je vous avoue que j'en suis bouleversé. C'est la troisième fois que je reviens ici. La première, en 1948, il y avait encore quelques baraquements, le crématoire dénudé. Il n'y avait pas encore de maisons, mais un champ de pommes de terre. J'étais avec un de mes amis, rescapé de Gusen. Il nous a pris une espèce de rage folle, nous avons posé la veste et nous nous sommes mis à arracher les pommes de terre. Je ne sais pourquoi. Une sorte de réaction... tellement ça nous paraissait monstrueux qu'à 10 mètres du crématoire, là où des milliers de gens sont morts, dans des souffrances atroces...

Nous retraversons le terrain vague. Les bicyclettes poursuivent leur saute-dune. Le cerf-volant rouge et vert a perdu de l'altitude. La petite fille contemplative se mouche. Louis Deblé me prend par le bras.

— Gusen n'est comparable à aucun autre camp... même au Mauthausen des premières années. Gusen va au-delà de la folie, de l'horreur. D'ailleurs beaucoup de kommandos oubliés, inconnus ont dépassé les camps célèbres — Auschwitz, Dachau, Buchenwald, Ravensbruck — en bestialité, en crimes de toutes sortes. Curieusement, la majorité de ces kommandos dépendait de Mauthausen. Voyez-vous, je crois que dans l'Enfer de Dante il y avait neuf cercles à franchir... Gusen fait partie du Dernier Cercle. Oui! Le Dernier Cercle!

I

GUSEN I

Les carrières ouvertes dans la colline qui domine le village de Gusen, 5 kilomètres à l'ouest de Mauthausen, ont alimenté, dès 1920, en blocs de granit et en pavés les entreprises de travaux publics de Linz et de Vienne. La DEST, « usines allemandes des terres et des pierres », gigantesque entreprise S.S. destinée à fournir les matériaux nécessaires à la réalisation des projets architecturaux du Reich [1], après avoir établi le plan de production de Mauthausen, passa au mois d'avril 1938 un premier contrat de location avec la commune de Langenstein dont dépendaient les carrières de Gusen, Kastenhof, Pierbauer et la briqueterie de Lungitz.

Au mois de décembre 1939 commençait la construction du camp, sous la direction des S.S. Anton Streitwieser et Kurt Kirchner, mais contrairement aux autres créations concentrationnaires, ce ne furent pas les « bâtisseurs » d'Oranienburg ou de Dachau qui furent envoyés sur place, mais deux simples kommandos (quatre cents détenus) de Mauthausen.

Le 9 mars 1940, quatre cent quatre-vingts Polonais, transférés de Buchenwald, « inauguraient » les baraquements. Le lendemain, les quatre cents « constructeurs » furent détachés, définitivement, à Gusen. Je ne pense pas qu'un seul de ces hommes ait connu la libération, et il n'existe pas de témoignage polonais sur cette période. Simplement

---

1. Voir *Les 186 Marches*. Même auteur, même éditeur.

des listes de noms et de chiffres. Donc, sur ces huit cent quatre-vingts premiers « habitants », il ne restait que quatre cent soixante-huit survivants le 25 mai 1940 (près de la moitié de l'effectif avait disparu en soixante-quatorze jours). Et sur ces quatre cent soixante-huit, deux cent cinquante-six furent expédiés comme « invalides » sur Mauthausen. Les deux cent douze restants, perdirent ce jour-là leur matricule de Mauthausen et furent enregistrés à Gusen [1]. Bilan qui se passe de commentaire et qui explique, à lui seul, le « style particulier » de Gusen. Dans les mois qui suivirent, la « terreur » s'amplifia : entre le 1er juin 1940 et le 31 décembre 1940, sur les quatre mille déportés de Gusen, mille sept cent quarante-sept avaient été assassinés.

— L'impression [2] en arrivant à Gusen, en ce début de 1941, est une véritable panique. Tous les baraquements sont peints en noir. En regardant toute l'équipe de « kommandement », on se rend compte que l'atmosphère est irrespirable.

— Que [3] dire de l'impression ressentie : même décor, mêmes acteurs qu'à Mauthausen. Pourtant, si l'ensemble ne différait pas pour l'essentiel du camp central, Gusen I avait un aspect plus misérable. Les détenus étaient vêtus d'une façon plus disparate : habits rayés certes, mais aussi habits civils agrémentés dans le dos d'un grand carré du fameux tissu rayé. L'aspect physique était aussi différent dans l'ensemble. Nous découvrions ces êtres faméliques, avec des figures où les yeux nous frappaient par leur fixité, yeux agrandis dans le visage d'une maigreur effrayante. Nous avions là la préfiguration de ce que nous allions devenir. Et naturellement après appels, contre-appels, nos nouveaux kapos prenaient livraison de leur contingent.

— Tout [4] est sale, misérable ici. Cependant, Gusen est

---

1. Soit 25 Allemands politiques (Sch-DR), 5 témoins de Jéhovah allemands (Bifo-DR), 122 criminels allemands et autrichiens (BU-DR et AZR-DR) ainsi que 60 Polonais ouvriers spécialisés (POL-SCH).
2. Manuscrit inédit Patricio Serrano (mars 1974).
3. Témoignage inédit Georges Parouty (avril 1974).
4. Bernard Aldebert : *Chemin de Croix en 50 Stations*. Librairie Arthème Fayard, 1946.

un camp qui se respecte : il a son four crématoire et son bordel.

— Nous sommes frappés par l'état misérable des détenus de ce camp. Ils sont sales, déchirés, des clochards de bagnards. Leurs traits sont abattus, graves. On sent que le rire a, depuis longtemps, disparu dans ce camp d'extermination. Nous pensions naïvement avoir connu à Mauthausen ce qui se faisait de mieux en matière de bandits. Nous devons rapidement revenir sur cette impression. Gusen c'est encore mieux.

— Notre chef de block a le physique d'un capitaine de navire corsaire; il semble sorti d'une extravagante histoire pour faire peur. Dès les premiers jours, il nous met en face de la loi du camp : toute faute est punie de mort. Lui, seul maître après le diable dans son block, a le droit et le devoir de tous nous tuer, nous dit-il; ce sera l'impitoyable noyade dans le tonneau. Ses mains, comme pour mieux nous convaincre, des mains d'assassin aux doigts courts, dans le vide avec des grands gestes d'une monstrueuse éloquence, étreignent des gorges fictives.

— Notre bourreau, qui a l'air de s'y connaître, ne nous épargne aucun des détails sur les façons de tuer un homme.

— Où que nous soyons, quoi que nous fassions, les gifles, les coups de poing, les crapuleux coups de pied dans le ventre pleuvent comme de la grêle.

— La soupe est immangeable ce qui ne veut pas dire que nous ne la mangeons pas : nous avons faim.

— Avec [1] quelques camarades français dont le boxeur Albert Manivel, le sort ne nous favorisa guère car nous étions affectés au block 20 qui fournissait la main-d'œuvre pour le kommando le plus dur : la carrière de Kastenhof. A la carrière Gusen s'effectuait la taille du granit et l'encadrement était constitué de spécialistes. Conditions de travail difficiles, exténuantes, mais chances de survie plus grandes qu'à Kastenhof où la principale activité consistait à travailler à flanc de montagne. Nous devions charger des blocs de pierre pour alimenter le concasseur. Tenir ici

1. Témoignage inédit Georges Parouty.

quinze jours était une performance. A cette époque, avril 1943, les nazis occupaient une grande partie de l'Europe, raflant dans tous ces pays de nombreuses gens, se procurant par ces moyens une main-d'œuvre à bon marché. Et parfois lors des arrivages, devant l'impossibilité de loger tout le monde, les chefs de blocks et les kapos, tout l'appareil de répression du camp, recevaient l'ordre de supprimer un certain nombre de détenus. Là encore, les mots sont impuissants à décrire cette tuerie.

— Cela se passait la nuit, après que tout le monde fut couché. Ce soir-là, nous ressentions en nous quelque chose d'indéfinissable. Les allées et venues des responsables du camp, les bousculades des chefs de block, des kapos, leur nervosité, et puis aussi ce calme inhabituel, l'atmosphère plus lourde, enfin je ne sais quoi nous tenait, pour la plupart, éveillés, n'osant pas bouger, retenant notre respiration. Et puis, coups de tonnerre. Tous les tueurs des blocks, armés de barres de fer, envahissaient celui-là et le carnage commençait. Malheur à ceux qui étaient surpris dans leur sommeil, ou plus affaiblis du fait qu'ils étaient dans le camp depuis plus longtemps que nous. Ils étaient les premières victimes tuées sur place. Quant à ceux d'entre nous qui avaient pu s'échapper par les fenêtres — tenues en permanence ouvertes hiver comme été à cause de l'odeur infecte qui régnait dans les blocks, le cauchemar continuait. Car chaque chef de block avait reçu l'ordre d'exterminer un nombre exact de détenus et c'était, dans tout le camp, une chasse à l'homme effroyable. Les hurlements de ceux qu'on tuait, les cris des tueurs, la course effrénée. Quelle chance de sortir indemne de cette boucherie. Enfin, le cauchemar prenait fin. Combien de morts? Je crois que personne ne peut le dire.

— Notre chef de block était un droit commun, un boulanger de Munich, Achi, condamné au bagne pour avoir tué sa femme et ses trois gosses. Achi avait la réputation d'être un des plus grands tueurs du camp. Il était le prototype parfait du bandit : nez cassé, édenté, et surtout le regard que nous retrouvions chez tous les tueurs, ce regard fou, effrayant, sadique. Lui, pour taper, avait un gros cuité : la promiscuité, arme maîtresse du système concentrationnaire! Les S.S. ont eu soin de maintenir le dispersement des nationalités dans les blocks comme au travail : Gusen est une véritable tour de Babel où sont représentés presque tous les peuples d'Europe, et au sein de chaque nationalité, les tendances sont loin d'être uniformes!

— Les Allemands, pour la plupart internés de droit commun, détiennent tous les postes de commande; venus des centrales de Vienne ou autres villes du IIIe Reich, ils jouissent à Gusen d'une situation privilégiée et d'un standing de vie tel qu'ils n'en ont certainement jamais connu dans leur existence de « hors-la-loi ». De longues années de détention en ont fait des hommes anormaux, tous plus ou moins hystériques; il ne se passe pas de jour sans qu'un kapo se distingue par quelque crime sadique qui dépasse l'imagination de ceux qui n'y ont pas assisté : les fameux crimes des camps de concentration; je n'insisterai pas sur ceux-là, assez d'articles de journaux les ont fait revivre au public; je me bornerai à rappeler qu'à Gusen comme dans tout autre K.L. la vie d'un homme ne compte absolument pas : j'ai vu tuer des hommes à coups de barre de mine en fer parce qu'ils ne pouvaient relever un wagonnet déraillé, d'autres recevoir des coups de botte dans le ventre parce que mal alignés à l'appel ou simplement parce que leur physionomie ne plaisait pas au kapo; mais la masse des détenus était arrivée à un tel point d'insensibilité que ces crimes quotidiens finissaient par paraître chose normale; ils entraient d'ailleurs parfaitement dans la logique S.S.; il fallait bien que l'effectif du camp se renouvelât sans cesse, que les « anciens » fassent place aux « nouveaux ». Bien des gens à qui l'on relate ces faits poussent de hauts cris d'horreur : « Comment est-il possible que des hommes en frappent d'autres avec autant de brutalité et de raffinement? » J'ai bien réfléchi à la question et je réponds : « Etant donné les conditions de vie en K.L., il n'y a rien d'extraordinaire à ce que les dirigeants nazis aient trouvé des milliers d'individus qui se fassent les exécuteurs de leurs œuvres. » Je suis persuadé, quant à moi, que bien des hommes portent en eux un monstre de sadisme et de cruauté, sans même s'en douter; la société ne leur permet pas de donner libre cours à leurs instincts, beaucoup meurent sans avoir eu l'occasion de manifester leur bestialité; la trouvaille géniale des Allemands, c'est justement d'avoir su créer les conditions adéquates à la manifestation de cette bestialité humaine, c'est d'avoir songé à faire école de criminalité et de sadisme comme d'autres songent à faire école de sagesse et de vertu. L'épouvantable du K.L., c'est son invention et sa mise au point; et non les crises d'hystérie et de meurtres qui s'y déchaînaient; cela n'avait rien d'extraordinaire, c'est même le contraire qui eût été étonnant. A ceux qui protesteront en invoquant les grands mots de morale et de conscience, je rétorquerai : « Jetez un coup d'œil sur l'Europe occupée de 1938 à 1945. Chaque peuple a eu ses tortionnaires et ses « miliciens », des hommes issus cependant pour la plupart de milieux « normaux », ayant auparavant une vie en apparence paisible. Cette période a vu s'exacerber les sentiments les plus violents et les plus bas, se multiplier les massacres à une échelle jusqu'alors inconnue. » On ne peut considérer ces faits comme un simple accident imputable à « l'âme sadique allemande ». Ce serait trop simple d'expliquer et d'excuser ainsi les atrocités nazies.

— Je prétends, par exemple, que tel individu qui, sans vergogne, s'est livré pendant des années au « marché noir » au détriment de ses compatriotes affamés, ou tel autre qui a dénoncé des patriotes à la Gestapo, aurait fait à Gusen, pour peu qu'il parle allemand, un kapo parfait dans toute l'acception du mot.

— Je ne veux certes pas excuser les actes des kapos allemands; quelques-uns, du reste, ont su rester propres malgré les responsabilités qu'ils assumaient, alors que d'autres, anciens communistes allemands et autrichiens, rescapés des geôles et des bagnes nazis, renièrent leur idéal pour adopter les méthodes de leurs collègues de droit commun. A Gusen, ces « politiques » allemands étaient d'ailleurs trop peu nombreux pour avoir une influence efficace sur la gestion du camp, comme ce fut le cas à Buchenwald où la lutte entre « Rouges » et « Verts » ne se termina pas toujours par la victoire de ces derniers. En revanche, il existait une vingtaine d'objecteurs de conscience allemands, portant le triangle violet, remarquables par leur esprit de solidarité et une dignité dont ils ne se départirent jamais.

— Les Autrichiens, évidemment assimilés aux Allemands, se distinguaient rarement de ces derniers et adoptaient la brutalité et la morgue caractéristiques de la race élue. Le tableau teuton sera enfin complété si l'on note la présence à Gusen de quelques « triangles roses », internés pour pédérastie notoire et de quelques « triangles noirs » — dont pas mal de Tziganes d'ailleurs, classés parmi les asociaux. Ces éléments, d'une façon générale, appartenaient à la hiérarchie supérieure des kapos et « Vorarbeiter ».

— La direction effective de l'administration de Gusen était aux mains des Polonais, les plus anciens du camp et les plus nombreux après les Russes. Les Polonais avaient participé à la construction du camp dès 1940 et connu les premières années d'extermination pure et simple. D'une habileté incroyable pour disputer les postes de commandement aux Allemands, ils détenaient les places de la « Politische Abteilung » et de « Blockschreiber », ce qui leur permettait de venir en aide à leurs compatriotes en les faisant accepter dans les kommandos les moins meurtriers. Leur orgueil incommensurable et leur chauvinisme étroit les faisaient détester de tous les autres détenus. La majorité d'entre eux portaient le triangle rouge, mais en fait peu avaient participé effectivement à la Résistance polonaise, les Allemands les ayant déportés dès 1940 comme éléments d'une des races inférieures à leurs yeux. La plupart appartenaient à la classe aristocratique terrienne ou aux milieux intellectuels des grandes villes; beaucoup de prêtres parmi eux et très peu d'ouvriers. Un des traits les plus effarants de leur caractère était l'érudition remarquable; tel « vorarbeiter » capable de discuter sur Voltaire et Pascal poussait à la production comme s'il travaillait pour son propre compte, n'hésitant pas à frapper s'il le fallait. Tel autre, professeur d'histoire, affirmait sans rire que la Pologne devrait s'étendre de Berlin à Kiev (ville authentiquement polonaise). Pour tous, la Pologne était le nombril du monde; les Russes, des sauvages; et les Français des êtres efféminés et lâches.

— Quatre cent cinquante Espagnols environ leur disputaient âprement les meilleures places de la cuisine et du « Revier », et la lutte entre les deux nationalités prit parfois un caractère virulent; si elle ne dégénéra jamais en guerre ouverte, c'est parce qu'ils avaient besoin réciproquement les uns des autres, mais tout les séparait : les Polonais étaient catholiques, grands admirateurs de Salazar et de Franco, les Espagnols étaient d'anciens combattants républicains de la guerre civile. Internés en France dans les camps de Gurs, Argelès et autres, enrôlés dans les compagnies de travail dans les Alpes ou derrière la ligne Maginot, ils avaient été faits prisonniers en juin 1940 par les Allemands. Après six mois de stalag, on les libéra pour les expédier à... Mauthausen et kommandos annexes; arrivés près de dix mille au début de 1941, mille cinq cents à peine vivaient encore en 1943. Les Espagnols furent certainement parmi ceux qui nous accueillirent le plus mal, à notre grande stupéfaction; ce n'est qu'après plusieurs mois de discussions et de mises au point que le malentendu se dissipa : les Espagnols n'avaient connu de la France que les camps d'internement du Roussillon où les conditions matérielles d'existence étaient semblables à celles des camps nazis; à Argelès, ils restèrent plusieurs mois sans abri, le sable humide de la plage pour seule couche et soumis à une ration alimentaire dérisoire (ceci en 1939!). La France qu'ils se représentaient comme le pays de la liberté et de la fraternité, les enfermait dans des camps parce qu'ils avaient lutté pour la République! Ceci fut pour nous une révélation, car peu d'entre nous connaissaient le régime effroyable auquel étaient soumis les volontaires espagnols; nous eûmes souvent beaucoup de mal à le leur faire comprendre, et pendant longtemps, nombreux furent ceux qui ne firent pas la discrimination entre leurs anciens gardiens, gardes mobiles de M. Daladier, et les Résistants français. Il en résulta trop souvent une attitude franchement hostile des Espagnols à l'égard des Français, et inversement, une haine de ces derniers pour ces « soi-disant frères latins »! C'est exactement le but que recherchaient les Allemands en maintenant une judicieuse promiscuité; ils savaient pertinemment que les hommes ont une tendance à généraliser à tout un peuple les jugements qu'ils portent sur quelques individus. Finalement pourtant, les Espagnols comprirent et firent largement amende honorable en nous apportant une aide efficace chaque fois qu'ils le purent.

— Par contre, les Allemands ont certainement atteint leur but en ce qui concerne le jugement porté sur les Russes par la plupart des déportés qui les ont connus. Il est vrai qu'à Gusen, les Russes, élément le plus important du camp, constituaient la lie de la société concentrationnaire, se caractérisant surtout par leur brutalité et leur habileté au vol; la réaction spontanée de ceux qui les côtoyaient était évidemment de se récrier contre le résultat de vingt-cinq ans de bolchevisme, réaction que s'empressaient d'entretenir leurs ennemis nés, les Polonais. Les Russes portaient le triangle rouge des « politiques » et la lettre R; mais — en cela résidait le pouvoir démoniaque des Allemands — très peu d'entre eux avaient été déportés pour résistance militaire ou politique; la plupart étaient de jeunes Ukrainiens, âgés de quatorze à vingt ans, raflés dans des maisons de redressement, ou volontaires du travail en Allemagne arrêtés par la suite pour vol ou pour viol, quelquefois pour sabotage; il n'en reste pas moins vrai qu'un jugement était porté sur le peuple russe d'après le comportement de ces quelques milliers d'individus, et pour beaucoup de rescapés, ce jugement n'a pas varié, même à l'heure actuelle. Il y avait cependant parmi les « Rusky » des éléments de valeur incontestable, souvent anciens prisonniers de guerre et portant sur leur costume rayé les lettres « S.U. » (Soviet Union); j'en ai connu de Stalingrad et de Mongolie; mais ils ne constituaient qu'une minorité noyée dans la grande masse des Ukrainiens qu'ils méprisaient profondément, et je me souviens de ce Mongol qui déclarait à propos d'eux : « Ce n'est pas étonnant qu'avec de tels adversaires, les troupes allemandes aient avancé si facilement en Ukraine! » Lui aussi généralisait... Mais l'élite du peuple russe, celle que les Allemands se gardèrent bien de conserver en K.L., je ne la connus vraiment que dans mes premiers jours de quarantaine à Mauthausen; ils étaient une cinquantaine de commissaires politiques de l'Armée rouge, au block 18, où nous-mêmes restâmes du 27 mars au 7 avril 1943; pendant dix jours, nous vécûmes ensemble, tout au moins le soir car eux, bien qu'en quarantaine, travaillaient douze heures par jour, soumis à un régime disciplinaire effroyable; malgré cela, ils furent les seuls à sympathiser spontanément avec nous, insistant pour partager à tout prix leurs rares cigarettes; nous étions littéralement sidérés par la largeur de vue et l'esprit de solidarité qui animaient ces malheureux couverts de loques et de coups. A la mi-avril, tous furent fusillés : il faut croire que les nazis jugeaient inutile de tenter sur eux l'expérience de déchéance concentrationnaire...

— En très petit nombre, les Tchèques n'en constituaient pas moins à Gusen un des éléments les plus remarquables par leur tenue irréprochable; en dépit de leur internement dans les camps depuis 1939 et 1940, et des situations privilégiées dont ils jouissaient grâce à leur connaissance de la langue allemande et de nombreux colis qu'ils recevaient ils avaient su se préserver de tous sentiments égoïstes, et garder un esprit d'équipe qui tranchait sur celui de la majorité des détenus. Un défaut apparent cependant : leur orgueil incommensurable, orgueil qui s'explique fort bien d'ailleurs, si l'on songe qu'ils étaient de tous les Slaves, de beaucoup les plus évolués et, de tous les « Häftlinge », ceux qui pouvaient sans conteste se prévaloir de la plus grande homogénéité quant à leur passé de lutte antinazie et à leur conduite présente dans le camp. Leurs rapports avec nous, Français, furent évidemment plutôt froids au début, et jamais très cordiaux : entre nous, il y avait Munich; certes, ils acceptaient volontiers notre conversation, reconnaissant le génie de la culture française, mais ne pouvaient s'empêcher de nous tenir rigueur d'un traité qu'ils savaient pourtant que nous condamnions; là encore, nous supportions les conséquences du passé. S'ils nous témoignaient individuellement de la sympathie, ils ne nous cachaient pas qu'après la guerre, la Tchécoslovaquie entrerait dans le giron économique de l'U.R.S.S., seul moyen pour leur pays d'accéder à son plein développement industriel, la France et l'Angleterre se gardant bien de leur acheter autre chose que des gommes et des crayons, des chaussures à la rigueur!

— Ceux avec qui nous nous sentions le plus d'affinités sont certainement les Yougoslaves. Très doux et très bons, on distinguait cependant parmi eux deux catégories très distinctes : d'une part, une masse de paysans, Serbes et Monténégrins, quasi incultes, aux traits grossiers et durcis par l'habitude de la souffrance, anciens montagnards partisans de Tito qui avaient combattu non seulement pour l'expulsion de l'étranger, mais aussi pour améliorer leur sort misérable; d'autre part, une élite vraiment remarquable par son érudition et son intelligence éveillée, mais scindée en deux tendances politiques nettement différentes : les uns, avocats et intellectuels surtout, ayant souvent fait leurs études en France, grands admirateurs de Tito et de l'U.R.S.S., se rapprochant beaucoup des Tchèques et de nous-mêmes par leur mentalité; les autres, gros propriétaires fonciers ou officiers de l'armée Michaïlowitch attachés fortement à leurs traditions monarchiques et catholiques, et sympathisant davantage avec les Polonais à qui les liait leur anticommunisme résolu : Tito représentait pour eux l'hérésie comme Wanda Wadilewska pour les Polonais. Défendant chacun farouchement ses convictions au cours de nombreuses discussions, ils n'en restaient pas moins unis dans la souffrance commune, partageant entre eux les rares colis de vivres qui leur parvenaient. Un peuple sympathique, grand ami de la France, pourvu de solides qualités individuelles et sociales.

— Les derniers arrivés à Gusen furent les Italiens, après l'abdication du roi d'Italie et la « trahison » de Badoglio. Contre eux également joua la prévention que nourrissaient à leur égard tous les autres détenus : haine farouche des Espagnols et des Yougoslaves, mépris des Français, des Russes, des Tchèques et des Polonais. Ces Italiens étaient là pourtant pour avoir combattu le fascisme dans le maquis de Lombardie; parmi eux, de nombreux intellectuels communistes et des prêtres; mais ils supportèrent au début le mépris collectif que s'était attiré leur pays par son attitude durant les dix dernières années, conséquence une fois de plus du contact entre divers peuples que des régimes différents avaient séparés pendant des années et que les Allemands brassaient soudain par « blocks », de trois cents à quatre cents hommes. Trop tard arrivés — pour si paradoxal que cela puisse paraître — les Italiens n'eurent pas le temps de s'intégrer dans les lois du K.L.; peu réussirent à trouver « une bonne place dans un bon kommando » et la mortalité fut très élevée dans leurs rangs. Comme aucune autre nationalité ne vint à leur suite, ils restèrent jusqu'à la fin les parias du camp.

— Avant d'aborder l'étude de l'élément français, je signalerai à côté de ces grands groupes ethniques de Gusen, la présence d'éléments peu nombreux mais non moins intéressants. Et tout d'abord les Belges, au nombre de quatre-vingts environ. Tous d'authentiques résistants communistes ou communisants, rescapés des divers convois de 1942 et, en général, jouissant de postes relativement tranquilles, à l'« effektankammer », à la réparation des chaussures, au kommando des électriciens, etc. On distinguait nettement entre eux les Flamands et les Wallons par leurs différences de mentalité et de prononciation, mais tous possédaient une très grande maturité politique et un sens critique remarquable qui rendaient leur conversation particulièrement attrayante et instructive.

— Les Hollandais étaient moins nombreux, plus effacés, et j'ai rarement eu l'occasion de discuter avec eux; c'étaient, pour la plupart, des jeunes gens arrêtés en France alors qu'ils essayaient de rejoindre l'Afrique du Nord libérée.

— Les quelque vingt Luxembourgeois qui se trouvaient à Gusen portèrent tour à tour les lettres LUX et le simple triangle rouge des « Politiques » allemands, en dépit de leurs protestations véhémentes; ils étaient loin, en effet, de nourrir des sentiments pro-allemands malgré leurs affinités raciales germaniques. La plupart étaient des ouvriers ou des petits commerçants communistes qui avaient vu leur famille complètement dispersée : tel d'entre eux avait sa femme dans un camp de Silésie et ses enfants dans un autre de Saxe! Dignes d'intérêt quant à l'action qu'ils avaient menée contre les nazis, ils étaient malheureusement doués d'un intellect plutôt borné qui les amenait, par exemple, à mettre un peu trop d'ardeur à leur travail, se laissant emporter par leur conscience professionnelle certes mal venue ici. Parmi eux, cependant, deux hommes remarquables, appelés certainement à jouer un grand rôle politique dans leur pays.

— A titre de curiosité et pour montrer qu'à Gusen, à peu près tous les peuples d'Europe étaient représentés, je citerai une dizaine de Grecs, anciens S.T.O. — rois des bavards et du commerce — quelques Norvégiens et Lettons, un Suisse, un Roumain qui portait la lettre B des Belges, par je ne sais quelle finesse bureaucratique, deux Bulgares, engagés volontaires dans l'armée républicaine espagnole en 1936 et portant à ce titre le triangle bleu et la lettre S des Espagnols, un jeune Canadien de Vancouver arrêté en France pour Résistance, le seul qui portât la lettre C, enfin un Anglais, arrêté également en France, unique représentant de la Grande-Bretagne à Gusen.

— Il est un peuple dont je n'ai rien dit, c'est le peuple hongrois; les Hongrois séjournèrent rarement à Gusen I, car c'étaient tous des Juifs, portant la sinistre étoile jaune; à ce titre, ils étaient envoyés directement à Gusen II, camp qui fut construit à un kilomètre de Gusen en avril 1944, devant l'afflux de plus en plus dense de « transports » et qui devint immédiatement un véritable enfer d'où, chaque jour, arrivaient à pleines charrettes des cadavres destinés au four crématoire. En un an, cinquante mille personnes moururent à Gusen II et, parmi elles, tous les Juifs hongrois passés par Mauthausen, sans exception. Le « Jude » n'était qu'un déchet de l'humanité qu'il aurait été dommage de nourrir, ne serait-ce que de rutabagas : quelques jours suffisaient à leur liquidation, et je ne les vis que morts devant le « kréma », ou squelettes vivants entrant au « Revier ».

— Avril 1943 voit l'arrivée des premiers Français, si l'on excepte cinq ou six mineurs du Nord arrivés en novembre 1942, dans un convoi de Belges. Le 8 avril exactement, une vingtaine de Français, dont j'étais, faisaient l'apprentissage du marteau pneumatique à la carrière de granit de Gusen. Le 20 avril, deux cent cinquante autres venaient s'ajouter à nous, dont la plupart destinés au kommando Steyr : la colonie française était née. Petite colonie noyée au milieu d'une dizaine de milliers d'étrangers, en majorité hostiles, je le répète; nous nous attendions en sortant du secret de la cellule, à une seule lutte contre les gardiens allemands; les S.S. faisaient mieux, ils nous imposaient une lutte autrement plus délicate contre nos propres sentiments nationalistes, sentiments qui nous avaient poussés à engager le combat contre l'envahisseur, mais qui, ici, risquaient de se retourner contre nous en nous incitant à répondre par la haine aux sarcasmes de ceux qui avaient été cruellement déçus par la défaite de la France en juin 1940, et par son attitude officielle depuis. Nous étions alors au début de 1943; la plupart d'entre nous avaient commencé leur action dès 1941, action modeste, limitée par le petit nombre des combattants et les faibles moyens mis à notre disposition; si les victoires des F.F.L. combattant en Afrique, en uniforme, étaient connues du monde entier, il n'en était pas de même de la lutte clandestine organisée en France dès le début de l'occupation : comment aurait-on pu en vouloir à des Espagnols, des Polonais, des Tchèques de l'ignorer, alors que la grande masse des Français, au milieu desquels nous vivions, l'ignorait elle-même? Notre devoir était justement de leur faire comprendre que, peu à peu, malgré le règne de la Gestapo en France, des Français, issus de toutes les classes, s'organisaient en groupes de résistance pour passer à la lutte ouverte dès que les circonstances le permettraient; ce fut un travail de longue haleine, fait de prises de contact, de conversations, de sympathies personnelles, travail rendu plus compliqué par la diversité des langues et les conditions matérielles d'existence si précaires à Gusen. Je n'insisterai pas pour le moment sur cet aspect de la lutte à Gusen, il fallait cependant l'évoquer ici pour comprendre dans quelle ambiance morale nous allions être obligés de vivre pendant deux ans;

comme je dois également signaler la curieuse opinion qu'avaient de notre comportement les étrangers qui n'étaient jamais venus en France; pour eux, les Français étaient des êtres qui passaient la moitié de leur temps dans les boîtes de nuit ou à « faire l'amour » suivant des procédés qui les laissaient curieux et perplexes, les Françaises des femmes avec qui le premier venu pouvait coucher! Si l'on ajoute qu'ils nous considéraient comme des êtres sales, ne sachant pas se laver, on concevra facilement qu'il était difficile de ne pas s'enfermer dans un nationalisme rigoureux et de tomber dans une misanthropie générale. Pour ma part, j'accuserai plutôt que ces imbéciles qui n'avaient pas suffisamment d'esprit critique, les Français chargés de la propagande en Europe avant la guerre : dans ce domaine, ils auraient pu prendre des leçons chez M. Gœbbels qui savait si bien vanter les qualités de discipline et de « correction » du peuple allemand!

— Un autre écueil que présentait la vie en commun dans le sein même de la colonie française provenait de la composition de celle-ci : d'une part, ceux que les Allemands appelaient les « terroristes », d'autre part les « espions »; les uns, communistes, appartenant pour la plupart à la classe ouvrière; les autres, issus le plus souvent de la classe bourgeoise, anciens agents de réseaux ralliés à l'appel du général de Gaulle; en un mot deux catégories : les communistes et les gaullistes, ceux qu'en 1941 et 1942 les Allemands fusillaient ou déportaient sans distinction. Tels étaient les hommes qui allaient avoir à vivre, souffrir et lutter ensemble, hommes totalement différents par leur forme de pensée et les raisons qui les avaient conduits à la lutte contre un nouveau fléau s'abattant sur le monde, le fascisme, pour d'autres, simplement une lutte contre l'occupant de la patrie; parmi les premiers, des hommes qui avaient déjà servi en Espagne, dans la Brigade internationale, qui avaient connu l'illégalité dès 1939; parmi les autres des jeunes gens qui ne s'étaient souciés que de leurs études jusqu'au jour où ils furent mis devant le fait brutal de l'occupation.

— Un lien commun cependant : le sentiment d'être parmi

les premiers à avoir pu prendre nettement position, les premiers aussi à subir les « représailles » allemandes; tous, communistes ou gaullistes, avions l'étiquette N.N. — Nacht und Nebel — c'est-à-dire Nuit et Brouillard, qui faisait de nous des êtres définitivement retranchés de la société; jusqu'à la fin; aucun de nous ne reçut jamais une seule lettre, un seul colis de chez lui : plus rien ne nous rattachait à l'extérieur, si ce n'est le ferme espoir que de cette nouvelle lutte pour la vie nous sortirions en définitive vainqueurs.

— Les Français n'arrivèrent vraiment en masse qu'à la fin 43 et la mi-44, mais de composition infiniment plus variée : certes, il y eut encore parmi eux des combattants de la première heure, des maquisards de l'Ain et de la Savoie, mais aussi beaucoup de raflés, d'aventuriers dont la première réaction devant le régime auquel ils étaient soumis était de s'écrier : « Pourquoi les Allemands nous ont-ils mis dans cet enfer? Nous ne leur avons rien fait! » Une nouvelle sélection s'établit; les nouveaux arrivants portaient comme nous le triangle rouge des « Politiques », mais tous ne méritaient pas cette étiquette, le problème consistait à distinguer les vrais résistants des faux, d'autant plus qu'aucun parmi eux n'était N.N., si ce n'est cependant le père Jacques. Dès le début 1944, la petite communauté française des N.N. est noyée au milieu de Français qui ont reçu la permission d'écrire chez eux et qui reçoivent des colis. A l'inconvénient dû à la promiscuité de bandits et d'étrangers, s'ajoutaient ainsi au sein même des Français des différences de tendances et d'éducation d'une part, des différences appréciables dans le régime alimentaire d'autre part, ce qui n'était pas fait pour faciliter le développement de l'esprit communautaire.

— La faim fut, en effet, une des armes les plus redoutables des nazis dans leur effort de désagrégation de l'homme. Avoir faim, dans le langage courant, c'est avoir un peu plus d'appétit que de coutume parce qu'on s'est mis à table deux heures trop tard ou que le fumet d'un mets agit trop vivement sur les papilles olfactives; la faim à Gusen correspondait à un état physiologique et psychique qui n'a absolument aucun point commun avec ce que l'on devrait appeler appétit dans la vie normale; la faim, là-bas, c'étaient des crampes d'estomac permanentes qui s'apaisaient à peine après l'absorption d'un litre de soupe, ration de midi, ou de 300 grammes de pain, ration du soir; c'étaient des rêves hallucinants qui faisaient miroiter des montagnes de victuailles, qui vous réveillaient la nuit bavant sur les couvertures, c'était une souffrance intolérable qui vous réduisait à l'état de loup affamé, vous poussait impitoyablement à bâtir des projets insensés de vol, vous obligeait à détourner le regard des colis déballés sous vos yeux. Les Allemands ont instauré systématiquement la famine dans les camps de concentration. Il faut avoir vécu au milieu de squelettes ambulants où seuls vivaient encore deux yeux égarés pour savoir à quel point de maigreur invraisemblable les nazis réduisirent l'homme; il faut avoir vu des êtres chercher des épluchures de légumes dans des tas d'ordures malgré les coups de matraque, il faut avoir avalé soi-même une gamelle de soupe infecte et brûlante en moins d'une minute pour comprendre ce qu'est la faim.

— A Gusen, des milliers d'hommes sont morts d'inanition, après avoir maigri de 20, 30, 40 et même 50 kilos en quelques mois. Cela était-il voulu par les S.S. ou indépendant de leur volonté? Cela était voulu. La preuve en est fort simple; jusqu'à Noël 1942, époque où l'expansion nazie atteint son apogée, mais aussi son arrêt, aucun interné n'eut le droit de recevoir des vivres de chez lui : c'était l'époque d'élimination pure et simple où le travail à la carrière était considéré essentiellement comme un moyen d'extermination; à partir de cette date, la majorité des internés put écrire et recevoir des colis : lorsque nous arrivâmes, il en était ainsi des Polonais, des Tchèques, des Yougoslaves, évidemment des Allemands, des Autrichiens et des Luxembourgeois; en décembre 1943, enfin, les Français, désormais assez nombreux, écrivent à leur tour — les N.N. exceptés bien entendu — et les premiers colis de France arrivent à Gusen en février 1944. De plus, dès avril 1943, un nombre important de « Häftlinge » est utilisé comme main-d'œuvre dans l'industrie de guerre, nombre qui ira sans cesse croissant; désormais deux régimes alimentaires coexistent à Gusen : à côté de l'ancien régime de famine qui subsiste pour « ceux de la carrière », s'établit un régime plus favorable pour « ceux de Steyr et de Messerschmidt », la soupe est meilleure et plus abondante, la ration de pain est augmentée : les dirigeants nazis essayaient de concilier tant bien que mal leur expérience concentrationnaire avec les réclamations des ingénieurs allemands qui se plaignaient — et pour cause! — du faible rendement de leurs « ouvriers ». Nous n'étions qu'un rebut de l'humanité, certes, mais un rebut qui pouvait encore être utilisé pour la machine de guerre allemande.

— Ce régime favorable prit fin avec l'année 1944; la ration de pain fut brusquement diminuée de moitié, la soupe ne fut plus qu'un jus infect où nageaient quelques morceaux de rutabagas; les quatre derniers mois à Gusen, comme dans tout autre K.L., virent la mortalité s'élever à une cadence jusqu'alors inconnue. Pour essayer de faire comprendre à quel point la faim était aiguë, je décrirai simplement le spectacle hallucinant dont Gusen fut le théâtre le 28 avril 1945 : ce jour-là, Français, Belges et Hollandais quittent le camp pour Mauthausen d'où la Croix-Rouge suisse doit les évacuer afin de procéder à un échange des membres de la Gestapo faits prisonniers pendant la campagne de France et de Belgique (échange qui n'eut d'ailleurs jamais lieu). A cette occasion, nous avons reçu chacun un colis de la Croix-Rouge américaine, le seul que nous ayons jamais reçu; nous sommes un millier de rescapés, en rangs de cinq, attendant pendant trois heures le départ, sous une pluie battante; en trois heures, nous avons pour la plupart ingurgité les cinq kilos de vivres du colis : sardines à l'huile avec pain d'épices, corned-beef avec chocolat, le tout à l'avenant! Des centaines d'êtres, dont beaucoup tiennent à peine debout, dévorent... sous la protection des kapos armés de schlagues qui repoussent les assauts de dizaines, de centaines de Russes et de Yougoslaves affamés!

— Voilà dans quelles conditions nous devions mener la lutte contre la déchéance à Gusen. Lutte rendue encore plus difficile par les conditions d'hygiène que nous imposait l'entassement invraisemblable auquel nous étions soumis.

— Dès l'arrivée à Mauthausen, tous les déportés étaient consciencieusement tondus de la tête aux pieds, douchés et vêtus d'une chemise et d'un caleçon rayé propres; mais une heure après, ces mêmes hommes étaient couchés « en sardines » sur des paillasses pouilleuses dans une chambre de quarantaine empestée par l'haleine de trois cents individus! Le linge était renouvelé tous les deux mois en principe, mais nous gardâmes le même jusqu'à quatre mois, sans possibilité de le laver. Inutile de dire que les poux pullulaient; en quarantaine, j'en tuai personnellement jusqu'à cent par jour; en temps normal, cela variait avec les blocks; certains étaient tenus avec une propreté méticuleuse, ridicule même : dans ceux-là, nul étranger ne pouvait entrer, et leurs occupants mêmes devaient y pénétrer, leurs chaussures à la main; le contrôle des poux y était obligatoire tous les soirs; dans d'autres, au contraire, c'était un va-et-vient continu, un laisser-aller bien compréhensible pour des hommes qui revenaient harassés par douze heures de travail continu et qui n'avaient même plus le courage de se laver ni de s'épouiller.

— Se tenir propre était d'ailleurs un véritable tour de force : l'allocation mensuelle de savon était dérisoire, et la plupart du temps il fallait se contenter de se laver à grande eau; il y avait bien « douches » une fois par semaine, mais je ne sais si c'était par mesure d'hygiène ou d'extermination : il fallait s'y rendre complètement nus, quelle que soit la température, rester obligatoirement à trois ou quatre sous le même jet alternativement chaud et glacé, et sortir rapidement sans avoir pu s'essuyer.

— Chaque block était désinfecté régulièrement tous les deux ou trois mois, c'est-à-dire empli de gaz pendant la journée; cette nuit-là, les occupants du block dormaient nus, et dès 3 heures du matin, essayaient de retrouver dans un fouillis inextricable leurs vêtements humectés de vapeur d'eau bouillante; chaque désinfection coûtait la vie à plusieurs hommes, conséquence plutôt inattendue d'une soi-disant mesure d'hygiène.

— Mais si l'on ne donnait pas à la masse des détenus la possibilité d'être propres, les privilégiés — chefs de blocks, chefs de chambres, kapos, d'une façon générale les Allemands et les « Häftlinge » qui occupaient des postes de faveur — qui, eux, possédaient une véritable garde-robe et faisaient laver leur linge moyennant quelques gamelles de soupe volées à la collectivité, ces privilégiés-là, nos supérieurs dans la hiérarchie concentrationnaire, ne faisaient pas faute de nous traiter de « schwein » à longueur de journée, de nous écraser de leur mépris et, à l'occasion, de nous infliger vingt-cinq coups sur les fesses pour nous apprendre à être propres! A force de vivre auprès d'une minorité vêtue correctement, on finissait par sentir se développer en soi un véritable complexe d'infériorité; en français, il est un proverbe qui dit : « L'habit ne fait pas le moine », mais un ouvrage allemand a pour titre : *Klaider machen Leute*. Il faut avouer que cette dernière formule se vérifie pratiquement plus souvent que la première; en tout cas, elle se vérifiait pleinement à Gusen : les S.S. savaient bien ce qu'ils faisaient en dépouillant les déportés de tous leurs effets personnels dès leur arrivée à Mauthausen, et en les revêtant aussitôt de la fameuse tenue rayée ou d'un costume plus ou moins carnavalesque qui faisait d'eux de véritables guignols! Ainsi vêtu, chaussé de claquettes ou de gros sabots, la tête rasée et tondue du front à la nuque sur une largeur de 4 centimètres, couvert de crasse et de poux, le nouveau pensionnaire, quelle que soit sa valeur intrinsèque, devenait vite un pantin au milieu d'autres pantins; nous-mêmes, les « rescapés » en évoquant certains souvenirs vestimentaires, ne pouvons nous empêcher de rire du ridicule de notre tenue là-bas : les camps étaient non pas d'inspiration « ubuesque » comme on a pu le dire, mais d'« apparence ubuesque »!

— C'est justement ce à quoi voulaient atteindre les Allemands pour essayer de faire oublier à leurs victimes et à eux-mêmes le caractère épouvantable de leur crime contre l'homme : comment pouvoir considérer comme un combattant sérieux un individu maigre et sale, habillé d'une façon grotesque, ayant l'aspect extérieur et souvent le comportement d'un animal? Comment, dans de telles conditions, pouvoir se considérer soi-même comme un combattant? Comment ne pas reconnaître enfin la victoire du nazi en se laissant mourir de désespoir, ou au contraire, en se laissant aller à des actes de brutalité sur ces êtres ridicules et agaçants à force de misère?

— Les Allemands ont réussi dans les K.L. à défigurer la notion du prochain, en acculant l'homme à une décrépitude physique jusqu'alors inconnue. Ce n'est pas le moindre de leurs crimes.

— Même les maladies étaient avilissantes : la dysenterie faisait ses ravages autant dans le moral que dans le corps des hommes; les phlegmons purulents rongeaient les jambes et poussaient le malade au dégoût de lui-même, comme la gale... comme la furonculose... et ce dégoût s'ajoutait facilement au désespoir de voir les plaies se creuser chaque jour de plus en plus par manque de soins et de vitamines. Entrer au « Revier » était difficile, le major S.S. n'acceptant que les cas très graves qui empêchaient la continuation du travail, et de plus dangereux : régulièrement des malades du block 31, jugés incurables, étaient « piqués », leurs corps décharnés entassés devant le four crématoire avant de se volatiliser en fumée; rien n'était plus poignant et ridicule à la fois que ces cadavres nus aux visages grimaçants que l'on « trimbalait » comme des sacs d'os : à Gusen, le respect de la mort n'existait pas, il n'aurait pas fallu que les survivants croient à une revalorisation possible de leur être aux yeux de leurs bourreaux!

— En attendant de mourir, les concentrationnaires travaillaient douze heures par jour. Travail destiné à compléter l'œuvre de la sous-alimentation. Les deux kommandos les plus meurtriers étaient incontestablement ceux des deux carrières de granit qui surplombaient le camp de leurs sinistres murailles grises; mille cinq cents hommes environ, ventre creux et mal vêtus, s'y affairaient toute la journée, sous la schlague des plus beaux criminels d'Europe, aux températures hivernales de moins 25° comme aux chaleurs étouffantes de l'été; dans le crépitement des marteaux pneumatiques et les hurlements des kapos, des hommes transportaient des pierres, poussaient des wagonnets lourdement chargés jusqu'à l'immense concasseur dont la construction en 1941 avait coûté la vie à deux mille Espagnols. Carrière était synonyme d'enfer.

— Nous [1] étions plusieurs kommandos composés de vingt-cinq détenus et d'un kapo. En arrivant sur le chantier, et quel que soit le temps, qu'il pleuve ou qu'il neige, nous devions nous mettre le torse nu. Nos kapos disaient que l'on n'avait qu'à travailler davantage pour se réchauffer. Il nous fallait extraire, puis charger, les blocs de pierre qui devaient alimenter le concasseur. Sous une grêle de coups, nous nous mettions au travail, et quel travail de charger ces blocs de pierre! Les plus gros étaient portés par quatre détenus, à l'aide d'une trague. Pour mon compte, il me fallait travailler individuellement; étant un des plus faibles, je ne pouvais pas tenir correctement ma place à la trague. Le moindre fléchissement et c'était la chute du bloc et, bien sûr, cela augmentait la fureur du kapo. En travaillant tout seul, cela évitait des coups à mes camarades. Je chargeais le wagonnet avec les pierres jugées trop petites pour la trague et, là encore, la tête devait travailler autant que les bras. Lorsque le kapo vous regardait, il fallait prendre des pierres assez grosses. Mais il fallait aussi compter avec les moments de folie des kapos. Une pierre échappée, un wagonnet qui déraille... Et chaque jour, trois ou quatre camarades étaient tués par un bloc de pierre ou par les coups.

— Pour nous, Français, la présence d'« Al Maniv », le boxeur, nous épargnait, en partie, des coups, en partie seulement car, dans les moments de fureur, personne n'était épargné, et il fallait à tout prix éviter le coup qui vous immobilise car la vue du sang excitait à tel point le kapo qu'il s'acharnait jusqu'à ce que mort s'ensuive. De toute

1. Témoignage inédit Georges Parouty.

façon, il lui fallait, tous les jours, sa ration de cadavres qui variait selon les arrivages au camp. Nombreux transports, nombreux morts pour faire de la place. Ce besoin de tuer était indispensable aux kapos. C'était leur drogue. Ils en jouissaient. Il y avait toujours, après la séance de tuerie, un moment d'accalmie. Le kapo plaisantait, riait, il était détendu. Cela ne durait guère. Et toute la journée nous vivions dans la hantise de la prochaine crise qui ne tardait pas. Et des fois, elle revêtait un caractère vraiment exceptionnel, qu'il est difficile, avec le recul du temps, de raconter. Je me demande parfois si cela était possible. Si je ne fais pas un cauchemar. Hélas! Je suis bien éveillé. Le paysage que j'ai devant les yeux est bien réel. C'est bien la Creuse qui coule au bas de la colline et l'oiseau qui chante au petit jour, saluant le lever du soleil.

— Elles sont bien vraies les deux scènes que je vais raconter. Je les ai bien vécues, j'en ai souffert et combien de camarades y sont morts.

— En plus de l'extraction de la pierre, du chargement des wagonnets, nous devions évacuer la terre et, pour ce faire, un wagon de modèle réduit, dit « wagon de marchandises », était utilisé. Et nous devions, après le chargement, aller le vider à une décharge au bout de la carrière. Un jour, le wagon mal retenu par nos mains ensanglantées tomba dans la décharge. Et comme toujours, au lieu d'examiner la meilleure façon de le sortir, le kapo fit appel à son acolyte, l'autre kapo. Et les détenus, des deux kommandos, durent descendre au bas de la butte, accompagnés comme il se doit par les coups qui redoublaient d'intensité. Et nous voilà dans cette ambiance démoniaque, mis en demeure de remonter le wagon. Imaginez! une profondeur de plusieurs mètres, une quinzaine au moins, une déclivité à 50° et une quarantaine de détenus poussant de toutes leurs forces. Les deux kapos tapant et hurlant. Malheur à ceux qui étaient mal placés, c'est-à-dire derrière le wagon, aux grands dont l'échine dépassait celle des autres, les coups pour eux étaient plus nombreux. Et, petit à petit, nous arrivions à gagner quelques centimètres. Et plusieurs fois, à bout de forces, nous laissions le wagon redescendre, écrasant des camarades. Si bien qu'au bout d'un moment difficile à évaluer — les minutes sont longues dans ces moments-là — un tiers de notre effectif était déjà hors de course. Leurs souffrances prenaient fin. Le kapo faisait appel, alors, à un autre kommando dont le kapo, moins excité que les deux autres, lui faisait comprendre l'impossibilité de sortir de cette façon le wagon de la décharge. Il fit mettre des câbles qui étaient tirés d'en haut, par des détenus. Il fit mettre également un rail sur la pente, mais malgré cela, la remontée du wagon ne se fit pas sans mal et sans nouveaux morts. Quel cauchemar! Ce soir-là, en rentrant au camp, ce n'est pas quatre ou cinq cadavres que nous devions ramener, mais au moins le double.

— Un jour, peu de temps après la scène du wagon, alors que nous étions au travail, un pan de montagne s'écroulait, écrasant sous des blocs pesant plusieurs tonnes tout un kommando. Branle-bas dans le camp. Nous qui travaillions près du lieu de l'accident, qui avions vu, entendu et ressenti les effets de l'éboulement, nous fûmes les premiers sur place, pour porter secours. Spectacle effrayant. Des bras, des jambes qui émergeaient au milieu des blocs de pierre. Nous n'eûmes pas le temps de nous attendrir. Les kapos, rendus fous furieux, et désignant les blocs de pierre d'où émergeait une partie d'un ou plusieurs corps, nous faisaient comprendre à coups d'arguments habituels — c'est-à-dire la trique — que nous devions dégager ces corps; chose absolument impossible. Le moindre bloc était d'un tel poids que seuls des moyens mécaniques très puissants auraient peut-être pu le faire. D'autre part, hélas, qu'est-ce que cela aurait changé pour nos pauvres copains, écrasés, réduits en bouillie. Pour eux, nous ne pouvions plus rien. Mais là encore, si cela était nécessaire, nouvelle démonstration de l'incohérence du système servi par ces tueurs. Alors que le nombre des tués par l'éboulement était déjà suffisamment élevé, le fait que nous ne pouvions plus rien pour nos malheureux camarades, aurait dû être compris par les kapos. Mais cela était contraire à leur comportement habituel. Cet événement les avait mis en condition. Ils étaient là, presque tous les kapos du camp, sous l'œil du S.S. du kommando et s'excitant les uns les autres, ils exterminèrent, ce jour-là, un nombre beaucoup plus élevé de détenus que n'en avait fait la catastrophe. Et cela aurait bien surpris les brutes sanguinaires si quelqu'un leur avait dit que leur comportement avait quelque chose d'odieux. Et ils étaient, j'en suis sûr, persuadés, et ils croyaient avoir agi, en tuant ce jour-là des dizaines et des dizaines de déportés, absolument pour rien, qu'ils avaient agi par humanité.

— Enfin, cette journée prenait fin. Epuisés, ô combien — chacun d'entre nous ayant à porter sur ses épaules un de nos camarades morts — nous nous traînions, lamentablement. Il nous arrivait de laisser échapper le corps que nous portions. Alors qu'en temps habituel cela nous aurait valu des coups, les kapos, épuisés sans doute par cette tuerie exceptionnelle, rendus presque aphones, ne hurlaient pas et tapaient peu. Et c'était l'arrivée au camp où nous devions subir, comme les autres, le défilé. Et là, pas question de se traîner ou de laisser échapper notre fardeau. Puis c'était l'appel où, ce jour-là, au kommando de Kastenhof il y avait presque autant de morts que de vivants présents. À peine fini, nous regagnions notre block. Oh! il n'était pas question de trouver un peu de répit, de tranquillité. Le chef de block et ses aides — qui n'avaient pas participé à la tuerie — étaient en pleine forme. Et la distribution de la maigre ration du soir était toujours accompagnée de cris et de coups.

— Nos forces déclinent chaque jour. Nos pauvres mains, ensanglantées par le dur granit de la carrière, ont du mal à s'ouvrir et à se fermer. Nous sommes en train de devenir la copie conforme de ces êtres faméliques qui nous avaient fortement impressionnés à notre arrivée. Notre cerveau fonctionne au ralenti. Notre préoccupation : tenir et éviter à tout prix le coup que parfois nous souhaitons et qui mettrait fin à notre calvaire. Mais, malgré notre déchéance physique, une petite lueur subsiste : la volonté de survivre, si elle nous abandonne de temps en temps, est toujours en nous. Elle nous permet de surmonter les pires moments, les coups, la faim, la soif et la carrière.

Hélas! mis à part mon camarade Manivel, je ne crois pas que parmi les quelques Français qui ont travaillé, avec nous, à cette carrière, il y ait des survivants. Alors, pour mon compte, comment ai-je réussi, malgré mon état physique, à me sortir de cet enfer?

— Nous étions au travail, comme d'habitude, et ce jour-là nous recevions la visite du kommandoführer, un S.S. roumain. Nous appréhendions cette visite car, à cette occasion, nos kapos ne voulant pas recevoir de reproches de la part du S.S., tapaient et hurlaient au maximum. Et pendant les quelques instants de sa visite, c'était au pas de course que nous travaillions. En arrivant ce jour-là au kommando, le S.S., cravache à la main, distribua des coups de-ci, de-là, et il demanda au kapo : « Quel est le plus paresseux? » Et le kapo, me désignant, dit : « Le goldschmit, le forgeron de l'or, le bijoutier. » Le S.S. gravit une vingtaine de mètres à flanc de montagne et là, se campant sur ses jambes, il ordonna au kapo de me faire monter également ces 20 mètres. Et lorsque j'arrivais auprès de lui, l'aide du kapo lui passait une pierre qu'il jetait sur moi. Sous le choc, je dégringolais la pente, mais il me fallait remonter accompagné des coups de gummi du kapo. Combien de fois suis-je monté, je ne peux le dire. Ce que je me rappelle, c'est que si les premières fois je montais debout, à la fin je montais à quatre pattes, m'agrippant aux roches, faisant des efforts surhumains pour ne pas rester en route, craignant le pire. Enfin, à bout de forces, je m'écroulai aux pieds du S.S. Celui-ci se mit alors à me taper à coups de cravache et à coups de bottes, et je ne tardai pas à m'évanouir.

— Et ce sont mes camarades, entre autres Manivel, qui me racontèrent la suite. Le S.S. cessa de me taper lorsqu'il me crut mort. Le kapo, ne se sentant sans doute pas concerné, ne m'appliqua pas le coup de grâce sur la carotide. Et je revins à moi, pouvant à peine ouvrir les yeux, et dans une demi-conscience, croyant faire un cauchemar, je vis se pencher sur moi le kapo qui s'exclama : « Comment? Toi, tu n'es pas mort! » Là encore, une bizarrerie du comportement du kapo, qui aurait dû m'achever. Il ne le fit pas. Je dois dire qu'un camarade espagnol intercéda auprès de lui en employant un argument efficace, lui disant que j'étais un copain d'Al Maniv et que j'étais moi-même boxeur. Je restai là, étendu, jusqu'à la fin de la journée. Ce sont les déportés qui me portèrent pour rentrer au camp.

— Lorsque j'arrivai au block 20, j'y retrouvai deux camarades : Maurice Deber et Eugène Taverdet; nous avions été arrêtés ensemble, en août 1942. Mes deux camarades eurent du mal à me reconnaître, n'ayant plus figure humaine. Pour moi, une question se posait : le kapo m'avait épargné, mais le chef de block, lui, qu'allait-il faire? Il est bien évident que j'étais incapable de retourner à la carrière le lendemain. Et, dans ce cas, le chef de block devait m'achever. J'avais une ressource, c'était de me présenter à la visite, mais mes deux camarades essayèrent de m'en dissuader car ils avaient eu la confirmation du principe : pas de bouches inutiles, ce qui signifiait, dans mon cas, la mort par piqûre au Revier. J'avais donc le choix : ou la mort sous les coups du chef de block, ou la piqûre. Je décidai de me présenter à la visite du soir, accompagné par mes deux camarades. J'étais un des tout premiers Français à me présenter à celle-ci, sachant très bien ce que je risquais. Mon choix se bornait à choisir la mort la plus douce. Eh bien! la chance, une fois de plus, devait être de mon côté.

— La visite commençait. Nous étions introduits par paquets d'une dizaine. On nous faisait prendre notre température sous le bras. De cette façon, pas besoin de désinfecter le thermomètre. C'est cette température qui déterminait l'admission dans les différents blocks du Revier. La température prise, passage devant le médecin qui décidait de votre sort. Le docteur polonais, Marian, parlait français. Et comme j'étais un des premiers Français à me présenter à la visite, celui-ci au lieu de « m'ausculter à la course » me posa quelques questions sur la situation en France, sur l'issue de la guerre que je lui fis entrevoir assez proche, les Alliés naturellement étant vainqueurs. Il me questionna également sur le général de Gaulle, me demandant quelle était ma situation, pourquoi j'avais été arrêté et il me demanda si j'étais officier dans la résistance. Je lui répondis que oui, que j'avais le grade de capitaine car je sentais que cela était nécessaire pour influencer sa décision, d'apparaître à ses yeux comme quelqu'un sortant de l'ordinaire.

— Je ne sais pas si c'est cela qui décida de mon sort, je le crois. Et il me fit mettre de côté, me disant d'attendre la fin de la visite. Celle-ci finie, nous reprîmes notre conversation. Il me dit que dans mon état je ne pouvais pas être admis au Revier car je devais, le lendemain matin, passer devant le médecin S.S., qui ne manquerait pas de demander les raisons de mon état, et qu'il serait difficile de lui cacher la vérité. Le docteur Marian décida alors de m'accompagner au block. Et là, usant de son influence auprès du chef de block, il lui demanda de me garder quelques jours au block, de me garder le temps que mes blessures soient moins apparentes. Je lui rendais visite dans la journée pour me faire panser. Et lorsqu'il jugea que je pouvais être présenté à la visite du médecin S.S., il fit un diagnostic qui me permit d'être admis dans un des meilleurs blocks du Revier, le block 29.

— Ce block était dirigé par un politique allemand, Albert, « diminué » par plusieurs années d'internement. L'un de ses chefs de chambre, Francisco, un jeune Espagnol, avait des réactions imprévisibles. Cela peut se comprendre. Francisco avait été retenu pour subir certaines expériences pseudo-médicales qui devaient entraîner la mort. L'Oberkapo du Revier, pédéraste comme presque tous les « proéminents » du camp, eut envie de lui comme partenaire. Il lui mit le marché en main : ou alors accepter, ou alors subir le sort de ses neuf camarades, c'est-à-dire mourir. Essayons d'imaginer le drame de ce jeune. Séparé de sa famille, de sa patrie, ayant traîné depuis des années les camps français et allemands, ayant vécu la période où les camps de la mort étaient encore plus terribles, n'ayant plus après cette grande période de misère et de répression toutes ses facultés mentales, il céda. Mais, cette affaire, déjà monstrueuse en elle-même, n'était pas terminée pour autant. Ce serait faire bon marché du sadisme de ce tueur de croire qu'il s'en serait tenu là. Voulant s'attacher, d'une façon définitive, Francisco, l'Oberkapo lui dit : « Francisco, tu es maintenant « proéminent », tu as donc tout ce qu'il te faut, tu dois aider tes camarades. Tu as bien dans le camp un camarade que tu préfères. Va le chercher ! » Francisco obéit. Il alla chercher son meilleur copain, ne se doutant pas de ce qui allait se passer et dépassant en horreur tout ce que l'on peut imaginer.

— Lorsque son camarade et lui se trouvèrent en présence de l'Oberkapo, celui-ci ordonna à Francisco de tuer son camarade. Il refusa. Alors, faisant appel à ses tueurs, le kapo leur ordonna de les tuer tous les deux. Mais alors qu'ils étaient massacrés, presque morts, l'Oberkapo reposa une nouvelle fois, à Francisco, la question : « Tu achèves ton camarade ou on vous finit tous les deux ! » Affolé, et demi-conscient, Francisco n'ayant plus la force d'exécuter l'ordre, fit néanmoins le geste d'étrangler son camarade. Et à partir de ce moment-là, Francisco, dont la raison avait craqué, devint un de ces tueurs au regard fou, incontrôlable. Je fus donc accueilli par lui qui me traita de « gendarme de Daladier », me disant que j'allais crever. Je lui répondis : « Peut-être, mais je crèverai en honnête homme. » Et je lui dis que lui aussi allait crever, mais en salaud.

— Et la journée se passa dans une certaine angoisse car les menaces de Francisco n'étaient pas des paroles en l'air. A la nuit tombante, Francisco s'approcha et s'assit sur mon lit. Je le provoquais en lui disant : « Qu'est-ce que tu attends pour faire ton sale boulot ! » Il me répondit en me demandant si je savais chanter. Sentant quelque chose d'insolite dans cette demande, et peut-être une ouverture pour une discussion, je lui dis : « Si cela peut te faire plaisir et te rappeler des souvenirs, je veux bien accéder à ton désir avant de mourir. » Et il me dit : « Chante-moi la chanson *J'attendrai.* » La nuit était venue et, dans la demi-obscurité au fur et à mesure que je chantais, je sentais que l'émotion gagnait Francisco. Cette chanson éveillait en lui des souvenirs.

— La chanson finie, profitant de l'émotion qui avait gagné Francisco, je lui posai quelques questions, lui disant : « Tu es trop jeune pour être marié, mais tu as bien un papa, une maman, peut-être des frères, des sœurs. Est-ce que tu ne voudrais pas les revoir? » Et c'est à ce moment-là qu'il me raconta sa triste histoire, disant : « Tu vois, cela n'est pas possible. Tu me l'as dit toi-même, je suis un salaud, un tueur. » Je continuai avec lui la discussion. Je lui dis que moi j'étais marié, j'avais un fils et une maman, des frères, des sœurs, mon père ayant été tué à la guerre de 1914. Je lui expliquai que l'épithète dont il m'avait gratifié à l'arrivée, m'accusant d'être un « gendarme à Daladier », était, pour ma part, injustifié, car j'avais soutenu, en son temps, la lutte de la république espagnole. J'ajoutai qu'il en était ainsi pour beaucoup de mes camarades français présents dans ce camp.

— Je lui demandai également comment étaient constitués les tribunaux en Espagne. Il me répondit : « Pour l'essentiel, comme en France : des juges, un procureur et naturellement des avocats. » Je lui dis : « Francisco, si j'avais à te juger, je serais très dur avec toi. Je demanderais la peine de mort. Mais si j'étais ton avocat, je plaiderais les circonstances atténuantes car, en fait, les vrais coupables ce sont les nazis qui ont créé ces camps de la mort et qui ont permis à tous les bandits, les criminels d'assouvir leurs bas instincts et de corrompre des gars comme toi. » Et j'ajoutai : « Si tu veux qu'à la fin de la guerre on ait pour toi quelque indulgence, il faut renverser la vapeur, être plus humain et, dans la mesure du possible, aider les camarades et en sauver le plus grand nombre. » C'est ce qu'il fit car des camarades français, entre autres René Bondon, Claude Tefel qui arrivèrent après moi au block 29 n'eurent qu'à se louer du comportement de Francisco. En particulier Claude Tefel qui resta plusieurs jours dans le coma, ce qui lui aurait valu, normalement, d'être éliminé. Au contraire, il fut soigné et il est bien vivant aujourd'hui.

— Dans son zèle, Francisco qui n'était pas devenu subitement un être normal, voulant trop bien faire, exagérait quelquefois. Ayant mal à la gorge, il me soigna de telle façon — en mettant plus de produit qu'il ne l'aurait fallu — qu'il me brûla. Mais à quelque chose malheur est bon. Cela me valut de rester un peu plus longtemps au block 29.

— Donc, me voilà sortant du Revier, retapé mais pas apte à retourner à la carrière. Heureusement, déclarés « sortants » de ce block, nous avions la possibilité de travailler au Lagerkommando, le kommando du camp. Ce travail était beaucoup moins pénible. Il consistait à tenir le camp propre, ce qui n'était pas difficile car aucun déchet, fût-ce un simple mégot, ne traînait dans les rues. Une autre activité consistait à ramasser les cadavres dans les différents blocks, et pour ce faire nous étions une dizaine de détenus attelés à un chariot à quatre roues. Nous passions, après l'appel du matin, dans les différents blocks du camp et du Revier où l'on chargeait, sur notre chariot, les camarades morts au travail ou dans la nuit au block.

— Au début, cela était assez impressionnant. Nous prenions les cadavres, à deux, par les jambes et par les bras, et les lancions dans le chariot comme de simples paquets. Parfois, parmi les cadavres, il y avait des moribonds. Je me rappelle, entre autres, que dans un chariot plein de cadavres que nous emmenions au crématoire, il y avait un de ces moribonds qui avait sur sa figure le pied d'un mort et qui essayait, avec sa main, d'écarter ce pied, et celui-ci revenait sans cesse. Lorsque je raconte cette scène, comme d'ailleurs toutes les autres, je la revis intensément. Malgré notre déchéance qui n'était pas encore arrivée à son maximum, ces scènes — après à peine trois mois de camp — avaient en nous une résonance qui devait, il faut le dire, beaucoup s'atténuer par la suite.

— Nous arrivions avec notre chargement au crématoire. Ce crématoire était, de tous les blocks du camp, le plus coquet : des fleurs tout le tour, des rideaux violets aux fenêtres, en un mot un aspect pas du tout sinistre. Mais lorsqu'on pénétrait à l'intérieur, l'impression était de beaucoup différente. En ce qui nous concerne, nous devions décharger notre chariot et, pour cela, celui-ci mis à quai, nous devions attraper par un bras ou par une jambe chacun des cadavres que l'on traînait jusqu'à la réserve où nous les entassions comme des fagots. Le ramassage terminé, il nous restait à charger les cendres que nous emmenions dans un terrain hors de l'enceinte du camp électrifiée. Je restais seulement quelques jours à ce kommando qui était, de par sa nature, un des moins bons du Lagerkommando. Et de plus, le kapo qui le commandait, Felipe, était plus particulièrement excité et nous tapait sans arrêt pour nous faire aller plus vite. Ses coups redoublaient quand nous franchissions le portail où était la garde S.S.

— Avec mon camarade René Bondon, nous réussissions, un matin, à nous faire embaucher par le kapo des « barbelés ». Nous devions arracher les mauvaises herbes qui poussaient entre et sous les barbelés. Nous étions munis d'un manche en bois, avec un bout de ferraille au bout. Un des avantages et pas des moindres, c'était que nous pouvions récupérer les pissenlits que nous mangions. C'étaient les seules vitamines et crudités à notre disposition. Nous en rapportions pour nos camarades au camp.

— Alors que l'on travaillait à proximité du block des convalescents, le block 32, des camarades français, nous apercevant par la fenêtre, nous demandèrent de leur apporter des pissenlits. Notre camarade Bondon me dit : « J'y vais, regarde si personne ne vient. » Notre kapo, lui, sommeillait car il faisait très chaud. René se précipita. Mais nous n'avions pas pensé au kapo du block 32 qui, sautant par la fenêtre, se mit à taper sur René, le traitant de cochon de Français, l'accusant de vouloir empoisonner ses camarades. Heureusement, c'était l'heure de la visite du médecin S.S. qui demanda des explications au kapo. Celui-ci lui dit que ce Français voulait faire manger à ses camarades cette cochonnerie et il lui montra les pissenlits. A son grand étonnement, alors qu'il pensait recevoir les félicitations du médecin S.S., celui-ci lui dit que le Français avait raison, que cette saloperie était remplie de vitamines, donc très bonne pour la santé. J'étais dans ce kommando depuis une vingtaine de jours. Un après-midi où il faisait très chaud, notre kapo — comme cela lui arrivait quelquefois — s'était assoupi. Les autres fois nous arrêtions de travailler, tout en restant aux aguets. Cette fois-là, comme nous étions dans un coin du camp assez retiré, pas trop à la vue, nous décidâmes de nous asseoir et, ma foi, nous aussi nous nous endormîmes. Un S.S. et deux kapos nous tombèrent dessus, à bras raccourcis. Mais c'est sur notre kapo qu'ils s'acharnèrent, le massacrant littéralement. Le lendemain, à l'embauche, il n'était pas question de se présenter à ce kommando. Je décidais de tenter quelque chose. Ayant remarqué que, dans la journée, des détenus circulaient dans le camp munis d'un récipient et d'un balai, je me procurai ceux-ci et je pus, de cette façon, gagner encore une quinzaine de jours, car mon travail consistait surtout à ouvrir l'œil. Je me baladais donc, ayant l'air toujours très affairé, mais marcher toute la journée, cela aurait été assez fatigant et, pour me reposer, je trouvai une autre combine. Les w.-c. au camp étaient très confortables, contrairement à ceux qui existaient sur les lieux de travail où l'on devait s'asseoir sur une barre de bois triangulaire qui vous coupait les fesses. Je décidais donc de faire de très larges pauses dans les w.-c. Mais il fallait là aussi être vigilant car, de temps à autre, des kapos faisaient irruption avec la trique à la main et vidaient tout le monde, y compris ceux qui venaient d'arriver. L'astuce consistait à repérer le passage du kapo et l'on pouvait après cela s'installer pour un bon moment.

— Alors que je pensais avoir trouvé, comme on dit « une bonne planque », je ne devais pas tarder à déchanter. Eh! oui, il y avait souvent des retournements qui, s'ils surprenaient les novices que nous étions, n'en faisaient pas moins partie du système et tout cela était savamment orchestré.

— Un matin, dans le camp, à peine les kommandos partis au travail, grand branle-bas. Les S.S., en nombre important, accompagnés de kapos, effectuaient une rafle. Les haut-parleurs interdisaient toute circulation : chacun devait rester à la place où il était. Ceux qui seraient pris à circuler seraient immédiatement abattus. Cette rafle, si elle me surprenait — car elle était la première que je voyais depuis mon arrivée — n'avait rien d'exceptionnel. Elle se produisait à intervalles plus ou moins réguliers.

Elle avait pour but de récupérer ceux qui, comme moi, étaient en rupture de travail dans un kommando régulier. Je restais donc à ma place, dans les w.-c., comme si j'avais à nettoyer ceux-ci. Mais je vis arriver, non sans appréhension, les S.S. Bref interrogatoire. Ils me demandèrent quel était mon emploi. Je répondis Lagerkommando. Le kapo inscrivit mon numéro et je fus emmené avec d'autres sur la place d'appel. Après vérification, nous étions, en punition, versés pour une journée à la « compagnie disciplinaire » de la carrière.

— Après une nouvelle quinzaine dans les différents kommandos du camp, je suis affecté aux ateliers de réparation. Nous devions remettre en état les véhicules de guerre : camions, remorques, auto-mitrailleuses. Je faisais équipe avec un métallo de Saint-Denis, Carpentier, que je devais voir mourir, hélas! au block 31. C'était un professionnel très qualifié comme tôlier-soudeur. Nous nous entendions bien. Mon camarade me dit : « Je vais t'apprendre les rudiments du métier. Cela pourra peut-être te servir un jour. » Voyez comme la confiance en l'issue favorable de la guerre était bien ancrée. Le tout était de tenir jusque-là, ce qui fut vrai pour moi et pas pour mon camarade Carpentier. La vie s'écoulait d'une façon pas trop mauvaise. Le kapo ne connaissait rien à ce genre de « remise en état ». Il nous fichait la paix. Il y avait bien quelques distributions de coups, de temps à autre, mais rien de comparable à certains kommandos.

— On prenait une porte de véhicule à décabosser. On en choisissait une en très mauvais état, et il n'était pas rare de s'affairer sur la même porte deux ou trois jours alors que la moitié du temps aurait largement suffi, sans se presser. Carpentier me disait où je devais chauffer à l'aide du chalumeau oxydrique, m'expliquant en long et en large la façon de m'y prendre. La porte finie, il nous arrivait de la recabosser pour nous pencher sur elle deux ou trois jours de plus.

— Une autre besogne consistait à ressouder les tiges filetées des tourelles d'auto-mitrailleuses. Là, le sabotage était facile. Il aurait fallu démonter la tourelle et changer ces tiges. Mais comme on ne nous avait pas demandé notre avis pour cela, on nous disait de souder, nous soudions. Et mon camarade me fit la démonstration, en tapant un coup sec sur la tige, qu'il était impossible qu'elle tienne. Je dois dire qu'en bon spécialiste, Carpentier préparait ses soudures en mélangeant, d'une certaine façon, l'oxygène et l'hydrogène. Il rendait ainsi les tiges plus cassantes.

— Nous étions au mois de novembre 1943. La guerre-éclair que pensaient mener les nazis s'éternisait et son issue devenait pour le moins incertaine. Ils décidèrent donc de mobiliser une partie des droit commun parmi les plus aptes à porter les armes, malgré leur passé. Notre kapo fut de ceux-là. Il fut remplacé par un des plus grands tueurs de Gusen I, Willy. Ce Willy — qui arborait fièrement son triangle rose d'homosexuel — ne pouvait pas souffrir les Français. Il était constamment sur notre dos, nous rouant de coups et, ce qui devait arriver arriva : il me fit mettre à la porte de son kommando.

— Je fus transféré à la carrière avec les recommandations particulières de Willy auprès du kapo de celle-ci. Dire quel pouvait être mon désarroi de me retrouver à cette carrière de mes débuts! La recommandation de Willy n'arrangea pas les choses. Toute la journée, je travaillais au pas de course, sous une grêle de coups. Dire dans quel état je me trouvais en rentrant au block, le soir, est difficile. Ce qui est sûr c'est que j'avais sauvé ma peau, mais ce n'était que partie remise. Si je continuais à travailler à la carrière, un jour, deux jours ou trois au maximum, c'était pour moi la certitude de la mort à court terme. Que faire? J'étais coincé. Une seule solution : le Revier. Mais je l'ai dit, on ne pouvait être admis que si la fièvre atteignait au moins 39°. Il existait bien d'autres moyens qui consistaient à se présenter à la visite en disant que l'on avait la diarrhée. Cette maladie infectieuse qui faisait de grands ravages dans le camp et qui était la grande pourvoyeuse du block 31, le fameux block d'extermination. L'on croyait sur parole le malade qui ne subissait aucun contrôle. Dès l'annonce de la maladie, à la visite, vous étiez mis à part, immédiatement hospitalisé. D'ailleurs, il n'était pas pensable que l'on choisisse, d'une façon délibérée, de se faire admettre au block 31, sachant très bien qu'en faisant cela c'était la quasi-certitude de ne pas revoir le camp.

— Mais une fois encore, il me fallait choisir, gagner du temps et, je l'avoue, une certaine résignation s'était emparée de moi. Je ne voyais plus d'issue. La monstrueuse machine d'extermination du camp me tenait dans ses griffes. Comment lui échapper? Pas facile. Je n'avais pas beaucoup à réfléchir, c'était tout de suite qu'il me fallait prendre une décision : ou la carrière ou le block 31. La peste ou le choléra. Comme la première fois, je décidais de me présenter au Revier. Mais cette fois je ne pouvais pas bénéficier de la bienveillance du médecin polonais. Ce n'était pas lui qui passait la visite, et il n'était pas question de demander une faveur à son remplaçant polonais qui, lui, ne valait pas cher.

— Me voilà donc dans cette antichambre de la mort. Triste troupeau d'êtres faméliques qui entendaient traîner leur maladie le plus loin possible, essayant de la dissimuler. Mais au block, comme au travail, leurs fréquentes visites aux w.-c. devaient les trahir, et les chefs de block et les kapos ne transigeaient pas avec ces « relâchements ». Comment décrire ce block 31? Rien de comparable avec le block 29 où l'on avait un semblant de traitement. Ce qui était terrible, c'était l'atmosphère. Une puanteur qui vous prenait à la gorge, un mélange d'odeurs de pus et de merde. Car s'il était formellement interdit de se laisser aller dans le lit, cela arrivait cependant fréquemment et le malade était jeté à « la gare du paradis ».

— Nous vivions à deux, trois, des fois quatre par paillasse, cela dépendait des arrivages. Nous étions entièrement nus, notre matricule était inscrit sur notre poitrine. La fameuse hygiène allemande, faite de contradictions, donnait toute sa mesure. Il n'y avait pas de lits qui n'étaient pas souillés par le pus et la merde. Je ne peux pas dire tous les combien les couvertures étaient changées, mais ce que je peux affirmer, c'est que pendant les quelques jours où je restai dans ce block — six si ma mémoire est fidèle

— je n'ai pas assisté à un seul changement. C'est dire dans quel état de souillure nous nous trouvions. Mais il est vrai que l'adaptation du corps humain, y compris aux pires choses, est réelle. Je devais m'en rendre compte, au bout de deux ou trois jours. Je n'étais plus tellement incommodé par les odeurs pestilentielles.

— Pourtant, du point de vue physique, j'étais bien, j'étais en bien meilleure condition que mes camarades. Mais je subissais quand même l'ambiance infernale de ce block avec plus d'acuité que beaucoup d'autres détenus, car il faut le dire, s'il y avait un endroit où la résignation et l'abandon de soi existaient, c'était bien dans cet enfer où il ne se passait pas de jours sans que l'on élimine, par piqûre, des « chiasseux ». Quelques instants avant l'appel du kommandoführer, le chef du block passait dans le stube, accompagné d'un infirmier, et il désignait, par un mouvement de tête, celui qui devait être piqué. Mise en scène ridicule car, en voulant désigner discrètement les futurs candidats à la mort, personne n'était dupe. Au bout d'un jour ou deux de présence, plus personne n'ignorait ce qui se passait au block 31. Mais malgré cela, ceux qui étaient désignés et que l'infirmier venait chercher après l'appel — ce qui permettait de les compter dans l'effectif et, de cette façon, de toucher leur ration qui était distribuée après la tuerie — ces camarades savaient très bien où ils allaient. Quelques-uns émettaient bien un semblant de protestation. D'autres invoquaient Maria, la Vierge, mais tous suivaient celui qui les emmenait vers la mort. Les séances de piqûres se passaient dans le « territoire » réservé au chef du block et à ses créatures. Les malades étaient introduits un par un. Un bruit sourd, et c'était fini. Et malgré l'interdiction de regarder par la fenêtre, en me levant un peu je pouvais voir un tas de cadavres à côté de ma fenêtre. Je me rappelle qu'une espèce d'écume sortait de leur bouche. Nous étions donc là, dans ce block, tous candidats à la mort car, en plus, il y avait les autres malades considérés comme irrécupérables.

— Un cas me revient à l'esprit. Il s'agit de mon camarade Stok. Il avait, en plus, une cuisse énorme et il me disait en blaguant : « Tu vois, encore un petit effort et je serai, de loin, le plus gros du block. » Il n'en eut pas le temps. Un matin l'infirmier vint le chercher. Comme ce n'était pas l'heure de la piqûre, Stok se laissa emmener, sans protester, râlant seulement contre l'infirmier qui le portait sans aucun ménagement. Il lui disait, retrouvant l'argot parisien : « Et Toto, vas-y molo! Tu me trimbales comme un paquet de linge sale! » Mais, contrairement à ce que l'on pouvait penser, c'était bien pour être piqué qu'il était emmené. En effet, à peine fut-il introduit que j'entendais ses cris : « Mais pourquoi? Pourquoi? » Et puis, un bruit sourd, c'en était fini de mon camarade.

— J'attendis un bon moment puis, regardant par la fenêtre, je vis son cadavre qui resta là jusqu'au lendemain matin où il fut emmené au four crématoire avec les morts du soir. J'étais là depuis déjà cinq jours.

— Il existait, à l'entrée des w.-c., un détenu qui contrôlait le nombre de fois que nous allions à la selle et, au-dessus d'un certain chiffre, les malades étaient condamnés. Moi, qui étais rentré au block 31 en déclarant que j'avais la diarrhée, alors qu'il n'en était rien, j'évitais facilement d'aller aux w.-c. J'y allais normalement, une fois par jour, ce qui ne manqua pas d'attirer l'attention du médecin polonais qui vint vers moi, me disant : « Vous êtes rentré au Revier. Vous êtes là depuis quelques jours et vous n'allez pas plus d'une fois aux w.-c. C'est bizarre, je ne comprends pas! » Il me fallait trouver une explication. Je lui dis qu'il y avait eu erreur, que j'avais déclaré à la visite que je souffrais de douleurs terribles à l'estomac, mais je n'avais jamais dit que j'avais la diarrhée, j'étais plutôt constipé.

— Il me dit que ma place n'était pas dans ce block, que je risquais d'être contaminé. Il s'absenta et revint au bout d'un moment avec un morceau de pain noir — comme en recevaient les Polonais dans leurs colis — et un bol rempli d'un liquide noirâtre. Il me dit de manger le pain et ensuite de boire le liquide. Je mangeai bien le pain mais, au moment de boire le liquide, je fus saisi d'une appréhension. Je crus sûrement qu'il s'agissait d'un poison. Cela peut paraître idiot étant donné la situation du block 31. Ce geste pouvait m'apparaître, tant nous étions conditionnés, comme quelque chose d'hostile. Je m'étais lourdement trompé. Le docteur polonais revint au bout d'un moment, me demandant si j'avais bu et mangé. Mais là, persistant dans mon erreur, je lui trouvai un air bizarre, comme étonné que je sois encore en vie. Je lui déclarai que oui, mais que j'avais vomi, pensant par là trouver une explication valable. « Bon, me dit-il, ça va! Prenez votre couverture et venez avec moi. » Je le suivis, envahi par le doute. Il m'emmena au block 28 où je retrouvai le docteur Marian, celui qui m'avait, je peux le dire, sauvé la vie. Il me reconnut et je commençai à reprendre confiance. Il me fit allonger sur une table puis il revint avec un long caoutchouc. Je compris alors qu'il allait me faire un tubage et, soudain, tout s'éclairait en moi. Le pain et le liquide, c'était pour me préparer. Il introduisit le caoutchouc et le retira. Et, n'ayant pas trouvé sans doute ce qu'il pensait, il réintroduisit une seconde fois et il se mit à parler avec son collègue dans leur langue. Le docteur du 31, se tournant vers moi, me dit : « Vous avez bien fait ce que je vous ai dit et vous avez bien vomi? » Alors, je réalisai complètement. Le pain et le liquide : un vomitif pour permettre de prélever quelque chose dans mon estomac. Il n'était pas question, pour moi, d'avouer mon erreur, car je suis sûr que cela aurait eu de graves conséquences. Le médecin dit qu'il ne comprenait pas, que je n'avais pas dû vomir beaucoup. « De toute façon, me dit-il, je ne peux pas vous garder au block 31. » Je lui demandai si, du fait que je travaillais à la carrière, que c'était très dur, que j'étais faible, s'il n'était pas possible de me faire admettre au Lagerkommando. Le docteur Marian intervenant dit : « Pourquoi pas le faire admettre au block de convalescence, le block 32? » Une fois de plus, grâce à l'intervention de ce médecin polonais, j'étais tiré d'affaire... pour un moment.

— Ce block 32, où il était si difficile de se faire admettre, m'y voilà donc installé. Il y règne une ambiance qui contraste fortement avec la plupart des blocks du Revier et des blocks du camp. Les malades admis sont récupérables et protégés. Ils appartiennent, pour la plupart, à l'appareil du camp. La nourriture y est meilleure et plus abondante, et j'ai, de plus, la chance d'y trouver un Espagnol, François, qui exerce la fonction de coiffeur et qui avait travaillé à Paris. Il aimait bien les Français. François s'occupa beaucoup de moi, me donnant souvent du rabiot. Je pouvais espérer me retaper en restant le plus longtemps possible au block 32. Pendant ce temps, les camarades s'occupaient pour qu'en sortant, je sois admis à l'usine, à la Steyrkommando où je serais à l'abri pendant la mauvaise saison. Tout semblait donc aller pour le mieux quand, brusquement, alors que j'étais au 32 depuis quatre ou cinq jours, ce que craignait le médecin polonais arriva, c'est-à-dire que j'avais contracté la fameuse diarrhée lors de mon séjour au block 31. Pour comble de malheur, alors que le kommandoführer procédait, comme chaque soir, à l'appel — pendant lequel il était formellement interdit de parler et de bouger — une envie irrésistible m'obligea à me lever pour aller aux w.-c. Hélas! je ne pus arriver jusque-là et je répandis mes excréments dans le block. Catastrophe! Je fus amené immédiatement après l'appel au block 31 où le docteur polonais me reçut très mal, ne comprenant pas de quoi il retournait, ayant sans doute une arrière-pensée sur ce qui s'était passé lors de mon premier séjour au block 31.

— Je me retrouvais donc dans l'atmosphère épouvantable, indescriptible, de ce block d'extermination. Et toujours cette puanteur, cette vision d'êtres squelettiques, entièrement nus, avec leur numéro matricule sur la poitrine, ressemblant à ces bêtes que l'on marque parmi le troupeau avant de les emmener à l'abattoir.

— Mon nouveau séjour au stube A du block 31, devait être très court car, dès la première journée, j'avais été pointé une trentaine de fois par le préposé aux w.-c. Dès le lendemain, je fus jeté à « la gare du paradis », toute dernière étape avant le crématorium. Je m'y retrouvais avec mon camarade Gustave Bonnet, arrêté dans la même affaire que moi. Nous ne nous étions pas quittés depuis notre arrestation en août 1942. Comment décrire la « Chaiseraie ». Imaginez une pièce grande comme la moitié d'un stube, 8 mètres sur 8 environ. Par terre de la fibre de bois, au milieu un récipient où nous devions, en principe faire nos besoins, mais qui restait vide car nous n'avions plus la force de nous lever et nous nous laissions aller en nous vidant sur place.

— Je dois dire que nous ne faisions qu'ajouter un peu plus de merde à celle qui était là à notre arrivée, car, contrairement à ce qui se fait à la campagne dans les étables à bestiaux où l'on nettoie deux fois par jour les écuries, à la « Chaiseraie », cela se faisait environ tous les quinze jours, c'est-à-dire que la fibre de bois était depuis longtemps transformée en fumier et que, après quelques heures de séjour, nous ressemblions plutôt à des paquets de merde qu'à des êtres humains. Et ceux d'entre nous qui avaient des plaies — et rares ceux qui n'en avaient pas — voyaient celles-ci envahies par les asticots. J'ai appris, depuis, que c'était une bonne chose, que l'on appelait cela « l'asticothérapie », que ces petites bêtes nettoyaient nos plaies, les empêchant de s'infecter. Je dois dire qu'à part l'impression de chatouillement du début, l'on s'habituait très vite à leur présence.

— Une chose qui nous incommodait également, c'était l'odeur qui nous asphyxiait littéralement malgré que les fenêtres fussent ouvertes en permanence. De ce fumier se dégageait de l'ammoniaque. Cela vous prenait à la gorge. La seule façon d'y échapper, en partie, c'était de s'adosser contre la paroi, l'ammoniaque étant plus lourd que l'air restait au sol. Combien de temps pouvait-on survivre dans cet enfer? Un, deux, trois jours, rarement plus.

— Dès le premier jour, nous sentions notre raison s'en aller, à moitié asphyxiés, devenus de vrais squelettes, n'ayant plus que la peau et les os. Il y avait en permanence une cinquantaine de malades. Nous ne recevions aucune nourriture. La seule visite que nous avions était celle de deux infirmiers qui, chaque matin, au petit jour, entraient en vitesse pour jeter par la fenêtre les morts pour faire de la place. Nous étions là depuis deux jours, nous affaiblissant de plus en plus, résignés, ne nous rendant plus tellement compte quand, dans la journée du troisième jour, ce devait être l'après-midi, quelque chose d'insolite se produisit.

— La porte s'ouvrit et, sans pénétrer à l'intérieur, le chef du block, accompagné de deux aides, un Soviétique et un Espagnol, qui étaient porteurs de petites gamelles (ces petites gamelles en émail dans lesquelles on nous servait la soupe), annonça que l'on allait nettoyer le block. En conséquence tous les survivants allaient être piqués afin de faire de la place. « Mais, disait-il, je veux donner une chance à ceux d'entre vous qui pourront faire un « stuck », une merde bien dure. Ceux-là auront la vie sauve. » L'Espagnol traduisit en français. Mon camarade Bonnet, qui était encore plus faible que moi — ce grand gabarit de 115 kilos ayant souffert terriblement de la faim — me demanda ce qui se passait. Je lui dis que le chef de block allait nous piquer, tous, sauf ceux qui auraient satisfait à l'épreuve qu'il nous proposait. Bonnet qui, comme moi, était incapable de faire quoi que ce soit de dur, me dit presque avec soulagement : « Nous allons enfin voir la fin de nos souffrances, la fin de notre cauchemar. » Etait-ce pour nous la fin? La petite lueur qui était prête à s'éteindre, dans un dernier sursaut, se ranima. Et nous voilà partis de notre coin pour parcourir les quelques mètres qui nous séparaient de la porte. Cela ne se fait pas sans mal. Nous ne tenions pas debout, tombant à chaque pas, ce qui amusait fort le chef de block. Enfin, après des efforts surhumains, nous arrivions au but. Au même moment, le chef de block fut appelé à l'intérieur du block. Nous restions en présence des deux infirmiers, et je réussis à les persuader qu'ils ne devaient pas nous laisser mourir et, prenant chacune des gamelles dont je barbouillais le fond de merde, je leur dis qu'ils devaient dire au chef de block que nous avions satisfait l'épreuve mais que nos « stucks » sentaient tellement mauvais qu'ils avaient dû les jeter dans le récipient.

— Voilà notre chef de block de retour. S'adressant aux deux infirmiers, il leur demanda si nous avions satisfait l'épreuve. Leur réponse étant que nous avions fait un « stuck » il manifesta son contentement en nous envoyant une bourrade qui nous fit traverser la pièce à plat-ventre. Mais, tenant sa parole, il nous dit : « Français, maintenant sanatorium. » Après être passés par la douche, nous voilà installés dans ce que le chef de block appelait le « sanatorium ». Il s'agissait simplement de lits placés entre deux fenêtres, c'est-à-dire en plein courant d'air. On ne peut pas dire que le chef de block manquait de connaissance sur les sanatoriums où les malades, on le sait, sont soumis à des cures d'air. J'ajoute que cela se passait au mois d'octobre. La sollicitude du chef de block risquait de nous coûter cher.

— Nous voilà donc sortis de l'antichambre de la mort, installés dans notre sanatorium à la mode des camps nazis. Le chef de block distribuait, en plus de notre ration, des soupes supplémentaires. Elles étaient composées, à ce moment-là, de choux fermentés au goût épouvantable. Ce n'était pas une nourriture tout à fait recommandée pour les chiasseux que nous étions. Néanmoins, appliquant la théorie de la guérison du mal par le mal, nous avalions sans trop de difficulté nos deux ou trois litres de liquide. Est-ce cela qui nous sauva? Je crois plutôt que notre volonté de vivre ayant repris le dessus, et surtout le charbon de bois que nos camarades réussissaient à nous faire passer en grande quantité, firent qu'au bout d'une quinzaine de jours nous pouvions sortir du block 31.

— Ceci suffirait à démontrer, si cela était nécessaire, que sur les milliers de malades qui sont morts au block d'extermination 31, plusieurs auraient pu être sauvés. Mais les camps de la mort avaient un autre but. Personnellement, je ne crois pas aux miracles. Mais il faut bien reconnaître que le fait d'être passé à la « gare du paradis » et d'en être sorti vivant, même si cela est dû aux circonstances exceptionnelles que j'ai racontées, est quelque chose d'incroyable et pourtant je suis bien vivant. Mon camarade Bonnet, lui, n'ayant survécu que quelques jours à sa sortie du block 31. Nous voilà donc, à cette sortie, de nouveau au Lagerkommando, encore bien faibles. Les camarades nous prirent en charge Bonnet et moi. Cette solidarité se faisait en faveur des camarades subissant une défaillance mais pouvant être récupérés. En ce qui nous concerne, nous étions pris en charge exceptionnellement pour pouvoir éventuellement porter témoignage sur le block 31, et en particulier sur la « gare du paradis ». Comment fonctionnait cette solidarité? Les Français à cette époque (1943) qui étaient au camp de Gusen I, étaient pour la plupart, des N.N. (Nuit et Brouillard), c'est-à-dire qu'aucun de nous ne recevait de colis. La nourriture qui était distribuée sous forme de solidarité provenait, en grande partie, d'un prélèvement effectué sur nos maigres rations, insuffisantes en qualité et en calories. C'est dire quel sacrifice énorme devait faire chaque membre du collectif, en prélevant ne fût-ce qu'une cuillerée sur sa gamelle de soupe. Aussi cette solidarité avait-elle une règle très stricte : elle devait cesser immédiatement si les bénéficiaires, au lieu de se retaper, continuaient à s'affaiblir. C'est ainsi que, en ce qui me concerne, j'allais tous les soirs chercher pour moi et Bonnet notre part de solidarité, et j'avais pour consigne impérative de ne pas donner sa part à mon camarade au cas où il n'y aurait plus d'espoir [1].

---

1. Manuscrit inédit Hippolyte Samson :

— Dès l'arrivée à Gusen des premiers communistes français venus de Romainville et de Compiègne, en mars 1943, le Parti s'organise. Résistance et solidarité allant de pair. C'est à l'automne 1943 que le collectif de direction me confia la tâche d'organiser la solidarité au sein de notre groupe. J'avais déjà personnellement bénéficié de la solidarité, dès le mois de juin 1943, j'avais eu une forte hémoptysie (suite d'une ancienne tuberculose). Le camarade tchèque, Joseph Horn m'avait fait admettre au Revier pendant un mois. A ma sortie, au lieu d'être envoyé à la carrière, j'ai été réintégré à l'atelier Steyr où Horn était contremaître. J'ai reçu une gamelle de soupe pendant une semaine des Français du Hall V, et une rondelle de saucisson supplémentaire. Ainsi protégé j'ai surmonté ma tuberculose. Je cite mon cas comme un exemple de l'efficacité de la solidarité et de l'entraide.

— Au moment où je devins responsable, les décisions du collectif français étaient : le don d'un tiers de chaque colis personnel, le don à tour de rôle de sa part de saucisson et de margarine, le don d'un cinquième des cigarettes que nous percevions périodiquement. Je centralisais tous ceux-ci et les répartissais aussi vite que possible aux bénéficiaires du moment. Ceux-ci étaient choisis par le collectif de direction. Passard me communiquait les noms. Cette discipline a été scrupuleusement observée par tous les membres du collectif. Je n'ai jamais eu à rappeler à aucun son devoir de solidarité. Les cigarettes

— Les camarades avaient fait une exception car notre chance de survie était minime, et il y avait tellement de cas à secourir. C'est pourquoi, avant de rentrer dans le block où était Bonnet, je devais, au préalable, m'enquérir de son état qui, il faut bien le dire, allait en empirant. J'aurais dû en avertir les camarades, mais je me croyais autorisé, tenant compte du caractère particulier de notre cas, de tricher un peu. Hélas! un soir, ce que je prévoyais depuis quelque temps, arriva. Le camarade que j'interrogeais sur l'état de santé de Bonnet me dit : « Tu peux remporter ton bout de saucisson. Bonnet a été ramené du travail, il est au bout du rouleau. Le chef de block a dit qu'il irait au crématorium demain. » Je devais donc repar-

---

n'étaient pas réparties. Elles servaient de monnaie d'échange pour obtenir du pain, du saucisson, de la margarine au « marché » du camp. Le cours de la cigarette variant avec le nombre de cigarettes en circulation, il valait donc mieux attendre les moments où le tabac était rare. Malheureusement, les besoins de nos camarades malades ou affaiblis n'attendaient pas et je devais faire le « marché » presque chaque jour, jusqu'à épuisement de notre petit stock, ce qui arrivait toujours trop vite, les besoins dépassant toujours les possibilités.

— De mois en mois, les besoins croissaient, les ressources diminuaient. Il fallait faire un choix dramatique parmi tous ceux qui arrivaient à épuisement, choisir celui qui avait encore une chance d'être sauvé et bloquer sur lui toutes nos ressources. Ce moyen inhumain a permis de maintenir en vie quelques-uns de plus. Je n'aurais pu accomplir cette tâche seul. Le camarade Aimé Mondon de Chatellerault me secondait en tout, me suivant partout comme mon ombre, me protégeant des mauvais coups, m'aidant à cacher notre stock de cigarettes se montant à cent cinquante ou deux cents cigarettes.

— Je pense qu'on peut aussi porter à l'actif de la résistance dans les camps le sabotage. Chacun sabotait à sa manière. En ce qui me concerne, j'étais régleur sur chaîne de fabrication à l'atelier n° 3 de l'usine Steyr. Cette confiance m'a permis de réaliser un sabotage de plus de dix mille pièces de mitraillettes. Il faut savoir qu'en armement, les pièces ne fonctionnent qu'avec un jeu calculé selon leur coefficient de dilatation, elles ont donc une cote minima et une cote maxima. Pour qu'une pièce s'enraye, il suffit que les pièces mâles soient à la cote maxima et les pièces femelles à la cote minima. C'est ainsi qu'un jour on est venu me dire de la direction que mes pièces étaient « très bien faites » mais trop fortes et qu'elles n'allaient pas, ce que j'attendais de savoir depuis longtemps, Joseph Horn était témoin. Je ne fus pas toujours aussi heureux, car je me suis retrouvé un jour dans le bureau de Ogris, directeur général qui me tint un violent discours dont je n'ai pas compris un mot. Aubertin, qui travaillait dans son bureau, me dit simplement en me reconduisant : « Attention, il veut te faire pendre. » Heureusement qu'à ce moment-là, la Libération était proche.

tir sans chercher à le revoir, mais Bonnet avait été mon compagnon de lutte et de misère. Je revoyais ce colosse au regard énergique, avec son cœur gros comme ça! Un jour que nous parlions de notre passé, il me disait : « Tu vois, nous avons à peu près la même origine. Toi Creusois, moi Corrézien. C'est pourquoi nous avons la tête un peu dure. » Et notre conversation, tout naturellement, dériva sur les histoires de gueuletons. Moi, qui avais toujours eu peu d'appétit — cela était dû à un accident de jeunesse — j'étais effrayé par le récit de mon camarade. Il me disait : « Avec mon frère, qui était du même gabarit que moi, nous descendions tous les ans revoir la famille en Corrèze, et tu sais comment cela se pratique à la campagne. Dans le village où nous allions, nous étions tous plus ou moins cousins donc, en arrivant, nous faisions la tournée des maisons et, naturellement, à chaque étape, c'était le coup de gorgeon et le casse-croûte, si bien que, arrivé à midi, au moment de se mettre à table, la famille n'avait plus tellement faim après tous ces casse-croûte. Alors moi et mon frère nous devions nous dévouer pour faire un sort à la dinde traditionnelle et, en nous forçant un peu, nous y arrivions. »

— Tous ces souvenirs me remuaient. Je décidais donc de rentrer voir mon camarade et, pour ne pas l'alarmer en ne voulant rien lui donner, je m'apprêtais à lui raconter que ce jour-là il n'y avait pas de solidarité. Mais je n'eus pas le temps de raconter mon histoire. Bonnet, m'interpellant, me dit : « Tu ne m'apportes pas la solidarité car ce n'est pas la peine, c'est la fin. Tu vois je ne peux plus bouger. » C'est alors que, malgré moi, sachant bien que je n'avais pas le droit de le faire, je lui remis son saucisson en lui disant : « Tu vois bien, ce n'est pas la fin sans cela j'aurais inventé une histoire pour ne pas te donner le saucisson. » Alors, je vis poindre un sourire dans cette face décharnée où seuls les yeux témoignaient qu'il était encore vivant. C'est la dernière vision que je garde de mon vieux Tatave.

— Maintenant, il me fallait aller m'expliquer avec mes camarades. Oh! ce ne fut pas long. J'écopai de huit jours de suspension de solidarité, sanction tout à fait justifiée par la dure loi des camps. La sensiblerie n'était pas de mise. Il nous fallait maintenir une discipline rigoureuse pour pouvoir sauver le maximum de camarades. Il existait, à Gusen I, en dehors du collectif une solidarité faite par un religieux, autrichien, le père Gruber. Elle s'adressait plus particulièrement à une trentaine de jeunes Français qui n'avaient pas été pris en charge par le collectif. J'ai, malgré que je ne sois pas un jeune, bénéficié de cette solidarité.

— Le père Gruber [1], qui devait être assassiné peu de jours après ma sortie du block 31, fut remplacé par un autre religieux, français celui-ci, je veux parler du père Jacques. Le père Gruber, qui sans doute prévoyait sa disparition, avait fait le nécessaire pour que la solidarité continue après lui. J'avais fait la connaissance du père Jacques à son arrivée car il avait été affecté à mon block et, peu après son arrivée dans le block, les Polonais étaient venus, ayant appris que dans le dernier convoi de Français il y avait un prêtre. Et, s'adressant à moi, ils me demandèrent si cela était. Je me tournai vers les nouveaux arrivants, leur transmettant la demande des Polonais. Un camarade s'avança en me disant : « Je suis moine. » Je lui répondis : « C'est la même chose. » Le contact fut donc établi entre les catholiques polonais, très nombreux au camp et très influents, et le père Jacques. C'était, pour celui-ci, la certitude d'une aide très efficace dans tous les domaines, pour lui et ses camarades français.

— Le père Jacques fut donc en mesure de soulager et de sauver de nombreuses vies car, en plus de l'aide matérielle, Jacques savait comme pas un remonter le moral. De sa personne, un rayonnement s'échappait. Il en imposait à tous : croyants ou non-croyants. Sa façon simple et directe faisait de ce fils de carrier une personnalité hors du commun dans ce monde où se côtoyaient les pires déchéances humaines. Et c'est tout naturellement qu'il devait devenir le camarade du syndicaliste Henri Gauthier, autre grande

---

1. Voir les *Sorciers du Ciel*. Même auteur, même éditeur.

figure de Gusen I. On peut bien dire que cela aida grandement au rapprochement et au resserrement de tous les Français. C'est ainsi que le père Jacques, un jour, décida de donner la communion et de dire la messe, ce qui était formellement interdit. Et c'est pourquoi nous, les athées, nous montions la garde pendant qu'il officiait.

— J'ai eu, personnellement, assez souvent des discussions avec Jacques. Nous abordions beaucoup de problèmes, entre autres nous étions d'accord pour continuer à lutter ensemble pour un monde débarrassé de toutes les oppressions, un monde épris de justice sociale, un monde nouveau pour lequel nous avions lutté dans la résistance. Un sujet pour lequel nous n'étions pas d'accord, c'était justement celui de la solidarité. J'ai dit, par ailleurs, la loi impitoyable mais nécessaire qui existait. Dans ce domaine, il arrivait fréquemment que Jacques, qui venait de recevoir de ses amis polonais une bonne veste, à l'entrée de l'hiver, se trouvait le lendemain revêtu d'une loque car il avait donné sa veste, et il lui arrivait de la donner à un camarade qui n'avait, hélas! plus aucune chance de survie et dont la mort intervenait deux ou trois jours après. On lui disait : « Pourquoi as-tu fait cela? » Il nous donnait raison mais il ajoutait : « Je suis un croyant et je me dois tout entier à mes camarades, y compris à ceux que je sais condamnés, et je n'ai pas le droit de les abandonner. » Et ce geste inutile sur le plan matériel a une autre signification, car il permet à celui qui va mourir d'emporter avec lui un peu de chaleur humaine. Et il ajoutait : « Si vous aviez vu, comme moi, le sourire qui illuminait sa pauvre figure, vous me pardonneriez. » Bien sûr qu'on lui pardonnait, d'autant plus que les gestes de Jacques se faisaient hélas! aussi et surtout à son détriment.

— Je dois dire que, personnellement, à cause de ce que j'avais vécu avec mon camarade Bonnet, je comprenais fort bien ses raisons. Mais j'insiste sur le caractère négatif sur le plan matériel. Là encore, seuls les déportés peuvent être juges, car seuls ils peuvent témoigner de l'importance capitale de ce qui, aujourd'hui, peut apparaître comme quelque chose d'insignifiant dans notre société de consommation. Combien elle apparaît ridicule notre cuillerée de soupe ou notre rondelle de soi-disant saucisson. Pourtant, si l'homme ne vit pas que de pain, le manque de celui-ci peut lui être fatal, et ce n'est pas les millions d'êtres humains qui meurent, chaque jour, de faim, dans les pays sous-développés, qui infirmeront ma thèse.

— L'action de notre collectif ne se bornait pas seulement à la solidarité matérielle. Elle voulait maintenir le moral, obliger les camarades à se tenir, à ne pas se laisser aller. On leur apportait des nouvelles sérieuses. Des nouvelles exagérées ou fausses faisaient plus de mal que de bien. Heureusement, nous avions à Gusen un camarade qui travaillait à réparer les postes de radio des S.S. Malgré la présence du kommandoführer S.S., il arrivait à capter les communiqués. Il faut dire que ce camarade parlait plusieurs langues, ce qui lui facilitait la tâche. La difficulté consistait à prendre et à répéter, mot à mot, l'information, chose très difficile. Le lendemain, bien malin celui qui reconnaissait l'information de la veille. Les kilomètres s'ajoutaient aux kilomètres.

— Un matin [1], sur la place d'appel, après avoir été comptés et recomptés, chaque chef de block ayant rendu l'appel au blockführer, un S.S., nous nous regroupions avec nos kommandos de travail. Et toujours alignés par cinq, je me trouvais en queue. Notre kapo, le grand Willy, un triangle rose (c'était un pédéraste) s'approcha de moi, me retira de la colonne et me fit comprendre qu'aujourd'hui je restais au camp, avec le Lagerkommando.

— Je me souviens bien de ce jour, nous venions d'apprendre de source plus ou moins clandestine la chute de Stalingrad. Cela s'est avéré exact par ce qui va suivre. Cherchant à me cacher pour ne pas être pris pour les corvées du camp, je me trouvais derrière une baraque, face au poste de garde dans un recoin bien à l'abri. Dans la

1. Manuscrit inédit Maurice Petit.

matinée, le soleil brillait, la petite porte près du corps de garde s'ouvrit et un des chefs de camp, suivi de son second, bondirent sur la place d'appel et, interpellant le chef de camp n° 1, un Polonais, lui donnèrent des ordres en allemand. Vu leur excitation, j'ai pensé qu'il allait se passer quelque chose et, tout de suite, j'ai pensé à la victoire des Russes à Stalingrad. Le Lagerälteste n° 1, ne voulant pas accomplir la besogne qui lui était demandée, se déchargea sur l'Oberkapo du Lagerkommando, une brute sans scrupule qui jouissait quand il tuait de ses propres mains. Alors, je l'ai vu partir comme un fou, armé de sa matraque, se ruant littéralement sur tous les détenus qu'il rencontrait, les retournant ou les interpellant, il s'assurait de leur nationalité et malheur à lui si c'était un Russe. Il l'entraînait vers un bac rempli d'eau, il lui décochait quelques coups sur la tête et, ruisselant de sang, il le saisissait à la gorge et lui plongeait la tête dans le bac jusqu'à ce que mort s'ensuive. J'en ai compté, de mon observatoire, vingt-cinq qu'il avait alignés et, son travail terminé, il rendit compte au Lagerführer S.S., se mettant au garde-à-vous, se découvrant comme pour dire : « Mission terminée. » La voiture, tirée par des détenus, vint charger sa cargaison qui se dirigea vers le crématoire.

— Les S.S. sortirent du camp pour rejoindre leur baraque. L'Oberkapo repartit à travers les allées du camp et les corvées continuèrent comme si rien ne s'était passé. Une façon comme une autre de se venger.

***

— L'homme [1] n'est pas fait pour vivre seul : cette vérité qui paraît banale dans la vie normale où l'homme vit dans la société, dans la famille, entouré d'affection, fut magnifiquement vérifiée en camp de concentration; je ne connais pas d'exemple de déporté qui, à Gusen, ne se lia pas d'amitié avec au moins un autre déporté, d'amitié comme on n'en voit pas dans la vie civilisée.

---

1. Manuscrit inédit Louis Deblé.

— Quand je me remémore le visage d'un tel, vivant ou mort, d'autres visages instantanément apparaissent auprès du sien, visages d'amis avec qui il avait l'habitude d'être. Gusen était non une concentration de dix mille individus, ayant chacun un comportement bien particulier, mais une agglomération de milliers de petites collectivités ayant leur vie propre. Je m'explique : je n'ai pas vécu deux ans à Gusen, nous avons vécu quatre à Gusen : Jean Gavard, Georges Marcou, René Dugrand, Louis Deblé. Pourquoi, nous sommes-nous liés d'une telle amitié fraternelle nous quatre plutôt qu'avec d'autres? Le hasard des circonstances, les lois insondables de la sympathie peuvent seuls l'expliquer.

— Nous nous connaissions déjà bien avant notre arrestation. Jean et moi travaillâmes ensemble à la carrière, nous étions coéquipiers de travail, un marteau pneumatique pour nous deux : pendant que l'un perçait le granit, l'autre roulait les pierres et surtout surveillait les alentours pour prévenir de la venue, toujours possible, d'un kapo ou d'un S.S. A l'appel, nous étions toujours côte à côte. Au block, nous partagions la même paillasse; notre entente parfaite nous attira beaucoup de sympathies; les Polonais nous prenaient pour deux frères (ils nous trouvaient un air de ressemblance et souvent nous passaient leur reste de soupe que leurs colis leur permettaient de dédaigner); dès le premier jour, nous avions décidé de partager tout supplément que l'un ou l'autre pourrait obtenir. Georges, sorti de l'infirmerie en septembre, et René qui travaillait chez Steyr, complétèrent le quatuor : désormais, et jusqu'au dernier jour, ce fut la lutte pour la vie : nourritures et cigarettes furent mises en commun, sans qu'aucun ne se souciât de voir s'il apportait plus ou moins à la communauté; Jean, grâce à ses connaissances d'allemand, eut la chance d'être Schreiber — c'est-à-dire secrétaire — du Hall V; à ce titre, il avait droit à deux gamelles de soupe par jour, la deuxième qu'il partagea toujours avec nous; il réussit comme moi à donner des leçons de français aux Polonais (apprendre le français était le grand snobisme des Polonais qui reconnaissaient, par là, la supériorité de notre civilisation, quoi qu'ils en disent par ailleurs). Les bouts de pain, les soupes ou les oignons, etc. qui constituaient le chiche prix de ces leçons entrèrent dans la collectivité, ce qui faisait parfois des parts dérisoires pour chacun de nous; mais le moindre supplément était vital et surtout cela resserrait nos liens d'amitié; nous n'étions pas seuls; malgré les boches et leurs inventions diaboliques pour isoler l'homme dans un égoïsme animal, nous avions formé une cellule sociale, une famille aussi solide certes que celle composée du père, de la mère et des enfants. Jean fut de beaucoup celui qui apporta le plus à notre petit groupe; il dessina des cartes de Noël et de premier de l'an, qu'il vendit contre du pain; au hall, il s'efforça dans la mesure du possible, de nous faire donner du travail pas trop pénible. Nos cigarettes, mises en commun, nous permirent encore d'acheter des pommes de terre, du pain, de la margarine, de la « marmelade » et surtout une paire de souliers ou un pull-over pour celui d'entre nous qui en avait besoin : avec dix cigarettes nous n'aurions pu nous offrir ce luxe, avec quarante nous le pouvions.

— J'insiste sur ce fait pour essayer de faire comprendre ce que fut la solidarité dans les camps : beaucoup de ceux qui sont revenus ne seraient pas revenus si cette solidarité matérielle et morale n'avait existé, j'y insiste aussi pour montrer qu'en dépit de toutes les circonstances en apparence favorables au développement de l'égoïsme, du vol et de la bestialité, et ces circonstances ne pouvaient être mieux réunies que dans un camp de concentration nazi, l'homme pouvait, au contraire, révéler les qualités de cœur et de générosité comme il ne peut le faire dans une vie normale; partager tous les jours une soupe supplémentaire avec des camarades équivaut à l'employé gagnant 15 000 francs par mois qui partagerait 5 000 francs avec trois autres camarades qui n'en gagneraient que 10 000, avec la différence que partager cette soupe au lieu de la manger tout seul, en se cachant derrière un block, risquait de vous coûter tout simplement la vie. Qu'on y songe.

— Saint-Exupéry, dans *Pilote de Guerre* a écrit :

« — Quand le corps se défait, l'essentiel se montre. »

— Pierre Bellouard, ingénieur chimiste, fut arrêté par la Gestapo à Bordeaux, le 15 juillet 1942; après plusieurs mois de cellule au Cherche-Midi, il fut déporté à Mauthausen le 1er avril 1943; je le vis pour la première fois à Gusen, à la fin du mois d'avril.

— Il entra directement comme chef de contrôle au hall où moi-même j'entrai le 9 juin, pour travailler sur deux fraiseuses, une semaine de jour, une semaine de nuit; nos factions coïncidant, j'eus le loisir de bavarder souvent avec lui et de profiter régulièrement de sa conversation qui était particulièrement brillante et enrichissante. Le trait qui caractérise le mieux son attitude à Gusen (c'est l'avis de tous ceux qui l'ont connu), c'est qu'il donna l'impression, du premier au dernier jour, qu'il ne vivait pas dans un camp de concentration. Pierre Bellouard se refusa un seul instant à se plier aux exigences de « l'univers concentrationnaire », c'est ce qui fit la beauté et la noblesse de son séjour à Gusen, mais aussi, hélas! fort probablement, ce qui le perdit.

— Pierre ne se départit jamais de sa verve gasconne, de sa bonne humeur, de son optimisme outrancier : dès qu'il m'abordait, c'était non pour commenter la soupe du midi ou le dernier exploit sinistre du kapo, encore moins pour contrôler les pièces de ma machine, mais immédiatement pour me faire part des projets innombrables que son cerveau fécond ne cessait d'élaborer : son nouveau procédé de fabrication de bouillie bordelaise qu'il mettrait au point dès son retour en France; ou son système de fabrication de lait en poudre, ou bien le programme de camping qu'il promettait d'effectuer en compagnie de René Dugrand, Georges Marcou, Jean Gavard et de moi : un jour, il me présenta une liste complète des ustensiles et vivres qu'il nous faudrait emporter, commentant longuement l'utilité de chacun d'eux. Il n'appartenait vraiment pas au camp.

— Gusen lui restait étranger, il voulait l'ignorer systématiquement. Son travail, il ne s'en souciait pas pour deux sous. Conséquence : on le mit simple contrôleur sur une chaîne. Ses vêtements il s'en moquait éperdument :

plus il était mal vêtu et Dieu sait s'il avait le chic pour avoir des vestes toujours trop étroites, des pantalons déchirés et des claquettes invraisemblables, plus il s'en réjouissait. Quand nous lui faisions remarquer qu'il vaudrait mieux pour lui acheter une bonne veste ou un morceau de pain avec ses cigarettes, plutôt que de les fumer, il se mettait en colère et nous déclarait qu'il était assez grand pour savoir ce qu'il avait à faire; dans ces moments-là, il me faisait penser à Cyrano : « Moi, c'est moralement que j'ai mes élégances! »

— Il connaissait un système de trempe de l'acier qui, d'après lui, aurait été nettement supérieur à celui qu'utilisaient les ingénieurs allemands de l'usine Steyr; et voilà l'idée qui germa dans son cerveau : faire part de ce procédé aux Allemands, ou plus exactement leur demander de lui confier un laboratoire où il mettrait ce procédé en application, à condition qu'ils le laissent choisir lui-même ses collaborateurs; ces derniers devant être tous ses petits amis bordelais C.N.D. Evidemment, plus de kapo et nourriture abondante en contrepartie. La mise au point du procédé nécessiterait plusieurs mois, juste le temps nécessaire aux Alliés pour écraser les boches. Le résultat tangible, c'est qu'il nous sauvait tous et nous assurait le retour certain en France. Le plus fort de l'histoire, c'est qu'il fit part sérieusement de son projet aux ingénieurs allemands, projet qui, évidemment, n'eut pas de suite : lui, Pierre Bellouard, pauvre misérable, noyé au milieu de dix mille déportés, avait la prétention de dicter ses conditions aux nazis qui, d'un mot, pouvaient l'envoyer au four crématoire. Le geste était utopique, mais combien magnifique.

— Finalement, il se mit en tête de donner sa démission de contrôleur, qui lui assurait, malgré tout, un boulot pénard, pour travailler sur une machine comme les autres. Tous ses amis firent l'impossible pour le dissuader d'un tel projet; aucun argument ne résista à son entêtement, rien n'y fit, il donna sa démission. C'était en décembre 1943, en plein hiver, j'avais alors la jambe rongée de plaies qui m'obligeaient à boiter et me rendaient insupportable la station debout, durant douze heures, devant mes machines;

cela me valut d'être désigné à sa place comme contrôleur; avant d'accepter, je lui demandai encore s'il avait bien réfléchi aux conséquences de son acte : il me répondit en se mettant en colère, suivant son habitude; je n'insistai pas. Heureusement pour lui — comme pour nous tous d'ailleurs — il bénéficia durant tout l'hiver de l'aide efficace du père Gruber pour qui il avait une vénération sans borne.

— Cependant, Pierre ne jouit pas au camp d'une santé florissante; il avait de l'œdème qui l'obligeait à faire de fréquents séjours au Revier; mais dès qu'il reprenait le travail, ses pieds et son visage enflaient de nouveau; cela ne l'empêchait pas d'ailleurs d'arborer son large sourire sympathique et de poursuivre ses projets innombrables.

— Durant l'été 1944, on réussit à l'affecter au hall de la trempe des pièces de fusil; il passa ainsi l'hiver 1944-1945 dans une atmosphère chaude et avec un travail relativement meilleur. Le printemps vint et de nouvelles restrictions de nourriture aussi; la vie à Gusen devenait de plus en plus dure; le Revier ne désemplissait pas, la cheminée du four crématoire exhalait nuit et jour sa petite fumée bleue et son odeur âcre de cuir brûlé. L'œdème de Pierre l'affectait de plus en plus. Il était au Revier, hélas! quand les boches, pour décongestionner les blocks d'infirmerie, procédèrent au gazage de quatre cents malades et convalescents environ.

— C'était le 20 avril 1945 au soir; tous les malades du block 30 furent envoyés aux douches, entièrement nus évidemment comme d'habitude; quand ils revinrent, tout mouillés et se portant à peine, les S.S. entouraient le block où ils les enfermèrent de force et les asphyxièrent au gaz, tous les interstices des fenêtres étant bouchés par des couvertures. Les cadavres furent retirés le lendemain matin, combustible humain pour le four crématoire.

— Le lendemain 21, nous apprîmes que Pierre était parmi eux. Trois jours auparavant, nous avions appris le décès de notre ami Camille Papon, mort d'épuisement le 17 avril. Ces deux morts, coup sur coup, nous laissaient muets de douleur; nous n'arrivions pas à réaliser la triste vérité; la mort, cette fois-ci, sabrait tout près de nous.

— La dernière fois que je vis Pierre, c'était deux ou trois jours avant sa mort, par la fenêtre ouverte du block 30; je ne pus lui parler que quelques instants car il était défendu de correspondre avec les malades du Revier et il fallait se méfier constamment des kapos armés de schlague qui en surveillaient les alentours. Pierre était entièrement nu, comme tous ceux du Revier — pénurie de chemises prétendaient les Allemands. Son visage était enflé plus que jamais par l'œdème; « j'urine le sang », me dit-il; c'est la dernière vision que j'ai de lui.

— Avant d'entrer à l'infirmerie pour la dernière fois, il m'avait confié une petite médaille de la Vierge Marie qu'il s'était procurée, je ne sais comment; pour ne pas l'égarer, je l'avais enfilée au fil de fer qui me servait de bracelet pour maintenir mon numéro matricule; cette médaille je l'avais encore au poignet à mon arrivée à Paris, le 19 mai 1945; je la perdis par comble de malchance dans le train qui me ramenait à Bordeaux après trois ans d'absence; je ne pus la donner à ses parents comme j'en avais l'intention.

— Par contre, Pierre avait confectionné avec un os une petite croix, toute simple, qui constituait son cadeau d'anniversaire ou de fête — celui de Jean Gavard, de Georges Marcou et le mien, pour notre frère René Dugrand (car chaque anniversaire de l'un d'entre nous n'était pas oublié par les autres). René avait juré de porter cette croix toute sa vie autour de son cou et, chose curieuse, jamais un S.S. ni un kapo ne songea à la lui enlever. C'est ce qui lui permit de la donner aux parents de Pierre à son retour. Cette croix et nos témoignages constituent le seul souvenir qu'ils possèdent de leur fils.

⁂

— Je [1] débutais chez Messerschmidt en équipe de jour, et mon travail consistait à poser une plaque de revêtement sur une aile d'avion et l'ajuster aux cinq centièmes de dix

1. Manuscrit anonyme inédit, probablement en date de 1945-1946 (Archives Amicale Française de Mauthausen).

vis fixant cette tête au longeron. Quatre jours me furent donnés pour me mettre au courant en regardant opérer des détenus russes. Puis, à mon tour, aidé de deux compatriotes, je fus mis à l'ouvrage. Au premier abord, ce travail pouvait paraître simple, mais n'ayant jamais fait d'ajustage, j'étais assez maladroit, surtout que le temps de mon opération était calculé, aussi, vu ma lenteur, les coups pleuvaient à longueur de journée, et mes deux camarades n'étaient pas épargnés non plus. Nous avions un « meister » que nous avions surnommé « Don Quichotte », vu sa taille, qui avait la fâcheuse manie de tirer les oreilles. Aussi, chaque fois que nous apercevions sa grande carcasse se diriger vers nous, nous savions qu'il allait nous en cuire et, l'un après l'autre, nous étions soulevés de terre par les oreilles, et quelques gifles et coups de pieds nous faisaient comprendre que ça n'allait pas assez vite... Au Hall III où nous travaillions, nous étions au début environ cinq cents, dont presque cent Français; aussi, à l'heure de la soupe, après avoir touché notre ration, nous nous réunissions entre compatriotes et composions des menus de chez nous. Et je me rappelle, avec émotion, le jour où le père Augé (architecte de la ville de Paris), nous donna la recette d'une choucroute que nous avions baptisée « choucroute Augé ». Il avait mis tant de cœur à nous faire la description de ce plat que, tout l'après-midi, les camarades se rencontrant s'interpellaient en se disant : « On la fera sa choucroute, elle doit être rudement bonne!... »

— Pour les équipes qui travaillaient à la carrière, ou dans certains kommandos, le dimanche était, en principe, jour de repos. De même, le dimanche était jour de changement d'équipe. Ceux qui venaient de passer la semaine de nuit, sachant qu'ils pouvaient se reposer le soir, se levaient pour l'appel de 11 heures et ne se recouchaient pas; l'après-midi restait donc libre. On pouvait donc assister, à partir de 14 h 30, au match de football qui avait lieu sur l'« Appelplaz » non gazonnée évidemment. Ces matches étaient assez intéressants car les équipes, polonaises, allemandes ou espagnoles, comprenaient de bons éléments, mais il était curieux de faire le contraste entre les joueurs véritablement musclés et en pleine santé, et les spectateurs maigres à souhait. Les membres des équipes avaient tous des places choisies, soit aux cuisines, soit dans des postes où il leur était possible de se ravitailler convenablement.

— Plus rarement il y avait match de boxe, faute d'éléments sans doute, car à Mauthausen c'était le sport favori et celui qui pouvait se prévaloir du titre de boxeur était automatiquement certain d'avoir une place de choix et d'être soigné comme un « coq en pâte » par les Allemands.

— Pour les amateurs de musique, il existait à Gusen I, quatre orchestres composés de Polonais, en grande majorité, d'Allemands et de quelques Espagnols. Ces orchestres allaient de block en block et donnaient des concerts qui duraient deux bonnes heures. C'était de la musique classique et je dois reconnaître que les éléments étaient bien choisis. J'eus, entre autres, l'occasion d'entendre l'« Ouverture de Manfred » de Schumann et cette œuvre fut remarquablement interprétée.

— D'autres orchestres étaient, ce que l'on appelle chez nous, « des orchestres de brasserie », et nous jouaient des airs très connus. Ces quelques instants étaient une véritable détente morale. Par contre, il y avait l'envers de la médaille : au milieu du concert, à l'entracte, le chef de block servait aux musiciens d'appétissants petits toasts composés de rondelles de pain recouvertes de margarine et sur lesquelles se trouvait une rondelle de saucisson frit. Chacun en consommait quatre à cinq et, ensuite, on leur apportait une tasse de thé sucré. Toutes ces choses — nous ne nous faisions aucune illusion — étaient payées sur nos rations mais, à la réflexion, deux heures de détente morale valaient bien six grammes de margarine ou quinze grammes de saucisson, que l'on nous volait tellement autrement, sans contrepartie...

— Le bouquet, si l'on peut dire, était le bal. Il avait lieu au block 6. Ce block était le plus important du camp puisqu'il comprenait deux étages et un grenier. La salle de danse était installée dans la « schreibstube » (salle des secrétaires) et pour ceux qui pouvaient s'approcher de la porte, le spectacle était vraiment unique. Les danseurs étaient uniquement composés de chefs de blocks, kapos et « petites amies » de ceux-ci, tous Allemands ou Polonais. Ils étaient vêtus très correctement, et si ce n'était le numéro qu'ils portaient au côté gauche et une barre verte peinte dans le dos de la veste, on aurait pu les prendre pour des civils. Il était amusant et lamentable de voir ces hommes danser ensemble; les tangos étaient particulièrement attendrissants et il s'échangeait de ces baisers... Quelquefois, un couple sortait et allait s'isoler pendant une heure ou deux. Cette comédie dura jusqu'au jour où une scène de jalousie ayant éclaté, deux Allemands, chefs de block, se mirent à mal pour un petit ami polonais dont ils se partageaient les grâces. Le commandant S.S. du camp apprit la chose et, pour la « dignité allemande » interdit le bal et les deux chefs de block furent envoyés à la compagnie disciplinaire. Adieu chemises de soie et complets sur mesure, le rayé comme les autres... Nous ne les plaignions pas d'ailleurs. Un Allemand ne reste jamais dans une mauvaise position, il disparaît pendant un mois ou deux puis, un jour, on le retrouve comme par hasard, dans un kommando mais comme kapo bien entendu...

— Pour en finir avec les distractions du camp, je dois vous dire, si invraisemblable que cela puisse paraître, qu'il existait à Gusen I, comme à Mauthausen, une maison close située à l'angle de l'« Appelplaz ». Elle avait l'aspect extérieur d'une petite mosquée. Seize minuscules fenêtres garnies de fer forgé représentaient les chambres disposées au centre du bâtiment. Sur la gauche, un salon de réception. On pouvait facilement le voir car, l'été, les fenêtres étaient grandes ouvertes et les femmes, derrière leurs barreaux, assistaient aux matches de football. De l'autre côté se trouvaient le bar et le réfectoire des pensionnaires. Celles-ci étaient, pour la majorité, Allemandes ou Polonaises. Elles jouissaient d'un certain confort, mais ne sortaient dans le camp qu'accompagnées de S.S., par groupes de quatre ou cinq femmes. Elles étaient assez bien physiquement, et je me rappelle d'une grande Polonaise, paraissant avoir beaucoup de classe et que Pierre Benoît aurait pu comparer à

« Antinéa ». La plupart de ces femmes étaient là en répression, pour avoir bafoué des S.S. ou avoir manifesté des sentiments antinazis. Les réceptions avaient lieu deux fois par semaine, mais bien entendu il n'y avait que les chefs de blocks qui pouvaient s'offrir ce luxe, pour l'excellente raison que ces hommes étaient nourris normalement et se trouvaient en parfait état physique. La chose était toute différente pour les détenus, et, seconde raison, le prix de la séance était de deux marks, ce qui représentait le salaire d'un mois de travail. Aussi, préférions-nous transformer ce paiement en nourriture, mais au cas où l'un de nous manifestait le désir d'être reçu, il lui fallait établir une demande d'autorisation adressée au chef de camp, verser d'avance les deux marks et attendre quelquefois deux mois la réponse. Si elle était favorable, le « client » était amené à la douche, on le désinfectait, on lui coupait les quelques poils qui avaient pu repousser, et, habillé d'un rayé propre, il était conduit par son chef de block vers l'objet de ses désirs. Il disposait de vingt minutes pour en terminer et était ensuite ramené au block. J'aime autant vous dire que ces cas furent rares...

— Une autre invraisemblance du camp, que je dois vous citer, était la diversité de confort des blocks. C'est ainsi que le block 1, que nous avions surnommé le « block des caïds », avait un aspect intérieur tout différent des autres. Voisin immédiat de la maison close, ce block, d'aspect extérieur normal, présentait un intérieur très confortable, parquet ciré impeccable, lits à étages mais munis de paillasses confortables, bien remplies et recouvertes d'une housse à petits carrés bleus et blancs, draps de même dessin que la housse, couverture et édredon, type américain. Dans ce block, les locataires couchaient seuls et, étant tous des messieurs bien placés, avaient une nourriture suffisante. A 5 heures, on y prenait le café avec du pain grillé et de la margarine; enfin, on ne manquait de rien. Chaque soir, un coiffeur bien choisi rectifiait la coiffure et chaque matin faisait la barbe de ces messieurs, toujours impeccables. Seuls, trois Français habitaient ce block, et je dois reconnaître qu'ils firent de leur mieux pour aider leurs compatriotes (Bondon et Collardey). Chaque midi, en effet, à l'heure de la soupe, le block 1 était entouré d'affamés venant demander aux occupants de ce block un peu de soupe. Ce n'était pas sans aucun danger, car les pompiers du camp, «Allemands volontaires », pour ce service, faisaient des chasses terribles à coups de tuyaux de caoutchouc ou de bâton. Cela n'empêchait pas, chaque midi, cinquante hommes environ, de risquer la problématique soupe malgré les coups. L'hiver, le spectacle était pénible : par moins 20°, dès 11 h 30, les hommes arrivaient, attendant quelquefois une heure sous le gel pour ne rien avoir. D'autres fois, héritant quelques cuillerées restant au fond de l'assiette, ils allaient laver celle-ci avant de la rendre; c'était pour le généreux donateur une façon comme une autre de faire sa vaisselle.

— Dans un camp de concentration, les mots : vol ou voleur, sont proscrits; cela se comprend facilement puisque, à part les assassins, les autres droit commun allemands sont des voleurs ou des escrocs, et tout ce joli monde est gratifié des plus hauts grades et dispose donc entièrement des détenus politiques et résistants. Donc, s'il vous arrive de vous faire soustraire quoi que ce soit, vous dites : « On m'a « organisé » cela » et non « on m'a volé cela ». En principe, les Russes, grands « organisateurs », n'opéraient jamais seuls. Voulaient-ils voler une boule de pain, un rutabaga, des pommes de terre, etc. aux arrivées des wagons de ravitaillement, ils se groupaient par quatre ou cinq, quelquefois plus. A peine la boule de pain ou autre était-elle volée, elle passait dans les mains des complices, si bien qu'il était absolument impossible de déceler le coupable. Aviez-vous, dans votre poche, quelques cigarettes, vous sentiez un frôlement et constatiez aussitôt leur disparition. Aucun doute, ce ne pouvait être que votre voisin; vous pouviez le fouiller, les cigarettes étaient déjà loin, passées de main en main. En fait, une véritable organisation, d'où le nom donné à tout vol...

— Les maîtres incontestés de l'organisation étaient les chefs de block qui, avec les prélèvements effectués sur nos rations, se payaient cigarettes, pull-overs, pour l'hiver, payaient les retouches de leur complet ou même des façons complètes.

Le marché : il se tenait aux heures de retour des équipes, entre les blocks 4 et 5, et devant les lavabos attenant au block 2, soit presque au milieu du camp. Pour un profane, il serait apparu sous l'aspect d'un rassemblement de détenus s'interpellant dans toutes les langues, puis s'en allant par petits groupes, discuter à quelques pas de là. Aucune marchandise n'était visible, car il était extrêmement dangereux d'exhiber quoi que ce soit de comestible et, cependant, il s'y vendait de tout : saucisson, pain, margarine, fil, chaussettes, chemises, etc. La monnaie d'échange était la cigarette. Quand vous vous risquiez à aller au marché, il fallait vous entourer de quelques camarades surveillant sérieusement tous ceux qui approchaient. Vous entriez donc dans ce grouillement et entendiez de tous côtés ces annonces : « Came Kleba, Came Colbaso, Came margarine », etc. ce qui signifiait en français : pour qui le pain, pour qui le saucisson, pour qui la margarine. La majorité des vendeurs étaient des Russes et le pain ou autres denrées vendues provenaient de l'« organisation ». Il y avait aussi les vendeurs, des chefs de blocks qui liquidaient au cours le plus élevé toutes ces denrées et rapportaient à leur chef les cigarettes obtenues. Les cours changeaient constamment, par exemple le jour où vous transformiez vos marks en cigarettes et c'était en principe pour tout le camp. La plupart des détenus possédaient neuf ou dix-huit cigarettes suivant qu'ils avaient perçu un ou deux marks. Vu l'affluence de cigarettes, la boule de 1 200 g de pain montait à trente cigarettes, ce qui représentait les 200 g à cinq. Pour le saucisson, la tranche équivalant à la ration valait trois cigarettes, les soupes : véritable flotte où nageaient quelques épluchures, valaient ce jour-là quatre cigarettes. L'astuce était donc de pouvoir garder, pendant huit jours, la précieuse monnaie, mais cela représentait un tour de force, car la nuit des mains expertes se glissaient sans que vous vous en aperceviez et vous enlevaient, subrepticement, votre bien; l'astuce valable était de se confectionner une boîte et se l'attacher au cou, sous la chemise, exactement comme une médaille, et encore fallait-il se méfier des attaques continuelles qui se produisaient pendant trois ou quatre jours, après les distributions...

— Si donc vous réussissiez à garder votre bien, vous voyiez de jour en jour les cours descendre. J'ai vu, certains jours, la boule à huit cigarettes, la rondelle de saucisson à une demie, et la portion de margarine à une cigarette. Les hausses se produisaient également quand les arrivages de pain étaient arrêtés par les bombardements; là encore, il y avait deux ou trois jours de flèche sur les cours, exactement comme à la bourse. Pour acheter, par exemple, une rondelle de saucisson, vous interpelliez un des vendeurs en disant : « Cocken », c'est-à-dire « fais voir ! ». Il sortait, avec beaucoup de méfiance, la rondelle de saucisson, presque toujours enveloppée dans un papier crasseux, vous l'examiniez, car il arrivait que les vendeurs prélevaient une minuscule tranche avant de vendre. Aussi, à un millimètre près d'épaisseur, vous choisissiez alors celle de l'un ou celle de l'autre, puis discutiez du prix. Quand le marché était conclu, il fallait s'éloigner le plus loin possible, pour sortir sa boîte à cigarettes et en tirer le prix de l'achat. Cette précaution n'était quelquefois pas suffisante et, à ce sujet, je puis vous dire qu'ayant, un jour, acheté un saucisson, je m'étais éloigné de 50 mètres du marché pour traiter. Tout alla bien jusqu'au moment où, ayant sorti ma boîte, je l'ouvrais et, à ce moment, un Russe venu à pas de loup par derrière m'asséna un coup de poing sur l'avant-bras, ce qui fit tomber les cigarettes de la boîte; ce fut une véritable ruée, je frappais à coups de pieds, à coups de poings, mais quelques secondes après, tout le monde avait disparu. Et plus trace de mes sept cigarettes ni du saucisson.

— Aux marchés, il ne se passait pas dix minutes sans qu'un individu se trouvant seul ne fût attaqué et fouillé. Le tout était agrémenté par les visites des pompiers du camp qui, de temps en temps, devaient distribuer force coups de bâton pour disperser la foule. A leur sujet, je dois signaler qu'ils se livraient au trafic suivant : leur block se trouvant face à la maison close et la plupart ayant une petite amie, celle-ci leur remettait le pain qu'elle avait en excédent. Le pompier, par l'intermédiaire d'un détenu, faisait vendre le pain sur le marché, recueillait les cigarettes et, après avoir prélevé une petite commission, les remettait aux filles.

— En dehors du marché, il y eut, pendant un certain temps, moyen d'acheter plus régulièrement, avec moins de risques, de quoi améliorer l'ordinaire. C'était, par l'intermédiaire de, deux Espagnols habitant le block 11 et travaillant aux abords immédiats de la carrière et des voies ferrées. Ces Espagnols avaient, avec la collaboration d'une dizaine de Russes, monté une véritable organisation spécialisée pour le pain, et les pommes de terre. Pour le pain, leurs complices étaient d'autres Espagnols travaillant au déchargement des wagons. A certaines heures convenues, quelques Russes se promenaient comme par hasard, près du wagon, et, malgré les sentinelles, huit à dix boules étaient resquillées journellement, sans que personne s'en aperçût; ils avaient une telle adresse pour recevoir au vol la boule, la dissimuler en l'espace d'un éclair et repartir avec un calme imperturbable, qu'il aurait fallu une dénonciation ou un coup de hasard pour découvrir le pot-aux-roses.

— Pour les pommes de terre, il fallait la complicité des Russes travaillant aux silos. Ceux-ci attachaient le bas de leur pantalon aux chevilles et remplissaient ainsi les jambes puis, calmement, les apportaient aux Espagnols qui les faisaient cuire à l'eau. Le soir, peu avant le retour au camp, les Russes venaient se charger. Il était alors curieux d'assister au block 11 à la récupération; nos deux Espagnols tenaient une véritable comptabilité, et chaque Russe chargé de pain ou de pommes de terre sortait de son pantalon soit trois ou quatre boules, soit trente ou quarante pommes de terre. Le nombre donné au départ étant pointé, ils percevaient ensuite leur récompense : un tiers de boule ou quinze ou vingt pommes de terre qu'ils allaient vendre au marché. Les Espagnols, malgré « leurs frais » s'y retrouvaient largement car il leur restait, chaque soir, deux cents à deux cent cinquante pommes de terre à vendre, à raison de huit pour une portion de saucisson. C'est ainsi que, trouvant ce prix raisonnable, nous nous arrangions à deux camarades pour changer l'une de nos rations de soupe; cela nous permettait d'enrichir notre repas de quatre pommes cuites chacun.

— Lorsque la vente était terminée (et cela ne traînait guère), ils allaient retrouver d'autres compatriotes qui, de leur côté, avaient organisé différentes denrées et se composaient des repas non seulement appétissants mais très honnêtes au point de vue quantité.

— Enfin [1], les camarades réussirent à me faire admettre à la Steyr. J'avais été baptisé « grand spécialiste en petite mécanique ». En conséquence, je fus admis avec un camarade belge et un Français, Noël, à subir l'épreuve d'admission. Cette épreuve consistait surtout à se servir d'un pied à coulisse. Pour moi, bijoutier, cela m'était facile car, dans mon métier, c'est un outil dont nous nous servons couramment. Mais ce n'était pas le cas des deux autres qui n'avaient jamais tenu un pied à coulisse dans leurs mains. Heureusement, pour eux, je passais l'épreuve le premier. Je m'arrangeai pour leur faire un cours rapide sur la façon de s'en servir et, avec la complicité de l'interprète, un Polonais qui avait vécu en France, nous réussîmes notre examen. Nous fûmes admis au Hall VIII. Ce hall était celui de l'outillage, un des meilleurs de la Steyr. Dans ce hall étaient concentrés les spécialistes des calibres, la fabrication des fraises et des différents outillages indispensables au fonctionnement de l'ensemble de l'usine. Aussi, les coups y étaient-ils rares et, quelquefois, ce qui n'était pas négligeable, nous avions du rabiot de soupe. Je fus affecté au perçage des canons de fusil. Je disposais d'une machine, d'au moins 3 mètres. Il fallait bloquer le canon de fusil et, au moyen d'un foret, long d'un mètre environ, percer

1. Témoignage inédit Georges Parouty.

celui-ci. C'était assez délicat. Il fallait bien bloquer tous les écrous car « la passe » durait environ une demi-heure, et un seul écrou mal bloqué c'était la catastrophe. Je dois dire que, malgré ma soi-disant bonne volonté, il m'arrivait d'oublier de bien serrer des écrous, ce qui me valait, à travers une grêle de coups, de me faire traiter de tous les noms d'oiseaux, parmi lesquels « merde de Français ».

— Un nouveau hall, le 13, venait d'être installé et, pour l'équiper en main-d'œuvre, on avait fait un prélèvement dans les différents halls existants. Mon nouveau travail consistait à ébarber des pièces qui devaient être des espèces de gâchettes. Nous étions une dizaine de détenus, parmi lesquels quatre Français, Charlie, Louis, Gilbert et moi. Alors qu'au début de notre séjour dans les camps l'incompréhension des langues était une source de conflit perpétuel, nous pouvions maintenant, à travers un jargon à base d'allemand, mieux nous comprendre. Cela nous a permis, du fait que nous étions les premiers à effectuer ce travail, d'établir des normes, les plus basses possibles, car pour les Allemands, hommes d'ordre, une fois fixé le nombre de pièces, du moment que le compte y était, c'était suffisant. De plus, nous avons trouvé un moyen, par la suite, de produire moins. Cela fut possible quand deux équipes — une de jour et une de nuit — furent créées. Chaque équipe devait travailler douze heures. A la fin de notre travail, notre production, comptée et recomptée, était entreposée à l'entrée du hall. Les équipes de jour devaient emmener au contrôle pour vérifier la qualité du travail, la production de l'équipe de nuit, et vice versa. Un jeune Soviétique, en arrivant au travail, me montra des pièces toutes finies. Je lui demandai où il les avait eues et il me dit les avoir prises, en passant, dans les caisses à l'entrée du hall. Je crois qu'il est inutile de décrire la suite. C'était une forme de sabotage qui pouvait se faire sans trop de risques, les pièces ayant été comptées une première fois par les autorités du hall, il n'y avait pas de raison de les recompter par la suite. Inutile de dire que notre prélèvement devait se faire dans les limites raisonnables.

— Une autre forme de sabotage consistait à fabriquer

des bagues. La matière première : le bronze. Il nous était fourni par des coussinets prélevés sur les machines, ces machines qui provenaient de différents pays, occupés par les nazis, arrivaient par train et séjournaient plusieurs jours avant d'être montées dans les halls. C'est là que le prélèvement s'effectuait. Mon fournisseur était Polonais, Stéphane. Il avait été arrêté en France, dans le nord, pas comme politique mais comme droit commun. C'était, par ailleurs, un très charmant garçon. Il s'occupait également de l'écoulement de la production, ce qui nous valait un supplément de nourriture ou la possibilité d'avoir un vêtement un peu plus confortable. Ces bagues — qui étaient, pour la plupart destinées aux kapos (je l'ai su par la suite), faisaient les délices également des S.S. et de leur femme. Et je crois qu'il est bon de dire que ces derniers n'étaient pas tellement curieux car ce bronze ne nous tombait pas du ciel. Mais ces mercenaires se souciaient sans doute plus de satisfaire leur goût du pillage et de leur profit que du reste.

— Un camarade, Claude Tefel, avait eu la chance d'être choisi pour s'occuper du garage. Son travail consistait surtout à réparer les vélos et quelques rares motos. Pour équiper son atelier, qui était pratiquement nu quand il le prit, nous volions du matériel à l'usine : des pièces, de l'outillage, des graisses. Là encore, les S.S. ne se préoccupaient pas d'où cela venait. Les machines pouvaient bien manquer d'huile, peu importe, du moment que leurs besoins personnels étaient satisfaits. Ce camarade avait, au-dessus de son garage, une pièce où était entreposée la réserve d'oignons des S.S., légume ô combien précieux à cause des vitamines et pour lutter contre le scorbut. A l'aide de fausses clés, fabriquées à l'usine, et pendant les alertes, il fauchait un seau d'oignons qui était réparti entre les camarades français.

— Me voilà donc installé au Hall XIII, et cette fois d'une façon définitive jusqu'à notre libération. Déjà plus d'un an et demi passé dans cet enfer. Nous sommes dans l'hiver 1944-1945, l'hiver qui devait s'avérer terrible pour les quelques survivants des convois de 1943. Nous redoutions, pour nos carcasses affaiblies, un hiver de plus. Mais les nouveaux arrivants n'étaient pas mieux lotis que nous. Ils débarquaient à un moment où la répression était peut-être un peu moins dure, mais elle existait tout de même. Par contre, la pénurie de denrées alimentaires s'accentuait, et ces camarades, arrêtés pour la plupart après le débarquement, passaient sans transition d'une vie alimentaire à peu près normale à la pénurie terrible qui sévissait dans les camps. C'était l'époque où la soupe était faite de légumes déshydratés, mangés par les vers que nous retrouvions surnageant au-dessus d'elle. Mais pour nous, les anciens, qui en avions bien vu d'autres, nous avalions ces vers sans trop de difficultés. Et, il faut bien le dire, c'était à peu près la seule viande que nous mangions.

— Sentant que je faiblissais, il me fallait faire quelque chose pour essayer de tenir le coup. Avec l'aide de mes camarades français, je décidais — l'exemple m'étant fourni par le jeune Soviétique Vassili qui s'était blessé au doigt et avait pu se faire admettre au block 27, le block de la chirurgie — je décidais donc de me blesser moi aussi, à un doigt, et je choisis pour cela l'index de la main gauche. Celui-ci m'étant indispensable pour le travail que je faisais. Je devais mettre mon doigt sur deux supports et, avec un morceau de fer, Charlie devait me le casser. Mais il y réussit en partie seulement, manquant son coup. Il me fit tout de même sauter la pointe du doigt et la moitié de l'ongle. C'était suffisant pour pouvoir me présenter au Revier où le médecin finissait de m'arracher l'ongle, sans m'insensibiliser. Inutile de dire que cela faisait très mal, mais cela me permettait, après trois jours passés au block 27, de ne pas travailler pendant un temps assez long.

— Le 25 avril 1945 [1], vers les 5 heures de l'après-midi, le médecin-chef vint et prévint les médecins de ce block d'avoir à évacuer assez rapidement les faibles, les chias-

1. Déposition de Marius Colin (témoins Grillon, Falgos, Etival et Selles) le 11 mai 1945, devant le Comité international de Mauthausen.

seux, les incurables, les blessés gravement aux jambes, les ulcéreux, sur le block 31. Voyant la stupéfaction des docteurs, un Polonais et un Russe du nom de Michel et des infirmiers, je demandai ce qui se passait. La réponse fut : « Sauvez-vous du Revier, il va se passer des choses graves. Que tous ceux qui veulent sortir et qui le peuvent soient sortant demain matin. » Alors, l'on vit sortir des divers blocks les éclopés, les malades, etc. se dirigeant vers le 31 avec des couvertures. A 9 h 10, tous les hommes du block furent envoyés aux douches sous une pluie torrentielle. C'est alors qu'arrivèrent quatre S.S. qui obstruèrent les fenêtres, montèrent sur le toit, bouchèrent les cheminées avec couvertures et paille, et sur un coup de sifflet, vers 9 h 40, les hommes qui étaient aux douches revinrent en courant, toujours sous la pluie, et matraqués pour aller plus vite par les S.S. et les Polonais. Les derniers à peine rentrés, un homme vit ses camarades déjà étendus, comprit et refusa de rentrer. Il fut abattu d'un coup de revolver à bout portant par un S.S. D'autres essayèrent également de se sauver par les fenêtres. On entendit sept coups de fusils. A 10 h 15, la voiture du « kréma » commença le transport des morts, bientôt suivie d'une deuxième; il passa trente-huit voitures de douze morts. D'autres morts restant encore furent transportés plus tard. Au petit jour, les Polonais de service lavèrent à grande eau le perron pour faire disparaître le sang; tout était dans un désordre extraordinaire. Deux de nos camarades étaient parmi les morts : Bottos, de Grenoble et Doucet, de la Vendée.

— Je fus témoin oculaire de ceci et d'autres ont pu, avec moi, compter les voitures.

⁂

— Février [1] avait enlevé bien des amis qui semblaient encore solides. En mars, les rescapés avaient concentré leurs espoirs en un sursaut nerveux. Avril fut une héca-

1. Professeur Roger Heim : *La Sombre Route*. Librairie José Corti. Paris, 1947.

tombe; ce fut la grande tuerie, l'anéantissement ordonné, le gazage en masse de tous les faibles, les infirmes, les inutiles — 600 dans la nuit du 13 au 14, 200 deux jours après, et combien, entassés le crâne fendu, dans le Waschraum du block 23, et 400 encore dans la nuit tragique du 19 au 20, et 300 la semaine suivante massacrés à coups de bâton. La dysenterie, phase terminale de l'avitaminose, faisait le reste.

— Une poignée d'hommes restés debout, quelques-uns le moral et le cerveau intacts, encourageaient les autres, tendus dans l'ultime lutte, dans la concentration finale de l'être contre la marée inéluctable.

— Le père Jacques, sans se bercer d'espoir excessif, calme, serein, mais profondément triste, gardait son prestige dans le naufrage, mais ceux qui, dans ces camps, savaient observer les premiers signes du déclin d'un homme croyaient discerner sur son visage la marque indéfinissable, imperceptible du choc qui ne pardonne plus.

— C'est alors qu'une nouvelle extraordinaire nous arriva. Des camions de la Croix-Rouge internationale avaient été aperçus sur la route, rapatriant les Français et les Belges du camp de Mauthausen. Durant deux jours, beaucoup n'y voulurent croire. Et le 27 avril au soir, la confirmation brusquement, nous arrivait. Une rafale de folle espérance gonfla les cœurs. Les plus pessimistes durent se ranger à l'incroyable évidence.

— De toute ma captivité, nul spectacle ne me fut peut-être plus pénible, quoiqu'il ne comportât rien de sanglant, que celui que nous offrit la cour d'appel de Gusen le 28 avril. Et cependant, n'était-ce pas le jour, imprévisible, inouï, d'une première libération hors du camp, hors de ce réseau qu'aucun homme n'avait pu réussir à franchir, alors qu'en ce jour les S.S. y étaient encore les maîtres?

— Tous les Français avaient été rassemblés le matin, tous ceux du moins qui avaient échappé à la dernière tuerie systématique, méthodique, celle des trois précédentes semaines, où les plus déficients avaient été exterminés. Seuls, quelques malades s'étaient crispés dans une énergie désespérée pour essayer de conserver une chance de survie.

Ils avaient grimé leurs visages d'agonisants en masques de vivants, par un effort surhumain ils avaient imposé silence à leurs derniers râles, grimacé des sourires, afin d'échapper au choix ultime des kapos et des S.S. Ceux-là étaient figés dans les rangs comme des automates, maintenus par la main plus robuste de leurs voisins qui les empêchaient de tomber à terre.

— On nous avait groupés par ordre alphabétique — ce qui était la première fois depuis longtemps — et on nous distribua à chacun un colis de vivres de la Croix-Rouge, le seul qui soit venu jusqu'à nous. L'équipe de jour du camp, constituée de prisonniers étrangers, qui devaient rester à Gusen, était présente devant nous. Je mesurais la folle expression des yeux, les gestes animaux, d'envie, devant les boîtes éventrées de nos colis, que manifestaient ces Yougoslaves, ces Russes, ces Italiens qui se sentaient mourir de faim. Nous leur donnions quelques miettes de ces vivres sur lesquelles ils se jetaient. Mais déjà on nous appelait sur le terre-plein d'appel : le commandant devait nous passer en revue avant notre départ.

— J'ai alors assisté au spectacle le plus extraordinaire qu'un déporté ait pu contempler. Dans ce camp de la mort et de la faim, où la moindre indiscipline, le plus insignifiant écart, la négligence infime, et folle, d'un homme qui arrivait en retard de quelques secondes à un appel, ou qui oubliait de retirer sa casquette au passage d'un S.S., était une provocation vis-à-vis de la mort, immédiatement donnée, dans ce camp de Gusen où 130 000 hommes avaient disparu en moins de trois années, martyrisés, affamés, assassinés, où tout était obéissance aveugle, machinale, où il n'était que des réflexes, les 800 Français survivants, alignés sur la place, auxquels on venait de donner l'ordre de ne plus manger, d'empaqueter soigneusement les vivres, ces 800 hommes affamés, sortis des enfers, qui n'avaient vu depuis des mois ou des années une miette de gâteau ou de chocolat, ni un morceau de sucre, ni une fibre de viande, ces 800 hommes se précipitèrent sur leurs aliments comme des bêtes. Le risque de mort ne comptait plus. Un autre réflexe les poussait irrésistiblement. C'était l'effroyable déchaînement de l'animal affamé auquel on apporte une écuelle pleine. Et autour de la place, des centaines d'autres déportés ceux-là à demeure, et sous l'horloge des dizaines de S.S., et de sa fenêtre le commandant du camp, observaient, les yeux agrandis de stupéfaction, ce spectacle hallucinant de 800 hommes qui dévoraient, malgré l'ordre, dans un mélange innommable, le sucre et la viande, les confitures et le fromage, emplissant leurs mains de poudre de cacao dont ils se noircissaient la face dans leur frénésie. Les boîtes vides, les papiers, les emballages, bien vite se répandaient sur le sol en un désordre inconnu. Et cependant aucune salve de mitrailleuse, aucun coup de revolver, aucune rafale, pas même de coups de bâton, ne mettaient fin à ce spectacle de révolte, ce mirage de folie, cette exaspération alimentaire, cette imprudence incommensurable. Il ne se produisit rien. Parce ce que la scène était monstrueuse, fantastique. Les S.S., les autres prisonniers, le commandant, les officiers regardaient ce spectacle ahurissant, sentant bien que son caractère exceptionnel annonçait évidemment une ère nouvelle, un écroulement imminent, l'approche du raz de marée définitif.

— Combien de mes camarades sont morts, les jours suivants, de cet excès instantané de nourriture, qui tua des organismes desséchés, fit exploser les organes ratatinés, provoqua des dysenteries fatales. Ceux qui conservèrent la volonté de résister à la tentation extrême vers la mort, à ce suicide de la dernière heure, regardaient, profondément émus, l'étendue du désastre moral et physique, l'effondrement définitif de ces êtres pour qui le dernier trait de salut était en même temps la sentence ultime, parce que la machine usée, perforée, ne pouvait plus se défendre, qu'une faiblesse finale les entraînait vers le geste de folie, au moment où la volonté dressée, inflexible, tout arc-boutée vers l'avenir ensoleillé qui montait au loin, derrière le dernier orage, cette preuve essentielle de qualité, pouvait assurer le triomphe de l'homme.

II

LES ÉVADÉS DU LOIBL-PASS

Evasion.

Evasions.

— Partir!

— Oui! S'enfuir pour rentrer chez soi. Cette nuit.

— Courir vers les barbelés.

— Arracher les barbelés.

— Enjamber les barbelés.

— Et l'électricité?

— Tais-toi! Et puis, coudes au corps, avec énergie, se lancer...

— A quoi bon? « On ne s'évade pas d'un camp de concentration. »

Et pourtant.

Entre le rêve et la réalité, combien de vraies tentatives? Seulement quelques dizaines.

Si l'on excepte le « coup de force » unique de Mauthausen, réalisé par les prisonniers de l'Armée Rouge [1], la course folle des révoltés du Sonderkommando d'Auschwitz — deux tentatives collectives dictées par la certitude de l'exécution imminente — quelques réussites isolées de Buchenwald, Oranienburg, Natzwiller, ou des camps de l'Est, les « plongées » dans les fossés des routes d'évacuation, les « oubliés » des haltes dans les bois des dernières heures de

1. Voir *Les 186 Marches*. Mauthausen, tome I, même auteur, même éditeur.

captivité, les évasions marquantes, les « belles » de l'histoire de la déportation, dans leur majorité sont dues aux déportés d'Auschwitz [1] et du Loibl-Pass. A Auschwitz, le Comité clandestin de Résistance avait réussi à établir des contacts avec les partisans polonais... Au Loibl-Pass, les partisans yougoslaves patrouillaient en permanence dans le « paysage » du camp. Sans ce particularisme de l'environnement immédiat de l'enceinte barbelée, toute action était vouée à l'échec. Mais à Auschwitz, comme au Loibl-Pass, ces éléments, cette « présence » favorable, la détermination, la parfaite préparation ne constituaient pas obligatoirement une certitude de succès. Il fallait aussi compter avec les circonstances, la chance... la providence.

— Prolongement [2] méridional des Alpes, le massif des Karawanken (ou Karawanka) déroule la longue chaîne de ses escarpements et de ses pics entre Drave et Save, en direction de la plaine hongroise.

— Montagnes dont les sommets s'élèvent jusqu'à plus de 2 500 mètres, à la fois majestueuses et sinistres, Elisée Reclus écrivit d'elles « qu'elles étonnent surtout par la forme pyramidale de leurs cimes, et par les teintes roses et violettes de leurs roches, produisant un effet magique aux rayons du soleil ».

— En juin et juillet de l'année 1943, la forteresse concentrationnaire de Mauthausen détacha dans ces solitudes, quatre cents déportés voués à l'extermination. On fixa leur campement à 1 500 mètres d'altitude, sur le versant yougoslave, en pleine solitude puisque le plus proche hameau se trouvait à 10 kilomètres. Quelques semaines plus tard, trois cents autres bagnards du grand Reich prenaient position de l'autre côté du massif montagneux, sur le versant autrichien.

---

1. Voir *Les Mannequins Nus,* Christian Bernadac, France-Empire, 1971.
2. Témoignage Gaston G. Charlet : *Karawanken, le bagne dans la neige.* Imprimerie Rougerie. Limoges, 23 mai 1955.

— Il y avait ainsi, dans ces deux camps sommairement dressés au nord et au sud des Karawanken, des hommes de diverses nationalités (Français, Belges, Italiens, Russes, Polonais, Slovènes) et de toutes conditions (du manœuvre à l'intellectuel).

— Pendant des mois, de jour comme de nuit, après avoir défriché la montagne pour y installer les baraquements qui leur servaient de prison, mal vêtus et mal nourris, injuriés et roués de coups en permanence, ces hommes durent creuser dans le flanc des Alpes un tunnel routier de 1 700 mètres, large de 12 mètres et haut de 10, destiné à doubler la route stratégique n° 333, conduisant au col du Loibl, et qui, huit mois par an, était rendue impraticable par l'accumulation des neiges.

Le premier projet de tunnel date de... 1691. Les archives municipales de Lioubliana conservent pieusement un manuscrit sur parchemin d'agneau faisant état de la construction de la route entre 1564 et 1575 (pour découper la roche, les corvées de paysans profitaient des hivers : il suffisait de verser de l'eau tiède dans les fissures ou les forages préparés et d'attendre que le gel fasse exploser la pierre; l'été les charrois dégageaient les éboulis) et présentant plusieurs croquis de Janez Vajkard Valvasor, démontrant qu'il n'était guère plus difficile de creuser un tunnel que d'élargir la route [1].

---

1. Il commencerait près de l'église de Sentansko et s'achèverait près de Saint-Lénart, en Carinthie. Cependant, la réalisation de ce projet a été empêchée par la peste qui se déclara en 1679. Etant donné que le trafic entre Loibl et la mer prenait sans cesse de l'importance, on a élaboré un troisième projet de tunnel. Le baron Jurij Kristalnik en fut l'auteur, en 1725, mais ce projet ne fut pas davantage réalisé. Un autre projet a été élaboré à la fin des guerres françaises, vers 1820, mais n'a pas été appliqué par suite du bureaucratisme caractéristique de l'époque de Metternich. L'insuffisance des moyens financiers pour sa construction en a peut-être été aussi la cause.

— Le problème de la construction du tunnel est devenu de nouveau actuel en 1843, au moment où des habitants de la Carinthie présentèrent un projet en vue de la construction d'une voie ferrée Celevec-Loibl-Lioubliana-Trieste, reliant le Danube à la mer. A l'époque, cette liaison aurait été très utile à Trzic, car elle aurait représenté la plus courte liaison jusqu'au bassin industriel de Carinthie. Cependant, les moyens de construction permettant la réalisation d'un tel

Dès janvier 1941, le Gauleiter Rainer fit entreprendre des études pour faciliter les différentes « percées » vers l'Adriatique et, le 27 septembre 1941, à Kranj, il pouvait annoncer dans un discours radiodiffusé :

— Loibl est la plus importante voie commerciale possible. A ma demande, le Führer a autorisé la construction d'un tunnel routier à Loibl.

Trois entreprises furent chargées des travaux : Hoch und Tiefbaugesel Lschaft, Universal (sur le Danube), Raubl (de Celovec).

— Dès [1] l'hiver 1941-1942, des requis slovènes et croates ouvrent des chantiers dans la montagne. Un camp civil avait été aménagé. Mais dans la nuit du 29 au 30 juin 1942, les combattants du 2e bataillon « Kekrsko » incendient toutes les installations.

Le Gauleiter Rainer devra attendre onze mois avant que l'Administration centrale des camps lui accorde l'autorisation d'utiliser les déportés de Mauthausen pour reprendre les travaux abandonnés. Les premiers « débarquèrent » le 18 juillet 1943.

— Où [2] étions-nous? Aucun des nôtres n'aurait pu le dire. Les heures avaient succédé aux heures, un jour à l'autre, une nuit à une autre nuit. Le convoi avait traversé des plaines, gravi des rampes, passé des tunnels. Vers quelle contrée? Dans quelle direction? Seule une boussole aurait pu nous aider à vaincre notre ignorance forcée. Il n'en était

---

projet étaient encore bien faibles, et ce plan fut ajourné à une date indéfinie. La principale cause en a été la crise économique et bancaire qui éclata alors.

— Plus tard, en 1901, le Parlement repousse la construction de la ligne de chemin de fer de Loibl ainsi que le projet de construction d'un tunnel long de 4 867 mètres. C'est ainsi que l'idée d'une liaison ferroviaire directe entre Trzic et Celovec fut définitivement abandonnée. Il semblait alors que l'idée de la construction du Loibl ne reviendrait plus à l'ordre du jour car, depuis la fin de la Première Guerre mondiale, la frontière nationale passait par le col. On en reparla de nouveau dans les plans expansionnistes d'Hitler.

Monographie sur Loibl-Pass publiée par l'Association des Combattants de la Lutte de Libération Nationale de Slovénie. Commune de Trzic, 1951.

1. Recherches Anna Marija Vidovitch. Diplôme d'histoire. Belgrade.
2. Témoignage Gaston G. Charlet (déjà cité).

pas question, puisqu'on ne nous avait même pas laissé un mouchoir.

— Le bâtiment de gare était étroit et délabré. Sur un de ses pignons nous lûmes « Neumarktl ». Cela ne pouvait rien nous apprendre. Nos regards allèrent vers une petite place où notre cortège débouchait, une fois franchies les barrières. Des camions étaient là, qui nous attendaient. Déjà, sous la menace des chiens, les premiers de la colonne avaient dû s'y hisser en hâte et s'entasser comme marchandise en vrac sur les plateaux, rugueux encore de terre séchée et de ciment dont leur tôle n'avait pu se défaire.

— Les derniers à monter — dont j'étais — eurent le temps d'apercevoir quelques dizaines de femmes et d'enfants, tenus à distance par le service d'ordre et qui observaient notre manœuvre [1].

— Spectateurs aux figures graves, silencieux et immobiles, leur attitude différait de celles des populations qui nous avaient fait une haie insolente dans la traversée de la ville autrichienne où l'on nous avait embarqués. Ceux-là semblaient compatir à notre sort. Plus tard, nous devions apprendre pourquoi.

— Mais déjà, les camions avaient fait leur plein de cargaison humaine. Les moteurs ronflèrent. Le convoi s'ébranla et parcourut en trombe les rues de la bourgade inconnue. Il ne ralentit son allure que lorsque la route amorça sa première côte.

— Le soleil était caché depuis un long moment déjà. Devant nous, les lacets de la montagne commençaient à s'estomper dans la brume. La masse lointaine des sommets dressait sa muraille aux contours imprécis. L'air était frais bien que l'on fût au cœur de l'été. Le mystère de notre destination, plus encore que la présence de la chiourme, imposait à tout le monde un mutisme apparent. Mais chacun se parlait à soi-même, s'interrogeait, essayait de deviner, s'efforçait de prévoir...

---

1. Quand les femmes slovènes virent le misérable groupe que nous formions, malgré les sentinelles elles nous envoyèrent des pains entiers par-dessus la tête des S.S. (Louis Balsan. *Le Ver Luisant*. Gaignault éditeur. Issoudun, 1973.)

— Le camp avait la forme d'un carré de 100 mètres de côté. A chaque angle s'élevait un mirador, où voisinaient projecteur et mitrailleuse. Il était entouré d'une double haie de barbelés, fixés à d'énormes poteaux bien fichés en terre. La nuit, les faisceaux lumineux balayaient l'« hinterland » des clôtures parallèles.

— Toute évasion semblait impossible.

— Nous étions bien gardés : cent vingt S.S., quatre-vingts gendarmes montagnards, et quatre chiens policiers. Pour quatre centaines de forçats. L'honnête proportion!

— Dans la vallée, le plus petit hameau était à 10 kilomètres : trois maisons de bois, où ne vivaient surtout que des femmes et des enfants. Les hommes, depuis longtemps, étaient partis, soit qu'ils aient rejoint le maquis de Tito, soit qu'ils aient été envoyés par l'occupant dans des camps de travail ou de discipline. Car le pays où nous venions d'être transportés appartenait à cette Slovénie martyre, dont Loubiana (Laibach en teuton) était la petite capitale. Sous la botte nazie, les populations de la Carinthie, de la Carniole et de la Styrie, déjà si proches des nôtres, frémissaient d'une haine semblable à celle qui habitait le cœur de millions de Français réfractaires à toute collaboration avilissante. Mais ils devaient la dissimuler au tréfonds de leur cœur, car l'appareil policier était puissant, la délation érigée à la hauteur d'une vertu, et les représailles atroces.

— Pauvre France et pauvre Slovénie!

— C'est ce rapprochement que nous faisions chaque jour, lorsque notre longue colonne, en rangs par cinq, traînant aux pieds ses sabots informes, montait à pas lents la route qui conduisait au chantier du tunnel.

— Le spectacle alentour ne réjouissait nos yeux qu'à l'approche de l'été. Les sapins s'ébrouaient alors comme pour chasser leur dernière neige, sous la brise venue de l'Adriatique; les mélèzes retrouvaient leur couleur, fanée avec les premières bourrasques d'octobre. Et dans les rares espaces où l'herbe avait pu croître, quelques fleurs campagnardes jetaient des touches aimablement colorées.

— Nous passions devant une petite chapelle dont le clocher couronné d'un bulbe gothique se dressait contre la paroi de la montagne. De loin en loin, au bord du chemin, des planches dressées en forme de toiture abritaient des statuettes de plâtre ou de bois sculpté (ou ce qui en restait) représentant des saints personnages. La ferveur religieuse des Slovènes n'était pas du goût de nos gardiens, qui ricanaient parfois en arrivant à la hauteur de ces pieux symboles, ou crachaient au passage en signe de mépris.

— Puis, sur un plateau artificiellement créé, s'étalait le chantier : le magasin d'outillage, le petit dépôt des machines à vapeur, cerné de rails et d'aiguillages. Au fond, trou béant dans le flanc de la montagne, l'entrée du tunnel.

— Car nous avions percé les Alpes.

— Prisonniers du grand Reich, il entendait profiter de notre extermination pour les besoins de sa stratégie. Faire mourir les forçats à la tâche était une formule plus originale encore que de les équilibrer d'une rafale de mitraillette ou de les pendre à la haute branche d'un arbre.

— Répartis en deux équipes, jour et nuit alternées, il nous fallait déblayer la neige quand sa hauteur gênait le passage des camions ou recouvrait les voies ferrées, manier le marteau piqueur pour ceux dont c'était la spécialité, la pioche et la pelle pour les autres, remplir les wagons des rochers et de la pierraille arrachés au cœur de la montagne, préparer le béton destiné aux revêtements de la voûte, faire cent autres travaux. Onze heures d'affilée, coupées d'un arrêt où nous était servie une soupe à base de rutabagas ou de légumes déshydratés, et qui n'était grasse que lorsque les vers, surpris par le séchage industriel des végétaux surnageaient du liquide qui emplissait nos gamelles. Nous n'avions, hélas! ni le droit, ni le temps de nous montrer difficiles. « Primum vivere ». Oui, vivre d'abord, pour tenir. Il y avait ceux qui « tenaient » et ceux qui ne « tenaient » pas.

— Pour les derniers, c'était la baraque d'ambulance, l'évacuation vers la centrale de Mauthausen où les attendaient la gueule vorace des crématoires, ou d'une façon plus expéditive (car les voyages compliquaient la tâche de nos gardiens) trente centilitres de benzol dans le cœur ou dans les poumons.

— Le major Ramsauer était là pour ça.

— Au début, il avait eu du mal à trouver le bon chemin pour l'aiguille de sa seringue. Et ce malgré l'ouvrage d'anatomie qu'il gardait grand ouvert sur un guéridon proche de la table où il avait fait étendre le patient. Roland et Michel, les deux aides-infirmiers du « Revier » avaient eu tout loisir d'observer la méthode. Car le hautain « toubib », frais émoulu de l'Université berlinoise, ne se gênait pas devant eux. N'étions-nous pas — « Nuit et Brouillard » — voués les uns et les autres à la disparition sans phrases? Nos témoignages futurs n'empêchaient pas Ramsauer de dormir, ni d'assassiner. Ne lui vint-il pas à l'idée, certain jour, où le corps pantelant d'une de ses victimes reposait encore sur la table d'extermination, de commander à Roland de dépecer le cadavre afin de prélever le bassin qu'il voulait garder comme pièce anatomique?

— Et Roland, livide, dut s'exécuter, sous le contrôle du médecin nazi. Le reste du corps, lui, trouva la paix dans l'incinération. Le supplicié s'appelait Férenzi : c'était un paysan italien; il avait une femme et quatre enfants auxquels quelques mois plus tôt, la Gestapo l'avait arraché.

— Le découpage eut lieu le 4 août 1944 à 16 heures...

— J'ai [1] eu beaucoup de difficultés au départ. L'effet du grand air devait avoir une action sur le ver solitaire qui partageait ma gamelle et qui, très souvent, me donnait l'impression de m'étouffer. Je pouvais à peine soulever mes galoches. Je réussis heureusement à avoir de l'ail par un camarade travaillant aux cuisines, ce qui eut pour effet d'endormir cette bestiole pendant un certain temps. Je m'étais ménagé, pendant le trajet, la sympathie d'un détenu, Grégorieff; il m'avait dit :

« — Je parle le serbe. »

— Je le harcelais sans arrêt pour qu'il parle à un ouvrier

1. Manuscrit inédit Georges Huret (« *Le Grand Jo* » *à Loibl-Pass*), février 1974.

civil slovène qui portait le numéro 15 et qui me paraissait s'apitoyer sur notre sort. Grégorieff réussit à lui parler un jour. Le numéro 15 lui indiqua la route à prendre pour rejoindre les partisans. Je commençais sérieusement à tirer des plans pour m'échapper, quand, le 14 juillet 1943, date mémorable, une bande de fous déchaînés — S.S. accompagnés de kapos — nous ont littéralement massacrés, roués de coups. Une corrida qui dura plusieurs heures... J'en passe les détails horribles pour ne me rappeler que ce qui me mit littéralement K.O. : le speech du commandant, les yeux hors de la tête, écumant de rage, hurlant :

— « Pas un ne s'évadera d'ici. Vous crèverez tous là », et nous montrant la ligne des crêtes : « Il y a une division S.S. là-haut ! »

— Je me remémore l'entretien que j'ai eu avec mon camarade Fred Lecuroy, un gars au moral d'acier qui réussit à s'évader lui aussi du tunnel nord. Nous avions projeté de partir ensemble dans la direction que nous avait indiquée le « n° 15 », il restait de petits détails à régler. Le sacré menteur de commandant avec sa division S.S. sur les crêtes nous avait terriblement impressionnés.

— Quelques jours après, un deuxième convoi arrivait de Mauthausen. Tous étaient de notre groupe de Compiègne et du train du 16 avril 1943. Nous les connaissions donc. Le lendemain, une trentaine de ces détenus, derniers arrivés, fut mise à part. Un kapo m'appela et me dit :

— « Tu es responsable de ces gens... »

— Il s'agissait, pour eux, de couper des arbres, de les transporter afin d'en faire des poteaux électriques ou téléphoniques. Les pauvres étaient dans un état de maigreur effarant. Ils tenaient à peine debout et, pour corser la chose, nous étions gardés directement par le « médaillé », S.S., fou, hystérique, surnommé ainsi à cause de la batterie de décorations qu'il arborait.

— Les premiers jours furent très durs avec cet énergumène. Surtout qu'il fallait transporter également des sacs de ciment. Par la suite, ses crises étant un peu dissipées pour un temps, il nous laissa à peu près tranquilles. Un beau jour, mon kommando avait terminé son travail. Nous

nous trouvions sans occupation. Je pris sous mon bonnet de les garder avec moi, sans ordre de quiconque.

— « Suivez-moi! »

— Je leur montrai un énorme tas de planches :

— « Vous allez faire un tas bien propre à l'autre bout, à une trentaine de mètres. »

— C'était bon. Des petites planches légères. Sans trop se presser. Chaque jour davantage, nos lascars se redressaient, reprenaient un peu forme humaine. Après qu'ils eurent, au bout de quelques jours, reformé exactement le même tas de planches, 30 mètres plus loin :

— « Que va-t-on faire? » me dirent-ils.

— « Vous allez rapporter les planches à l'emplacement où elles étaient au départ. »

— Et c'est reparti pour un tour. Travail léger. Sans aucune intervention extérieure. La plupart, ayant repris des forces et craignant chaque jour davantage que le subterfuge ne fût découvert, me quittèrent. Le groupe diminuait chaque jour. Il était étonnant de voir, de temps en temps, un ingénieur civil regarder le manège des planches. Cherchant visiblement à comprendre, n'y comprenant rien, et pour cause, il s'en allait, impuissant et sans poser aucune question, pensant sûrement que l'ordre venait d'en haut. Nous restâmes six, puis cinq, puis deux : le jeune Michel, de Tours, un bon petit de dix-huit ans à peine et moi. Je lui dis :

— « Je vais me mettre sous le tas de planches. Tu vas me boucher l'orifice avec ce gros bout de bois et, dès la fin du travail, tu viens m'appeler. »

— Ce manège dura une bonne dizaine de jours. A l'arrivée au travail, le matin, je rejoignais ma cachette. A midi, Michel venait m'avertir. Je réintégrais après la soupe et, le soir, Michel m'en sortait, s'acquittant parfaitement de sa mission. Allongé toute la journée, j'avais moins faim, je récupérais. Ça allait nettement mieux. Un beau jour, vers 16 heures, un véritable orage de montagne s'abattit sur le col et les environs du tunnel. Par hasard, le commandant était là. Pris d'un souci d'humanité exceptionnel, il ordonna de rassembler tout le monde, de cesser le travail pour redescendre au camp. Désastre! Il en manquait un. Michel n'avait pas pu me prévenir. Des cris :

— « Un homme s'est échappé! »

— Et voilà les S.S. avec leurs chiens lancés en hurlant à ma recherche. Ce sont leurs cris et les chiens qui m'ont sorti de ma torpeur. Je m'extirpai de ma cachette et descendis vers le kommando, au garde-à-vous, sous la pluie. J'ai cru ma dernière minute arrivée. S.S. et kapos se dirigeaient d'un même pas vers moi, la bave aux lèvres, terriblement menaçants. Quand ils furent à deux mètres de moi, le commandant les fit stopper net. Il proféra quelques insultes et donna l'ordre de redescendre au camp. Je me rappellerai longtemps les regards de mes camarades durant le parcours. Chacun pensait : ils vont massacrer « le grand » sur la place d'appel. A table, personne ne soufflait mot. J'ai vu beaucoup de bons yeux ce soir-là. Je n'ai pas dormi de la nuit, me disant : « Ma mise à mort aura lieu tout à l'heure. Ils ont remis ça à ce matin parce que la pluie tombait à seaux. Les spectacles de plein air sont annulés par mauvais temps. » Ah! bien, il ne s'est rien passé du tout. Ils m'ont traité par le mépris et ignoré totalement. Invraisemblable. De toute façon, il fallait me faire oublier et disparaître le plus longtemps possible de leur vue. On demandait des mineurs pour travailler dans le tunnel. Je me présentais aussitôt avec mes camarades Pimpaud et Pagès; l'équipe était formée.

***

— Je [1] fus affecté à la compagnie disciplinaire du camp (Strafkompanie). Nous étions neuf. C'était pendant l'été 1943. Nous faisions une tranchée dans la montagne à un mètre cinquante de profondeur, destinée à une conduite d'eau. Chaque fois que l'on rencontrait un gros rocher, c'était à Balsan que l'on faisait appel et, torse nu, armé d'une masse, j'ai frappé des milliers de coups pour briser tous ceux qui s'étaient présentés. Et cela durait douze heures par jour...

1. Témoignage Louis Balsan. *Le Ver Luisant.* Gaignault éditeur. Issoudun, 1973.

— J'avais derrière moi mon S.S. personnel, qui ne me laissait aucun répit. A ce régime épuisant et dans cette atmosphère d'épouvante, je dépérissais jour après jour. Mon seul soutien m'était apporté par mon camarade Désiré.

— Lorsque j'étais Schreiber, j'avais pu le faire affecter dans son métier de cordonnier. Il travaillait de nuit, à l'abri dans son échope, pour réparer nos misérables godasses.

— Il arrivait, en même temps, à faire cuire quelques pommes de terre dans la braise et il me les glissait pour me soutenir avant mon départ au petit matin.

— Toutefois, je descendis peu à peu la pente...

— Un jour, dans un certain édifice, seul endroit où nous trouvions quelque isolement, momentané, j'entendis de l'autre côté de la cloison des camarades, communistes français, qui disaient de moi que je n'en avais plus pour longtemps. Je pensai qu'il était temps de réagir, mais que pouvais-je faire pour changer mon sort?

— Un dimanche après-midi, tenaillé par la faim, je pénétrai dans la cave pour voler quelques pommes de terre. C'est à ce moment-là qu'on appela les « punis » pour décharger un certain camion de ciment. Quand je sortis, tardivement, de mon repaire, je fus bourré de coups de poing par le doyen du camp qui me dit :

— Morgentunnel!

— On me fit coudre sur la poitrine une cible rouge et, avant l'aube du 2 novembre 1943, notre misérable kommando se mit en marche pour monter jusqu'au chantier du tunnel. Là, on fit sortir un Tchèque, Pospisil, un Russe, un Polonais et moi-même, tous les quatre « ornés » de la cible rouge. Le vieil adjudant S.S. que nous surnommions « Trompe-la-mort » tendant son bras vers le sommet de la montagne nous dit :

— « Et maintenant, vous pouvez aller voir Staline! »

— On nous sépara de nos camarades pour aller transporter des rails dans un coin isolé du chantier. Vers la fin de la matinée, Pospisil et le Polonais furent pourchassés au-delà de la ligne des sentinelles : « Flucht Versuch » (tué en tentant de s'évader) tel fut leur sort officiel.

— Il fallut dix-sept coups de fusil pour abattre Pospisil qui, perdu pour perdu, avait foncé vers la montagne. « Trompe-la-mort » lui donna le coup de grâce avec son revolver d'ordonnance.

— Après toute cette mise en scène sanglante, la sirène de 11 heures sonna l'arrêt du travail... nous avions un sursis !

— Nous rejoignîmes nos camarades dans la baraque où, alignés sur les bancs, nous mangeâmes notre maigre soupe.

— Personne ne voulait s'asseoir à côté du Russe et de moi-même... Nous étions des bêtes marquées au fer rouge, destinées à la mort dans l'après-midi. « Death in the afternoon. »

— Le 2 novembre était l'anniversaire de la mort de mon père. Quel émouvant présage ! Je savais que je mourrais au cours de cet après-midi qui venait et, intérieurement, je m'y préparai. Je récitai d'abord l'acte de contrition avec l'espoir que Quelqu'un l'entendrait ; puis, pêle-mêle, toutes les prières qui me revenaient en mémoire. Gravement.

— Une demi-heure après vint le coup de sifflet du rassemblement.

— A mon grand étonnement, on me remit dans le troupeau... Que s'était-il passé ?

— La tuerie du matin avait choqué le personnel de l'entreprise de travaux publics à laquelle notre main-d'œuvre de bagnards était affectée.

— Les secrétaires de ces messieurs avaient poussé des cris devant l'horrible spectacle. L'ingénieur en chef, qui était médaille d'or du Parti nazi, était intervenu auprès du commandant S.S. Winkler, et les ordres avaient été donnés par la voie hiérarchique : on enleva ma cible rouge et on me fit rentrer dans le rang.

— C'est ainsi que j'échappai à une mort certaine. Immédiatement, je m'appliquai à me faire oublier... Quant aux kapos et aux droit commun, ils me laissèrent désormais une paix relative, respectant la baraka qui m'avait protégé.

⁂

Marcel Aubert, dès son entrée dans l'enceinte du Loibl-Pass, n'eut plus qu'une idée en tête : s'évader.

— Pourquoi [1] je me suis évadé?
— parce que j'avais vingt ans,
— parce que j'avais passé quarante jours à Mauthausen,
— parce que j'en avais tiré la conclusion que le camp de concentration était un camp d'extermination,
— parce que j'avais réalisé, après coup, que j'aurais pu m'évader cent fois et que j'avais été lâche,
— parce que, enfin, j'étais inconscient.
— Car pour s'évader d'un camp de concentration, il fallait être, non pas courageux, mais naïf, aveugle, innocent; il ne fallait pas être audacieux ou volontaire, mais illuminé, et nourrir une idée fixe.
— Dès mon arrivée au Loibl-Pass, ma décision était arrêtée : je m'évaderais.
— Je fondai d'abord des espoirs sur un ouvrier yougoslave électricien qui m'affirma être ancien officier de la marine de guerre yougoslave — j'étais moi-même ancien élève de l'Ecole navale. Tous les lundis, il me racontait qu'il avait passé le dimanche avec les partisans, qu'un jour il partirait avec eux, qu'il m'emmènerait.
— C'était mon rêve, donc j'y croyais.
— C'était peut-être aussi un peu vrai : un matin, je n'ai plus revu mon officier. Je n'ai jamais su s'il avait été arrêté ou s'il avait effectivement rejoint les partisans : les rumeurs, à ce sujet, ont été contradictoires.
— J'ai décidé alors de ne plus compter que sur moi.
— Je préparai, seul, une première évasion. Bien sûr, je parlais, avec beaucoup de camarades, de cette possibilité de rejoindre les partisans. Mais je fis en secret, lentement, les préparatifs réels. Je volai progressivement, sur le chantier, trois jeux de vêtements civils que je camouflai entre les doubles parois pleines de sciure du bâtiment des compresseurs d'air (je travaillais sur le chantier comme électricien et l'atelier électrique se trouvait dans ce bâtiment).

1. Manuscrit inédit Marcel Aubert (janvier 1974).

— Pourquoi trois jeux de vêtements? C'est le hasard qui me permit d'en prendre trois. Cela aurait pu être quatre ou deux; un seul, non. Ensuite, je réussis à dérober des papiers d'identité, toujours à des travailleurs civils. Il me resta alors à choisir des partenaires.

— Les conversations avec mes meilleurs camarades ne m'avaient pas convaincu que leurs désirs d'évasion allaient au-delà du simple rêve ou de la velléité.

— Je portai mon choix :

— 1. sur D..., un garçon de trente à quarante ans, du « milieu » ou qui, du moins, passait pour tel et que j'avais rencontré, dès les premiers jours de mon arrestation, à la prison de Nancy. J'avais constaté que les gens du milieu, et il y en avait un certain nombre, s'ils ne respectaient pas les lois, étaient cependant réguliers.

— 2. un jeune garçon, E..., de dix-huit ou vingt ans, qui parlait parfaitement l'allemand et était, à ce titre, utilisé les samedis et dimanches comme homme à tout faire du commandant du camp.

— Je leur fis part de mon projet, de mes préparatifs, et de mon plan : ne pas s'habiller dans le bâtiment des compresseurs car les allées et venues y étaient rares et toute autre personne que les habitués risquait de s'y faire remarquer en sortant. Je leur dis que je me chargeais de transporter, la veille de l'évasion, les vêtements dans le magasin à ciment. Cachés derrière les sacs de ciment, nous pourrions donc changer de vêtement, sortir en civil, et traverser délibérément un poste de garde.

— Je transportai donc les habits et les cachai sous les sacs de ciment, comme prévu, la veille du jour fixé (novembre 1943, je ne saurais préciser le jour).

— Durant la nuit, il y eut malheureusement une abondante chute de neige, une couche de 50 à 100 centimètres, qui changea ma décision.

— Je fis part, à mes camarades, de ma position : s'évader dans de telles conditions serait de la folie. Il fallait repousser le départ.

— Mes camarades ne furent pas d'accord, faisant valoir que la neige allait durer tout l'hiver, que ma position n'était donc pas de reculer la date de l'évasion, mais, plutôt, d'y renoncer.

— Fut-ce pressentiment ou peur? ou lucidité? Je maintins ma décision, précisant que je les laissais libres d'utiliser les vêtements et tout ce que j'avais préparé, s'ils voulaient partir sans moi.

— Ce qu'ils firent. Malheureusement.

— Ils s'introduisirent dans le magasin à ciment. J'attendis de les voir ressortir habillés. J'étais en proie à de terribles contradictions. Etais-je lâche? Avais-je eu raison de ne pas m'opposer, coûte que coûte, à leur décision? Ou alors, n'étais-je pas en train de manquer une unique chance d'évasion? Incapable de répondre, je m'enfuis vers l'atelier électrique et essayai de retrouver le calme tout en faisant des vœux pour leur réussite.

— Aux événements qui ont suivi, je n'ai pas assisté, je ne puis que rapporter ce qui s'est dit. D... est passé le premier devant la sentinelle qui se trouvait derrière le concasseur. Sans encombre. E... le suivait. Lorsqu'il dut passer à son tour devant la sentinelle, celle-ci aurait cru le reconnaître et l'aurait interpellé en allemand. Rappelons que E... travaillait toutes les fins de semaine dans le camp S.S., il était donc connu d'eux, et comprenait parfaitement l'allemand. D'autre part, lorsqu'un « häftling » était interpellé par un S.S., il devait obligatoirement se découvrir, enlever sa « mützen ». Ce qu'il fit! Instinctivement, E... interpellé, enleva sa coiffure, découvrant ainsi l'indélébile raie au milieu de son crâne. Réalisant son erreur monumentale, il se mit à courir. A ma connaissance, la sentinelle ne tira pas, hésitant peut-être à cause des vêtements civils. Elle alerta un « homme à chien » (hunderführer) qui se trouvait à proximité. Celui-ci lâcha le chien qui eut tôt fait de rattraper les deux fugitifs handicapés par la neige profonde.

— Je ne décrirai pas la suite qui est un classique des camps : les deux évadés ramenés à coups de « schlague », le kommando rentré au camp passant des heures au garde-à-vous dans le froid et la nuit, les deux évadés passant toute la nuit au garde-à-vous près de la porte du camp et subissant des « schlage » intermittentes.

— Ont-il été interrogés? Je l'ignore.

— Ont-ils parlé? Je suis sûr que non puisque je vous écris.

— Le lendemain (je crois), ils étaient embarqués pour Mauthausen, où ils ont, à coup sûr, été torturés, sans doute exécutés, mais je n'ai jamais pu en avoir la confirmation.

— Ainsi se termine ma première tentative d'évasion, mûrement réfléchie, soigneusement préparée, et manquée. La réussite suppose-t-elle une touche d'improvisation?

— Mon premier soin, le lendemain, fut d'aller récupérer la troisième tenue civile dans le magasin à ciment, pour la cacher dans le bâtiment des compresseurs. Les S.S. avaient fouillé le magasin, mais ne l'avaient pas trouvée. Les jours qui suivirent furent pour moi des jours d'angoisse, durant lesquels je m'attendais, à tout moment, à être démasqué, torturé. Rien ne se passa, l'hiver continua et mes désirs d'évasion furent étouffés pour un temps...

— Jusqu'au 23 novembre 1944.

— Un sourire. Des yeux qui se ferment. Un signe rapide de la main. Une tranche de pain posée sur un établi. Un fruit oublié contre un arbre, dans un coin de rocher; ces premières « preuves » de « l'amitié » des civils yougoslaves, réquisitionnés par l'administration allemande ou simplement employés par les entreprises des travaux publics maîtres-d'œuvre du percement, créèrent rapidement au Loibl-Pass un climat d'espoir que peu de camps ou de kommandos connurent. Ces « gestes » improvisés, désorganisés, ressentis par l'ensemble des déportés comme une véritable participation à leur épreuve, seraient restés individuels sans la volonté, le courage d'un ingénieur civil, Janko Tisler :

— Au [1] début de septembre 1943, j'ai établi des liaisons avec des détenus français. Le premier contact eut lieu dans le tunnel où travaillaient trois Français : Granger, Huret

1. Témoignage Janko Tisler (recueilli par l'Association des combattants de la lutte de libération de Slovénie). Monographie déjà citée.

et Pimpaud. Granger était l'homme de confiance de la résistance qui préparait les plans d'évasion du camp.

— J'avais[1] remarqué un ingénieur civil, un Slovène. Jeune. Sympathique. A plusieurs reprises il nous avait salués. Il parlait français, disait-on. Un jour qu'il passait dans le tunnel, je l'ai abordé. A partir de cette rencontre avec ce formidable petit bonhomme, notre vie fut bouleversée. Il nous visita dans le tunnel chaque jour, prenant des risques énormes. Il nous donnait des nouvelles du front. De toutes les opérations militaires. Je les communiquais à mon camarade Granger, le responsable communiste qui les répercutait aux siens. En quelques heures, tout le camp avait des nouvelles fraîches. Il fallait voir l'attitude des détenus qui redressaient la tête, retrouvaient l'espoir. La période étant particulièrement fertile en bonnes nouvelles. Janko est devenu, également, notre facteur. Nos familles n'avaient pas de nouvelles depuis longtemps. Je lui remettais des lettres, il me rapportait les réponses, certaines fois des colis. Quels risques ne prenait-il pas!

— Les[2] déportés du comité clandestin de résistance rassemblaient les adresses et les lettres de leurs compatriotes qui désiraient rassurer leur famille. A la fin du mois d'octobre, j'avais déjà recueilli quarante-quatre adresses et quarante-quatre lettres furent expédiées. Il faut rappeler que les détenus n'avaient le droit d'envoyer qu'une carte postale par trimestre portant ces seuls mots : « Je suis en bonne santé, je vais bien, ne vous en faites pas pour moi. » Les liaisons avec les Français fonctionnaient parfaitement, tous les jours, en quatre endroits différents. Premier « rendez-vous » dans le grand dépôt avec Cholle. Deuxième dans l'atelier avec Ivanoff et Esparlargas. Troisième liaison dans la partie sud du tunnel avec Pacini, Huret, Duplaise. Enfin, quatrième rencontre dans la partie nord du tunnel avec Crinier. Grâce à ces liaisons, deux cent vingt lettres « recommandées » et un très grand nombre de lettres ordinaires ont été envoyées de la poste de Trzic entre le 17 octobre

1. Manuscrit inédit Georges Huret (déjà cité).
2. Témoignage Janko Tisler (déjà cité).

1943 et le 5 juillet 1944. En un jour seulement — par exemple le 31 mars 1944 — douze lettres recommandées ont été expédiées. La plupart des réponses ou des colis arrivaient à mon nom. Je devais m'arranger pour les remettre en cachette aux destinataires dans la partie sud du tunnel, ou dans le grand dépôt. Cette « organisation » n'aurait jamais pu fonctionner sans l'aide de plusieurs postiers, Danica Stefen, Kromarjev, Janez, Perek, car il faut dire que nous, les Slovènes, n'avions le droit d'envoyer qu'une lettre recommandée par mois.

— Nous [1] avons naturellement parlé très vite d'évasion. Je passe sur toutes les discussions que nous avons eues. Mon ami Granger était partisan de l'évasion collective des mineurs, de nuit. A peu près cent vingt hommes. Je décidais de ménager un rendez-vous entre Granger et Janko. Un beau soir, vers 23 heures, je les enfermais tous deux dans une trappe vide et les y laissais converser une demi-heure. Janko pouvait nous fournir des armes. En compagnie de Granger nous élaborions un tas de stratégies pour n'en retenir qu'une. A la pause casse-croûte, à minuit, nous devions mettre à mal nos gardiens S.S., prendre leurs armes et partir très vite dans la montagne. C'était, à coup sûr, de cet endroit et à cette heure-là, à cause d'un tas de contingences, position de nos gardiens — ceux des camps endormis — que nous avions plus de chances de succès. Mais il y avait un obstacle insurmontable : cette tentative se passerait comme une véritable attaque de commando. La plupart des S.S. y auraient laissé leur peau, d'où terribles représailles sur les autres détenus...

— ... Rejoindre [2] tous les partisans de Tito! Janko me répondit qu'il devait en référer à l'état-major. La réponse vint en novembre (il y avait 2 mètres de neige) : « Pas de possibilités de recevoir, de nourrir et d'armer tous les détenus; de plus, trop étaient inaptes au combat... et il y avait des droit commun. » Les partisans ne voulaient pas pren-

---

1. Manuscrit inédit Georges Huret (déjà cité).
2. Témoignage inédit Jean Granger (29 mars 1963). Archives de l'Amicale de Mauthausen.

dre la responsabilité de la mort certaine ou de la capture d'un grand nombre. Ils nous donnaient l'ordre de faire évader ceux qui étaient capables de participer aux combats, à commencer par les officiers soviétiques.

— En[1] application de ces directives et selon les plans ourdis dans le plus grand secret, une première tentative[2] eut lieu au printemps de 1944. Elle fut menée à bien par trois officiers russes qui se trouvaient anonymement mêlés à un envoi de main-d'œuvre récemment fait au camp nord, c'est-à-dire du côté autrichien du tunnel. L'opération se déroula durant une nuit du samedi au dimanche.

— Le camp sud, pour une raison inconnue de nous, n'avait pas envoyé d'équipe travailler au tunnel. Seule, l'équipe de nuit du camp nord avait commencé son labeur à 18 heures pour ne l'interrompre que le lendemain matin à 6 heures.

— A la lueur des lampes à acétylène, dans la poussière des éboulis manipulés, des silhouettes allaient et venaient, piochaient, pelletaient, remplissaient et poussaient des wagonnets. Vers 3 heures du matin, les trois Russes qui s'étaient assurés de la complicité d'un certain nombre de compagnons de travail, réussirent à attirer successivement trois des S.S. de l'escorte dans des souterrains secondaires, les assommèrent, puis les ligotèrent solidement après les avoir dépouillés de leur uniforme et de leurs armes.

— Tout cela fut fait en un temps record, cependant que

1. Témoignage Gaston G. Charlet (déjà cité).

2. En réalité, le 19 avril 1944, soit dix jours avant la tentative des officiers soviétiques, un détenu polonais (électricien) employé sur un chantier extérieur, assomma son gardien et disparut dans la montagne. Il était repris le 25 avril.

— Ramené dans le camp tout ensanglanté, les S.S. rassemblèrent tous les détenus, leur ordonnèrent de former une double haie à travers laquelle leur camarade dut passer deux fois. Constamment battu, il devait répéter en polonais et en français : « Camarades, je suis revenu et je serai pendu ! » En même temps, les S.S. obligeaient les détenus à le regarder et tous ceux qui ne voulaient pas suivre la torture étaient battus. Ensuite le Polonais fut lié et frappé à coups de cravache jusqu'à ce qu'il perde connaissance. Après deux heures de torture, le Polonais, à moitié mort, fut emmené et assassiné.

(Témoignage Association des Combattants de la Lutte de Libération Nationale de Slovénie.)

le bruit des marteaux piqueurs maniés sans arrêt par les complices de cette extraordinaire aventure, en accompagnait les péripéties préparatoires. Ainsi transformés par les tenues militaires, les audacieux officiers n'eurent pas de peine à s'assurer le concours, à la fois involontaire et terrifié, du requis italien qui conduisait le tracteur diesel destiné à tirer les wagons de déblais vers la décharge du camp sud.

— A quatre sur la petite plate-forme, l'Italien gardé à vue par les trois évadés qui l'obligeaient, sous la menace à accélérer la vitesse de l'engin, ils arrivèrent à la sortie yougoslave du tunnel, et les sentinelles de garde laissèrent passer la machine et son équipage, sans soupçonner la tragi-comédie qui se déroulait sous leurs yeux. Le diesel continua sa route à travers les voies et les aiguillages du chantier sud, déserts cette nuit-là, comme je l'ai signalé plus haut, et ne s'arrêta qu'arrivé à la décharge où il dérailla d'ailleurs, tellement la peur paralysait les mouvements de son conducteur.

— Les trois évadés prirent alors, dans la nuit, le sentier de montagne qui leur avait été indiqué lors de la mise au point de l'opération, emmenant de force avec eux l'Italien d'abord pour le soustraire au châtiment qui lui aurait été réservé malgré son absence de complicité volontaire, ensuite et plus encore pour retarder le moment où leur fuite serait découverte.

— Elle ne le fut, en réalité, que trois heures plus tard, au moment de l'appel qui, sur le chantier même, suivait immédiatement l'arrêt du travail. Le sous-officier S.S., chef de l'escorte, s'y reprit à plusieurs fois dans son contrôle. L'absence des trois prisonniers fut, par lui, mise dès l'abord sur le compte du sommeil. Il resta un long moment persuadé que les trois Russes s'étaient endormis à leur place de travail, et sur son ordre, deux soldats rentrèrent dans le tunnel, furieux et vociférants, pour retrouver les dormeurs et leur apprendre à coups de crosses ce qu'il en coûtait de ne pas avoir le cœur et les bras au travail. Ils revinrent au bout d'une demi-heure, suivis de leurs camarades qu'ils avaient découverts dans une triste posture et qu'ils avaient débarrassés de leurs liens. Déconfits et furieux tout à la fois. Force était bien, dès lors, de se rendre à l'évidence : les trois prisonniers s'étaient enfuis.

— La règle militaire est la même dans tous les pays : elle interdit toute initiative à ceux qui ne détiennent pas le pouvoir supérieur. Deux soldats en armes furent placés à la sortie nord du tunnel, et le kommando rentra au camp.

— Alerté par téléphone, le commandant se fit conduire avec une partie de son état-major au tunnel, qu'il tint à visiter lui-même, dans l'espoir que ses subordonnés avaient mal dirigé leurs recherches, car il ne parvenait pas à comprendre de quelle façon les trois manquants avaient pu tromper la vigilance des sentinelles qui gardaient les issues de l'ouvrage. Ce n'est qu'après ces nouvelles investigations qu'il donna l'ordre de mettre en mouvement le service des recherches.

— Des camions chargés de troupiers en armes sillonnèrent la route en amont et en aval de la percée alpestre. Les chiens policiers se ruèrent en aboyant sur les pentes de la montagne. Les gendarmes eux-mêmes fournirent des patrouilles qui s'insinuèrent dans les forêts d'alentour.

— La chasse aux hommes se poursuivit durant toute la journée du dimanche, et toute la nuit jusqu'au matin du lundi. Elle ne ramena aucun gibier humain. Les Russes avaient eu devant eux quatre heures bénéfiques grâce auxquelles ils avaient pu se mettre hors d'atteinte et prendre le contact avec la patrouille des partisans qui les attendait sur la hauteur.

— La colère de la chiourme, durant ce dimanche, ne connut pas de bornes. Les deux cents hommes qui composaient le kommando, et qui avaient réintégré le camp nord exténués par le travail de la nuit, durent rester immobiles et au garde-à-vous durant douze heures consécutives, redressés à coups de schlague lorsque le sommeil et la faim les faisaient vaciller sur leurs jambes.

— Quant aux autres Russes du kommando, et à ceux mêmes qui étaient de l'équipe du jour, ils furent roués de coups tout au long de ce dimanche exceptionnel, et passèrent, debout, encore la nuit suivante. Et le lundi, sur les ordres reçus téléphoniquement de Mauthausen, tous les Russes des deux camps furent rassemblés et reconduits sans douceur vers la gare de Neumarktl, où des wagons les emportèrent vers la sinistre centrale, ses blocks de représailles, sa chambre à gaz et son crématoire.

— Ce fut l'occasion pour le commandant de se livrer à une de ces harangues dont il était coutumier, pour nous informer — par le truchement des interprètes — que la discipline allait encore être renforcée et que dorénavant toute évasion serait matière à des sanctions collectives de la dernière rigueur.

— Les [1] quarante ou cinquante camarades russes restants ont été renvoyés à Mauthausen et destinés à la chambre à gaz. J'ai, d'ailleurs, rencontré chez les partisans un de ces Russes évadés, il était le seul survivant, les autres avaient péri au combat.

— Je décidai alors de tenter quelque chose avec mes deux camarades Pagès et Pimpaud à partir du tunnel... J'avais toujours mon ver solitaire que je continuais à traiter avec de l'ail, mais je n'avais pas de jambes. Je me traînais littéralement. C'est là qu'un détenu, Raoul Hennion, qui travaillait à la forge, me fut d'un grand secours. Il était en contact avec un civil slovène et lui demanda d'acheter, à la pharmacie du village, de l'extrait de fougères mâles. J'eus cette potion. Immédiatement je me rendis à l'infirmerie et je me débarrassai en vingt-quatre heures de ce parasite que je traînais depuis Compiègne. Chaque jour davantage je redressais ma grande carcasse. Je pouvais maintenant marcher plus facilement. Je sentais des forces revenir, la faim me tiraillait moins. En dix jours j'ai constaté une amélioration physique considérable.

— A 50 mètres du camp, il y avait une belle petite baraque qui avait, comme locataire, un superbe capitaine S.S. Il vivait avec une jeune personne très belle : deux grands yeux qui dévoraient son fin visage. De temps en temps,

1. Manuscrit inédit Georges Huret (déjà cité).

quand nous rentrions du travail, elle ouvrait son rideau et nous regardait intensément avec un je ne sais quoi de tristesse. Naturellement, dans pareille ambiance de mort, de sauvagerie, c'était, pour nous, comme une apparition. Tous les regards se fixaient sur elle quand nous l'apercevions déambuler à proximité du camp. Je m'étais personnellement piqué au jeu. Je la fixais toujours au plus profond. Peut-être avais-je remarqué une certaine complicité.

— Je travaillais dans le tunnel au déblaiement des pierres que nous chargions dans des wagons. Ceux-ci étaient tractés par une petite locomotive qui avait pour conducteur Stephan, un petit civil croate. Nous sympathisions dans la pénombre avec ce brave. Une belle nuit, début août 1944, Stephan s'avance vers moi, me donne quelques cigarettes et quelques friandises :

— « C'est Selena qui m'a donné ça pour toi. »

— J'avais compris.

— « Tu la remercieras bien. »

— En redescendant du travail, le matin, je lui fis un petit merci de la tête. Le soir même, la même chose, avec un petit mot rédigé en allemand. C'est mon camarade Hector, un Sarrois, qui traduisit et qui, par la même occasion, lui répondit sous ma dictée.

— Ce fut ainsi chaque jour, toujours par l'intermédiaire de Stephan. Les lettres devinrent tendres, de plus en plus tendres. Les regards aussi. Vers le 15 août, vers 22 h 30, quelle ne fut pas notre surprise de voir Selena apparaître dans le tunnel, en compagnie de deux complices, des ouvriers slovènes. Elle s'approcha de moi et, bras dessus, bras dessous nous nous retirâmes à l'écart. Réfugiés dans les bras l'un de l'autre, je me rappelle encore cet instant émouvant. Je me rappelle aussi que nous travaillions dans un endroit particulièrement humide, l'eau coulait de partout... Nous étions trempés jusqu'aux os. Avec un mélange de poussière, de caillasse, une atmosphère fétide, puante. Je lui faisais remarquer que j'allais tacher ses vêtements.

— « Ça m'est égal », me répondit-elle.

— J'eus ainsi quelques visites. Mes deux camarades faisaient le guet, ainsi que les deux Slovènes en deçà et en delà de notre position. Les S.S. de l'entrée la saluaient bien bas. C'était la compagne du capitaine S.S.

— A la dernière entrevue, j'avais dit brusquement à Selena :

— « Mes deux camarades et moi voulons nous évader. Peux-tu nous aider? »

— La réaction fut dramatique :

— « Tu es fou! Vous allez mourir. Ils meurent tous au combat ou de froid... »

— Pendant trois ou quatre jours, dans ses lettres, elle essaya de me dissuader. Je restai inflexible.

— « Attends un peu, s'il doit se passer quelque chose, je le saurai immédiatement par le capitaine S.S. et je vous emmènerai chez moi à Sesenice » (village situé à une trentaine de kilomètres du camp).

— Je lui répondis :

— « Nous voulons partir, rejoindre les partisans le plus tôt possible. Que peux-tu faire pour nous? »

— C'est vers le 25 août, à 22 heures, que se produisit un incident qui faillit mettre un terme à tout, et définitivement. Comme d'habitude, le petit Stephan se dirigea vers moi avec une lettre. J'avais moi-même la main à la poche pour répondre au courrier de la veille... A l'instant précis où il sortait la main de sa poche, quelqu'un bondit de l'ombre et s'empara de la lettre. C'était Hans Gartner, un kapo autrichien, sûrement un assassin comme les autres. Il me dit :

— « Come mit! » et se dirigea vers la sortie. Nous étions à 400 mètres de la sortie du tunnel. Quelle angoisse indescriptible! C'était l'exécution à coup sûr dans les plus brefs délais. Selena également et sûrement mes deux camarades. J'avais gardé en main une longue barre de fer, lourde, qui était notre principal outil de travail. Il restait 100 mètres. J'apercevais les S.S. à l'entrée éclairée par les projecteurs. Il me restait une seule solution, je devais me débarrasser de ce Gartner.

— Je me reculais un peu et m'apprêtais à lui asséner un coup de barre sur la tête. J'aurais barbouillé une grosse pierre de sang et je serais revenu en vitesse à ma place. Il était courant que des grosses pierres se détachent. Il n'y avait aucune mesure de sécurité. De toute façon, c'était la seule issue pour moi. Je ne sais comment m'est venue l'idée de lui dire :

— « Gartner, tu n'es pas chouette! Toi aussi tu reçois des lettres et des colis de l'ingénieur! »

— C'était vrai. Il était très lié avec un ingénieur tyrolien, comme lui, et je les avais vus faire cet échange par deux fois. Le sadique marcha encore 10 mètres, se retourna brusquement et me tendit mon papier avec un rire sarcastique, ajoutant une grosse plaisanterie comme s'il venait de jouer un bon tour. Ouf! Il a eu une riche idée de me rendre ce papier, 20 mètres plus loin il héritait le coup de barre sur la tête et deux minutes après la locomotive de Stephan, qui rentrait dans le tunnel, aurait fait le reste. Devinez le contenu de la lettre? Je m'en souviens mot pour mot :

— « Mon grand,

« Comme je te l'ai promis, j'ai rencontré les partisans hier. Ils vous attendront dans la nuit du 15 au 16 direction de la petite cabane. »

— Nous apercevions cette petite cabane du tunnel. On y engrangeait du foin pour la mauvaise saison. Si ce papier était tombé entre les mains des S.S. quel massacre!

— Il fallait faire vraiment nos préparatifs, utilisant des ruses de Sioux à cause de ce Gartner qui continuait à rôder. Et il pouvait réfléchir le bougre. Il pouvait nous voir scier les planches indispensables pour notre fuite. Pour le calmer, l'impressionner (peut-être se doutait-il que le papier venait d'elle), Selena passa dans le tunnel avec deux gradés S.S., une nuit vers 22 h 30. Nous étions convenus, d'un commun accord, de la tactique à employer pour sortir du tunnel. Nous allions, à l'aide de quatre énormes pierres, placées à chaque angle d'un des wagons, et une grosse pierre au milieu, sur le devant et sur le derrière, nous allions poser là-dessus de grosses planches de façon à faire un double fond, remplir ce wagon comme les autres. Le travail terminé, nous nous placerions tous les trois dans l'espace libre. Il nous fallait quelqu'un pour fermer dès que nous serions à l'intérieur. Comme Granger me l'avait promis, il désigna un camarade à toute épreuve, Jouannic, pour l'ouverture, à la décharge.

— Je [1] fus tour à tour terrassier, bûcheron et enfin mineur. A ce titre, je fus affecté au roulage qui consistait à charger des wagons de déblais extraits de la montagne que l'on perçait. Nous étions par équipe de trois pour chaque wagon. Ces wagons, appelés « girafes », avaient une forme rectangulaire d'environ 1,80 mètre de large sur 2,50 mètres de long et 80 centimètres de haut.

— Un jour, alors que nous étions au travail avec mes deux camarades d'équipe, Jean Pagès, de Prats de Mollo et Georges Huret de Paris, des civils en délégation vinrent visiter les travaux en cours. Au moment où le groupe passait à la hauteur de notre wagon, un papier tomba dedans, lancé avec discrétion par un jeune homme. Je le ramassai et lus à peu près ceci : « Nous allons repasser dans quelques instants, donnez-nous l'adresse de quelques familles de France et nous pourrons leur donner de vos nouvelles. Courage! » Très vite, sur le même papier, je pus inscrire les noms et adresses de quelques camarades et, au retour, la personne a pu récupérer le tout. De cette façon, nous pûmes à quelques-uns, correspondre clandestinement avec nos familles.

— Ce jeune homme s'appelait Tisler Janko. Et, par la suite, il prit contact avec notre camarade Granger en prenant des risques énormes, dont leur vie était l'enjeu. Ils essayèrent la mise au point d'une évasion collective, aidés par les partisans qui occupaient les montagnes avoisinantes. Mais les choses ne purent être conduites à leur fin.

— C'est à partir de ce moment qu'Huret, Pagès et moi, nous avons pris la décision de risquer l'évasion individuelle, et cette idée ne nous a plus quittés. Il fallait faire vite, nous étions en septembre 1944 et il ne fallait pas se laisser prendre par la neige qui tombe en abondance, très tôt, dans cette région. La mise au point était difficile et il n'était pas question d'échouer, les risques étant trop grands. Nous

1. Manuscrit inédit Edmond Pimpaud (novembre 1973).

savions la direction à prendre pour retrouver, avec pas mal de chance, les partisans dans la montagne.

— Nous avons préparé les matériaux nécessaires pour faire un double fond au wagon que nous chargions tant de fois par jour. Nous ne manquions de rien pour cela : parpaings en aglos, planches, etc. La difficulté était de les bien cacher sur les lieux de travail, sans attirer l'attention des kapos et même de nos camarades de travail, qui étaient devenus très nombreux à cette époque.

— Le [1] petit chemin de fer était formé d'une machine et d'une dizaine de wagonnets circulant sur une voie unique et faisant la navette du tunnel au ravin pour décharger le matériel, 7 à 800 mètres plus loin. Pendant que nous remplissions les wagonnets vides, d'autres travaillaient au marteau piqueur, etc.

— Nous [2] étions convenus (avec l'aide de Selena) que Stephan viendrait en premier ouvrir notre wagon avant tous les autres, ceci pour gagner du temps, car nous n'aurions que quelques minutes devant nous avant que l'alerte ne fût donnée. Il restait un terrible obstacle à la sortie du tunnel : un S.S. montait sur le train et fouillait les wagons à l'aide d'une grande tige d'acier qu'il faisait pénétrer au plus profond, à la limite de ses forces. Pierres, planches, tout était prêt. Jouannic et Stephan aussi connaissaient la date de notre évasion (nuit du 15 au 16 septembre). J'avais dit dans le camp : « La fin de la guerre c'est dans dix jours. » Je leur ai dit ça vers le 5 ou 6 septembre de sorte que quand nous croisions les mineurs de la relève, la plupart m'indiquaient avec leurs mains le nombre de jours restants pour la fin de la guerre. Le 14 septembre, Selena me fit passer un mot me confirmant à nouveau que les partisans lui auraient fait savoir que c'était convenu pour la nuit du 15 au 16, à un kilomètre de la décharge.

— Nous étions gonflés à bloc : tout avait été minutieusement préparé. Au premier voyage, Stephan me dit : « Le

1. Manuscrit inédit Albert Jouannic (30 novembre 1973).
2. Manuscrit inédit Georges Huret (déjà cité).

S.S. qui fouille va très profond, ça va être très dur. » J'ai suivi chaque convoi qui sortait jusqu'à 30 mètres de l'entrée. Je voyais parfaitement le S.S. fouiller : c'était une espèce de brute, un athlète qui mettait toute sa force... Il allait en effet très profondément dans la caillasse. Il aurait, à coup sûr, touché le bois de notre abri et c'eût été le massacre. Jusqu'au dernier convoi il a mis le même zèle. C'était la catastrophe. Impossible de partir.

— Ce matin-là, en croisant la relève : « Alors « Grande », entendis-je, et la guerre c'est fini tu crois? » et d'autres quolibets de cet ordre. J'avais dit à Stephan : « Tu diras à Selena ce qui nous a empêché de partir. » Je me remémore son visage quand nous sommes passés devant sa petite fenêtre. Elle était livide. Sûrement elle n'avait pas dû dormir de la nuit, se demandant comment ça allait tourner, et il faut avouer qu'elle avait pris et prenait d'énormes risques, ce qui se confirma par la suite.

— Nous décidâmes naturellement de remettre ça à la nuit prochaine. Quelle tension! Dès le premier convoi, même scénario que la nuit précédente, j'allai inspecter le S.S. fouilleur. Je remarquai qu'il était bien moins saignant que celui de la veille. Disons qu'au début il en fouillait convenablement un sur deux et, après minuit, un sur trois. Il était environ 4 heures du matin, le 17 septembre 1944. Nous décidâmes de tenter l'aventure au prochain convoi. Rapidement nous installâmes notre double fond. Le wagon fut rempli au maximum qu'il pouvait contenir. Nous chargeâmes les deux autres. Je m'apprêtais à entrer le premier quand l'équipe voisine de la nôtre qui nous avait vus faire nos préparatifs s'approcha de nous. Il y eut une discussion pénible qui dura une bonne minute, ce qui faillit nous être fatal. Chaque seconde comptait. Nous nous précipitâmes dans notre cachette. A peine Pagès avait-il rentré la moitié de son corps que le convoi s'ébranla. Il fallait fermer le côté. Jouannic réussit en marche à fermer un crochet, ce qui était un véritable exploit. Ces crochets se fermaient à la masse et Pagès pesait sur la porte ainsi que la caillasse. L'autre crochet n'était pas fermé et Pagès nous dit : « J'ai mon pantalon pris dans la porte... » Un seul crochet fermé et, à coup sûr, un bout d'étoffe rayée débordant du wagon... C'était beaucoup pour le train qui allait stopper sous les projecteurs devant les S.S.

— Juste[1] au moment de monter, j'ai demandé à un camarade français, Jouannic qui, jusque-là, ne se doutait de rien, de bien vouloir fermer le wagon. Ce qu'il accepta, sans aucune hésitation.

— Quand le wagon fut accroché à la machine qui le tirait à l'intérieur du tunnel, nous sommes montés très vite et, cela, devant plusieurs dizaines de camarades. Personne n'a bougé...

— Le train, doucement, se mit en marche, après que notre ami nous eut souhaité bonne chance... En ce qui me concerne, j'ai eu conscience de me trouver à ce « moment de non-retour », certainement très ému, sachant que de la réussite de notre expédition dépendait ma vie, notre vie. C'était une sensation à la fois terrible et extraordinaire...

— Sur le[2] côté du wagonnet, une porte basculante avec deux crochets à chaque extrémité pour la tenir fermée. Dans le fond du wagon, et à chaque coin, Pimpaud et son équipe avaient placé quatre parpaings en ciment de 35 centimètres de hauteur environ, puis mis des planches pour former un faux plancher. Le wagonnet était plein de pierres et de terre. J'ai ouvert cette porte du wagon et les trois camarades se sont glissés dans le fond. J'ai dû pousser sur le dernier avec mes pieds pour le faire entrer, car c'était un peu juste pour trois hommes, surtout que le « Grand Jo » était très grand. Il était replié sur lui-même. J'ai refermé la porte avec une masse, puis à l'aide d'une pelle. j'ai dû remettre de la terre dans le wagonnet car pas mal de matériel était tombé sur la voie. Nous n'étions que tous les quatre dans un endroit non éclairé. Mais à l'étage au-dessus il y avait un kapo, nommé Kaufman, qui avait vu toute la scène. Lorsque je partis retrouver mon équipe, un peu plus loin dans le tunnel, ce kapo m'a appelé et m'a

1. Manuscrit inédit Edmond Pimpaud (déjà cité).
2. Manuscrit inédit Albert Jouannic.

dit : « Que viens-tu de faire? » Je lui ai répondu : « Tu as tout vu, tu peux me dénoncer aux S.S. » Et je suis parti avec ma masse sur l'épaule. Ce Kaufman n'a jamais parlé. Je le remercie sincèrement. Je crois qu'il n'y avait que deux personnes au camp qui étaient au courant que c'était moi qui devais fermer le wagon, Jean Granger et un autre Français travaillant aux cuisines, dont je ne me souviens plus du nom. Moi je ne savais pas qu'ils étaient au courant, car Pimpaud est venu me chercher dans le tunnel quelques minutes avant l'évasion pour fermer le wagonnet. On ne m'en avait jamais parlé auparavant. Tout ce qui touchait la Résistance à l'intérieur du camp était cloisonné.

— Hommage [1] en passant à Jouannic. Granger ne s'était pas trompé en le chargeant de cette mission. Quel courage! Arriver à fermer un côté du wagon en pleine course, dans de pareilles conditions! Il fallait le faire et il risquait tout simplement sa vie. Comme nous. Merci Jouannic.

— Sur [2] le côté de notre wagon, à la craie, nous avions fait un signe discret. Stephan, le jeune Croate « accrocheur » pourrait ainsi repérer le wagonnet.

— A [3] la sortie du tunnel, deux S.S. parlementaient à un mètre de nous. Nous entendîmes le bruit de la tige d'acier dans la caillasse. Il arriva au nôtre. Nous n'avions pas bien pris nos mesures pour scier et ajuster nos planches. Sa tige est passée dans un intervalle et a dû nous toucher en bout de course. Ouf! Le train s'ébranla, s'arrêta à la décharge, nous entendîmes le souffle et les pas de Stephan qui nous bouta hors du wagon. Nous avons roulé jusqu'en bas de cette décharge avec les pierres, les planches. Trente secondes après, nous étions sur la route. Mon ami Pagès avait remarqué en contrebas un petit sentier qu'il avait bien repéré à la mauvaise saison : la végétation étant bien moins fournie. Pagès était un montagnard de Prats de Mollo, petit village proche de la frontière d'Es-

1. Manuscrit inédit Georges Huret (déjà cité).
2. Manuscrit inédit Edmond Pimpaud (déjà cité).
3. Manuscrit inédit Georges Huret.

pagne. Il avait vu juste. Je pense que nous avions commencé l'escalade depuis trois minutes à peine quand nous avons entendu les premiers hurlements signalant notre évasion. Ça criait de partout. Au bout d'un quart d'heure, nous commencions à entendre les camions monter dans le col, chargés de S.S. Aboiements de chiens. Nous allions au-delà de nos forces pour grimper le plus vite possible, haletant et tombant assez souvent. Au bout d'une demi-heure, nos galoches étaient hors d'état. C'était une poursuite éperdue : non seulement nous n'avions que quelques minutes d'avance, mais les S.S. connaissaient exactement la direction prise, ils étaient, pour la plupart, jeunes et aguerris, aidés de chiens. D'autres montaient dans le col pour nous couper la route. Nous avions l'impression que nos poursuivants se rapprochaient de nous. Nous avions perdu quelques objets en route, entre autres, Pagès et moi, une serviette que nous nous étions mise dans le dos pour nous préserver du froid. Cette grimpette fut hallucinante. Vers 6 heures, après presque deux heures à croupetons, nous arrivions à proximité de la petite baraque où devaient nous attendre les partisans, la nuit précédente. Il commençait à faire jour. Nous nous encouragions mutuellement. Je me retournai. J'aperçus le camp et distinguai tous nos camarades en rang dans la cour [1]. Tout à coup, Pagès s'écroula, livide. Sur les genoux, incapable de dire un mot, incapable de se relever.

---

1. Lorsque la nuit de travail s'est terminée, tous les déportés ont été rassemblés par cinq et par équipe : mineurs, maçons, etc. sur la place, à la sortie du tunnel.

— Quand les S.S. ont compté les mineurs pour rendre compte au chef de détachement qu'il ne manquait personne, un gardien trouvait le compte, l'autre en trouvait trois en moins. Ils ont compté et recompté une dizaine de fois. Ils n'étaient jamais d'accord.

— Alors ils ont appelé les détenus par leur numéro matricule. C'est là qu'ils se sont aperçus qu'il manquait l'équipe Pimpaud. Ils sont rentrés à plusieurs dans le tunnel. Au bout d'une demi-heure ils sont ressortis avec les gamelles et les manteaux rayés.

— Tout ce temps donnait de l'avance aux trois évadés.

— Nous sommes encore restés pendant un bon moment au garde-à-vous. Puis on nous a fait descendre au camp, où nous sommes restés au garde-à-vous sur la place d'appel toute la matinée.

— Plus je voyais l'heure tourner, plus j'étais heureux car, en moi-même, je me disais : maintenant les camarades ne seront plus repris. (Manuscrit inédit Albert Jouannic.)

Il avait fait le forcing effréné depuis le départ. Et, désagréable surprise, sur un rayon de 130 mètres autour de la petite baraque, il n'y avait pas du tout de végétation. Tout juste un petit arbuste de-ci de-là. Nous étions à découvert, à 300 mètres sur la gauche, un monticule complètement dénudé marquant la frontière autrichienne. Les camions avaient dû éparpiller leurs troupes à 100 mètres du poste-frontière. S'ils arrivaient sur ce monticule pendant que nous traversions cette clairière, avec leurs fusils mitrailleurs ils allaient nous tirer comme des lapins.

— Malgré nos exhortations, Pagès ne bougeait plus de sa position à genoux, à demi inconscient. Nous l'agrippâmes et nous le traînâmes jusqu'en haut de la montagne. C'était au grand jour. L'autre versant était déjà abrupt, presque uniquement de la roche. Nous nous précipitâmes dans cette obscurité en dévalant sur le derrière, sur le côté, presque jamais sur nos jambes. Arrivés en bas, la végétation était très dense. Nous nous mîmes à escalader la paroi droite le plus longtemps possible, le plus haut possible, puis nous nous sommes écroulés, cachés dans les feuillages. Nous avons récupéré. Nous étions aux aguets. Nous n'entendions plus rien. Le calme complet. Les sauvages devaient ratisser l'autre versant, ne pensant pas qu'avec si peu d'avance nous étions déjà passés au sommet.

— Après deux bonnes heures de repos, toujours dans le plus parfait silence, nous avons commencé notre descente. Selena et Janko nous avaient indiqué que, quand nous serions sur l'autre versant, il y avait un sentier sur la droite. Nous devions le suivre et c'est dans cette direction que nous trouverions des partisans. Nous avons cherché; pas très longtemps je l'avoue, et n'avons pas trouvé de sentier. Nous sommes alors descendus carrément sur un petit chemin encaissé entre deux montagnes et nous sommes allés de l'avant. A chaque pas nous avions l'impression de semer davantage nos poursuivants. C'était une erreur. Très vite nous aperçûmes une fermette, à 30 mètres sur la gauche, nichée dans les arbres et la verdure. Elle était minuscule. Bref colloque, nous décidâmes de ne pas nous y aventurer. Il était 10 heures. Nous avions mangé quelques mûres. Le chemin était parfaitement plat et, comme personne ne devait y passer, il y avait beaucoup d'herbe, ce qui ménageait nos pieds en piteux état. Cette longue marche dura jusqu'à 6 heures du soir environ. Tout à coup nous entendîmes des voix. Je m'approchais tout doucement. On parlait allemand. C'était une famille qui prenait le repas du soir dans son jardin. Désastre! Nous étions en Autriche. Il y eut quelques instants très pénibles. Nous nous rappelions que cette mésaventure était arrivée à un Polonais, évadé du Loibl-Pass comme nous... Les Autrichiens l'avaient remis aux S.S. Ceux-ci l'avaient promené dans nos rangs, lui faisant sans arrêt répéter : « Je suis de retour parmi vous. » C'était dramatique! Ils l'ont martyrisé et exécuté. Ce passage en Autriche n'arrangeait pas nos affaires. Il ne restait qu'à s'éloigner rapidement de cette maison. Encore deux heures de marche très, très prudente.

— A la nuit tombante, nous avons aperçu à environ 300 mètres, une dame avec sa petite fille. Elles tenaient un panier. Peut-être cherchaient-elles des champignons? Quand elles aperçurent les trois pauvres hères, déchirés de partout, avec ce qui restait de notre costume rayé, répugnants de saleté, après nous avoir fixés pendant dix secondes, d'un même élan, elles se mirent à courir, à courir comme terrorisées : « Vite, grimpons dans la montagne au plus haut, au plus vite. Elles vont donner l'alerte et nous sommes cuits. »

— Après un quart d'heure d'escalade très pénible, nous étions morts de fatigue, douloureux. Je me retournai. J'aperçus la femme et sa petite fille qui rentraient dans une grande bâtisse blanche. C'était la gendarmerie. Nous nous sommes dissimulés. Grand branle-bas; les gendarmes s'agitaient. Ce fut un nouveau départ, au plus haut. Heureusement, la nuit tombait. Nous entendions les cris qui se rapprochaient, les aboiements des chiens. Nous eûmes le coup de pompe, avec Pimpaud, à peu près au même moment. Nous nous abritâmes dans les fourrés et restâmes là, tapis dans l'ombre, anxieux, vidés de nos forces. Pagès, qui avait récupéré et était un fameux montagnard, grimpait plus haut. Nous commencions à envisager, avec Pimpaud, la manière à employer pour ne pas mourir sans nous défendre. Pauvres bougres! Nous étions complètement cuits. Je suis sûr qu'à un moment l'un de ces gendarmes n'était pas à plus de 50 mètres de nous. Je me rappellerai longtemps la phrase de Pimpaud : « Nous sommes cuits. Ces maudits chiens! J'ai connu un gars qu'ils ont repris. Ils avaient suivi sa trace pendant de nombreux kilomètres et sont allés jusqu'au pied de l'arbre où il était perché. » Je pensais comme lui. Quelle angoisse! Il faisait maintenant nuit noire. Ça se rapprochait toujours. Aboiements. Voix s'interpellant. Ils étaient là, pas loin de nous. Que pensaient-ils alors? La nuit les avait sûrement stoppés. Le calme revint petit à petit. Ouf! Et là, dans le froid, nous sommes restés, allongés. Nous avons dû dormir plusieurs heures. Réveillés à peu près en même temps; un bruit insolite, des pierres qui roulaient. Nouvelle anxiété. C'était Pagès, sorti de sa cachette, un étage au-dessus. Pas de grands discours. Il fallait sortir vite de cet endroit. Les recherches allaient reprendre dès les premières lueurs du jour. Nous étions transis. Les nuits sont fraîches en montagne, déjà à cette époque. Nous avons marché très prudemment, sans bruit et avons décidé de reprendre la route que nous avions parcourue la veille, puisque nous avions la certitude d'être en Autriche. Mais en évitant le chemin, à travers les broussailles. Au lever du jour, nous étions bien éloignés de notre cachette nocturne. C'est alors que j'eus, à mon tour, un coup de pompe mémorable : je tombais tous les 10 mètres, dans les escalades, et je me laissais glisser dans les descentes. Je suis peut-être tombé cent fois. J'avais connu pareille mésaventure à proximité de la boucle de Shaffouse, en novembre 1941, quand je me suis évadé par les égouts du Stalag V B à Vahingen. Mes camarades m'encourageaient sans cesse; puis vint une partie moins accidentée. Je récupérais. Rien à l'horizon, aucun bruit, seulement le chant des oiseaux. Nous arrivâmes, ainsi vers sept heures, à proximité de la petite fermette, entrevue la veille. Petit conseil de guerre. Nous avons, après un instant de réflexion, décidé de manger coûte que coûte, autrement dit d'employer les grands moyens si les habitants de la fermette étaient hostiles. Nous fîmes irruption au milieu de trois personnes, un couple de gens âgés et une fillette de quatorze à quinze ans. Nous étions chez des amis. Il nous ont donné un bac de pommes de terre cuites, du lait, du pain. Quel festin! Ils nous inspectaient avec une grande tendresse dans le regard, nous dénichèrent quelques paires de chaussures acceptables. A leur grande joie, mes deux amis purent se chausser. Aucune ne dépassait la pointure quarante. Je chausse du grand quarante-cinq. J'étais navré. J'avais les pieds douloureux et en sang. Il me restait une galoche qui me gênait et me blessait. A partir de ce moment-là un long calvaire commença. Je mis des chiffons autour de mes pieds, j'entourai tout ça avec un bout de sac et ce fut le départ d'une croisade de deux mois, par neige, pluie, glace, à 1 000, 1 500 mètres d'altitude, ainsi chaussé. Et, en permanence, en montagne...

— Notre repas de roi terminé, je m'adressai à la jeune fille et lui demandai : « Où sont les partisans? » Elle me répondit en allemand : « Ils étaient là hier, mais je crois savoir où ils sont. Attendez-moi, je vais aller voir. Dans une heure je serai de retour. » Et elle s'en fut. Au bout d'un quart d'heure, méfiants comme nous étions : « Pourvu qu'elle n'aille pas nous trahir. » Avisant une petite baraque à foin, à une soixantaine de mètres, nous nous y sommes réfugiés, guettant en permanence le retour de la petite, nos yeux rivés dans la direction prise. Le vieux, qui avait remarqué notre manège, faisait de grands gestes que j'interprétais comme rassurants. Après trois quarts d'heure d'attente, la petite revint seule : « J'ai trouvé les partisans. Venez! » Je crois bien que nous avons embrassé le vieux couple, puis nous avons emboité le pas à notre petit ange. Elle nous conduisit jusqu'à un sentier. Le fameux sentier en question que nous n'avions pas trouvé la veille. Nous étions cependant passés à proximité. Mais les premiers mètres étaient parfaitement dissimulés. Nous avons marché ainsi, sans mot dire, contractés, anxieux, pendant une demi-heure. Tout à coup, à un détour, un fusil mitrailleur, deux hommes habillés en allemand. Nous étions cloués sur place, le cœur tapant à grands coups. « Nous sommes marrons ! » A deux doigts de prendre la fuite, les hommes nous ont fait un geste amical, ont souri devant notre désarroi. Nous avons remarqué l'étoile rouge sur leurs revers et sur le calot. A 50 mètres, tout le bataillon de partisans parmi lesquels ceux qui nous avaient attendus la nuit du 15 au 16, près de la petite baraque. Grandes tapes, félicitations. Ils nous regardaient comme des bêtes curieuses, des gens d'un autre monde. Ce que nous avons ressenti à ce moment-là, je me sens incapable de le décrire. Une joie immense. On riait comme des enfants. Oubliés la fatigue, les épreuves, le calvaire. Nous vivions à la minute, avec des partisans armés autour de nous. Nous en avions tant parlé de ces partisans. Nous en avions rêvé.

— Nous avons été reçus vers le soir par l'état-major : commandant, capitaine, commissaire politique. Nous fûmes félicités. C'est à ce moment que nous leur avons demandé de combattre avec eux, dans cette région, non loin de nos camarades du camp afin de rester, le plus possible, près d'eux pour parer à toute éventualité. J'ai posé la question : « N'envisagez-vous pas la délivrance du camp? » Ce fut un tollé de tout l'état-major : ça n'avait jamais été envisagé (heureusement que mes camarades n'ont jamais pensé à pareille réponse, c'est tant mieux car nous vivions tous dans l'espoir de cette délivrance et d'une attaque des partisans).

— Les Yougoslaves avaient raison. D'abord le camp était défendu comme une véritable forteresse, S.S. et S.S. Polizei dotés d'un armement formidable; non seulement dans une attaque il y aurait certes des victimes parmi les Allemands mais beaucoup de déportés y auraient laissé leur peau. Nos baraques n'étaient pas isolées de celles des S.S. « Ensuite, me dirent-ils, nous allons sacrifier une bonne partie de nos hommes pour avoir quoi? Seuls quelques-uns pourront faire des soldats et les autres, dans l'état physique où ils sont, vêtus et chaussés de façon dérisoire... Le peu qui échapperaient au massacre mourraient dans la montagne... »

— Il faut dire que les partisans de cette région n'attaquèrent qu'à coup sûr, le plus souvent des coups de main, bien renseignés par les civils. C'était du cent pour cent de réussite. Quant à attaquer deux bataillons de S.S., armés jusqu'aux dents, parfaitement entraînés et en pleine forme, c'était du domaine du rêve.

— « Quant à vous garder avec nous, ce n'est plus possible. Il y a deux mois, quatorze prisonniers de guerre français, se sont évadés d'un camp situé près de la frontière, non loin de Mariborg. Nous les avons recueillis, nous les avons armés. Au bout de trois jours, ils sont partis avec armes et bagages. Nous savons que vous êtes d'une autre graine, mais nous avons des ordres de l'état-major du Korpus. Plus de Français ni d'étrangers dans nos troupes de cette région. »

— Grosse déception, mais rien à faire. Dès la nuit suivante, a commencé la longue marche vers d'autres cieux. Nous marchions rapidement, avec mille précautions quand nous traversions des endroits découverts. On nous avait appris les ordres qui passaient à voix basse dans les rangs. Nous étions une centaine. Un ordre distribué à voix basse : « 10 mètres d'écart » (entre chaque homme). « 5 mètres. » « Stoppez. » « Assis. » « Courez. » Ce fut ainsi plusieurs nuits. On ne marchait pratiquement que la nuit, couchant à la belle étoile ou, par chance, parfois dans des granges au toit défoncé, à la paille trempée. Vers le 13 octobre 1944, nous avions, cette fois-là, marché de jour en suivant les crêtes. Au réveil, le matin, il avait neigé peut-être 10 centimètres, à peine, de poudreuse. Je me souviens de cet instant car j'ai bien cru que jamais je ne pourrais suivre la troupe. J'avais fait à peine 10 mètres que la neige avait traversé les bouts de sac et de chiffons que j'avais autour des pieds. J'avais froid. J'étais glacé et la plante des pieds me brûlait intensément. Il est heureux que l'ordre de départ ait été donné rapidement. Je n'avais pas de chiffons de remplacement. Au fur et à mesure que nous changions d'altitude, il y avait moins de neige. Vers midi, elle avait complètement disparu. Nous étions déjà bien éloignés du Loibl-Pass. Ils étaient sûrement loin de penser quel était notre régime. Nous avions définitivement fait une croix sur la moindre paillasse, pour des mois. Mais nous étions libres avec un moral d'acier. Nous avons ainsi cheminé, presque toujours en altitude, pendant trois semaines, peut-être quatre. Un beau jour, nous sommes arrivés dans une clairière. C'était presque un petit village : de nombreuses tentes avec, en majorité, des femmes qui avaient fui leur village dévasté. Leur mari et leurs fils étaient chez les partisans. Nous sommes restés là quelques jours, mangeant un peu mieux que le brouet que nous avions journellement et inspirant la sympathie et la pitié des femmes. Nous avons pu avoir quelques petites choses. Entre autres une femme me donna une petite, toute petite, couverture. Je me l'ajustais sur la tête et elle retombait sur mes épaules. Pour la maintenir, une ficelle autour du cou. Elle est restée dans cette position, sans bouger, de la mi-octobre 1944 jusqu'à la mi-décembre 1944. Toujours pas de trace de chaussures.

— Nouveau départ. Bientôt, ça allait être un fameux tournant. Fin octobre, nous rencontrons un bataillon de partisans, tous habillés en allemands, avec l'étoile rouge naturellement. Ces gens-là avaient combattu pour le grand Reich; la plupart des Russes, dont une dizaine de Mongols. Ils avaient été prisonniers et embrigadés par les partisans. Ils avaient des gradés russes pour les commander, assistés d'un officier et d'un commissaire politique yougoslaves. Le commandant russe se dirigea vers nous trois. Nous ne nous quittions pas d'une semelle (d'un chiffon). Il nous dévisageait, s'interrogeant sur la tenue de ces pauvres hères.

— Il posa quelques questions et dit brusquement : « Vous allez combattre avec nous. » Deux minutes après, nous avons eu en main un fusil italien et des cartouches. Alors commença, pour nous, un festival de bagarres, de combats. Nous étions dans la région de Primorsk. Ça tiraillait dur et ce bataillon était en général envoyé au combat quand les brigades yougoslaves n'avaient pu retenir l'ennemi. Ce Rusky Bataillon, XXXe Divizije, IIe Korpus, a été de tous les coups durs. De plus, un Polonais, le seul de tout le bataillon qui avait le grade de caporal, me désignait toutes les nuits pour les patrouilles. Le jour, dans les endroits découverts, il me faisait passer devant et, après que j'eus fait une cinquantaine de mètres, sans encombre, il faisait passer le bataillon un par un. Ce manège dura huit jours.

Finalement, un jour, devant tout le monde — officiers compris — je le provoquai, les yeux hors de la tête. Ce pourceau, qui avait combattu avec les Allemands, avait une haine mortelle des Français. Il s'est dégonflé. Je sais que les officiers m'ont donné raison. C'est un Tchèque, Jaromir Kaspar, brave garçon, qui parlait plusieurs langues, qui me l'apprit. Il nous était bien utile ce brave Jaromir. A quelque temps de là, au cours d'une attaque de nuit, je m'étais, paraît-il, particulièrement distingué. Le commandant m'appela et me dit : « Tu vas avoir une mitraillette et nous allons partir vers Belgrade. C'est la marche triomphale! » « Non, répondis-je, je reste avec mes deux camarades. »

— Nous fûmes alors envoyés dans un « kommando Mesko »... c'est-à-dire dans une compagnie de génie, à Tréhossa, près de Cepovan, état-major du IXe Korpus. J'ai oublié de dire que, quelques jours auparavant, nous avions decouvert un tas de chaussures neuves. Quelle aubaine! J'ai trouvé du quarante-cinq. Je ne sais en quelle matière... Une semelle épaisse comme celle des chaussons de ballerines. Je fus obligé de mettre des chiffons autour. La semelle s'est décollée au bout de deux jours.

Tandis que Huret, Pimpaud et Pagès poursuivent leurs aventures (nous les retrouverons avant la fin de ce chapitre), Albert Jouannic qui a refermé sur eux la porte du wagonnet, ne rêve qu'à suivre le même chemin. Il se prépare méticuleusement :

— Oui [1]! C'est à l'instant précis où j'ai refermé sur eux cette porte que j'ai su que j'allais m'évader. Plusieurs jours après leur départ, quelques déportés français m'ont contacté en me demandant si c'était moi qui avais fait évader ces trois camarades. Ils voulaient s'évader avec moi. A certains j'ai répondu que ce n'était pas moi le complice de l'évasion, à d'autres j'ai dit que je voulais réfléchir à seule fin de bien choisir les camarades capables de s'évader et être certain de leur sincérité et de leur discrétion.

1. Manuscrit inédit Albert Jouannic (20 novembre 1973).

— C'est un jour où nous étions de repos que j'ai commencé à questionner René Bolaz. Nous étions voisins de chambre et comme il conduisait la machine tirant les wagonnets, il avait l'occasion de savoir combien il y avait de S.S. à la sortie du tunnel et leur emplacement exact. Je l'ai questionné pendant trois semaines. Bolaz amenait le béton pour confectionner les parois et la voûte du tunnel. Il restait longtemps auprès de la bétonnière qui se trouvait dehors. Il avait le temps de voir la manœuvre des autres convois qui sortaient les déblais plus loin, et que nous voyions très bien lorsque nous montions ou descendions du camp, quand nous faisions partie de l'équipe de jour, et l'emplacement des S.S. qui se trouvaient à quelques dizaines de mètres de la sortie. La nuit, ils ne s'écartaient pas du tunnel.

— Il n'y avait que deux voies à l'extérieur : celle qui allait à la décharge et l'autre qui allait à la bétonnière qui ne se trouvait pas du même côté. C'est pour cette raison qu'il y avait des aiguillages et quelques voies de garage, pour ranger les wagonnets qui ne servaient pas.

— Ensuite, j'ai parlé de ce projet à Georges Célarié, à Fortuné Pélissier et à Arnaud. Nous étions d'accord pour qu'un jeune Yougoslave nous accompagne (j'ai, malheureusement, oublié son nom). Toute la famille de ce garçon avait été fusillée par les Allemands et lui-même avait été capturé dans un hôpital clandestin du maquis où il était soigné pour de profondes blessures. Nous avons décidé de partir dans la nuit du 13 au 14 octobre 1944, avant qu'il n'y ait trop de neige...

***

Mais une semaine avant le départ fixé, Jean-Baptiste Chevalier — qui ignore tout de la décision du groupe Jouannic — tente sa chance... en solitaire.

— Je [1] suis montagnard. J'ai beaucoup skié en allant dans les camps de jeunesse à Chamrousse. J'arrive au kom-

1. Manuscrit inédit Jean-Baptiste Chevalier (janvier 1974).

mando du Loibl-Pass début septembre 1944 et j'ai aussitôt l'impression de retrouver mes montagnes savoyardes. Une première chute de neige... je réalise que l'hiver dans ce camp risque d'être rigoureux. Je décide de réussir « la belle ». J'ai de très bons camarades qui, mis au courant de mon projet, haussent les épaules : « Trop de risques! » Ils me donnent tout de même un peu de pain, de la margarine.

— Une pente douce de prairie, semée de sapins, sépare le camp du tunnel... Si je réussis à quitter la colonne, montant au tunnel... un peu de neige, la pluie, la nuit et les pentes très raides au-dessus du chantier ne me font pas peur.

— Donc, le 7 octobre 1944, à la tombée de la nuit, par temps de brouillard (des nappes qui s'étirent sur la montagne), et une petite pluie fine, nous montons en direction du tunnel.

Gaston Charlet marche derrière Jean-Baptiste Chevalier.

— Les [1] soirs ramenaient un brouillard qui descendait des crêtes pour cacher peu à peu la masse verte des sapins et des mélèzes, et estomper finalement toute la vallée de sa trame grisâtre.

— J'étais de l'équipe de nuit. Nous avions quitté le camp après 18 heures, et notre groupe gravissait, en rangs par cinq, la route conduisant au tunnel. Nous avions à la main notre gamelle, et nous avancions du pas lourd habituel de ceux qui, physiquement épuisés par des mois de contrainte, vont sans enthousiasme vers douze heures d'épuisement nouveau, s'ajoutant aux autres, sans l'espoir d'une fin prochaine de leur condition maudite. De chaque côté de la colonne, les S.S., fusil sous le bras, s'échelonnaient de 10 mètres en 10 mètres.

— Nous [2] sommes à environ 500 mètres du tunnel. Les S.S. sont recouverts de pèlerines. Ils ont bouché le canon de leur fusil ou de leur mitraillette. Je m'approche du

1. Témoignage Gaston G. Charlet (déjà cité).
2. Manuscrit inédit Jean-Baptiste Chevalier.

bord aval de la colonne et après avoir déboutonné ma capote je franchis entre deux S.S. la barrière de la route et cours en direction du camp... ce qui, au début, a dû surprendre les gardiens qui tirent alors que j'avais déjà franchi environ 50 mètres...

— Dans [1] un tournant de la route qui la dissimulait aux miradors du camp 500 mètres en aval, il laissa échapper sa gamelle, se baissa comme pour la ramasser, et s'élança, rapide comme un furet, à demi replié sur lui-même, vers le ravin de gauche, sur la pente duquel il se laissa rouler comme l'eût fait une boule. Il fallut quelques secondes aux S.S. pour réaliser qu'il s'agissait d'une évasion. Le premier qui s'en rendit compte épaula son fusil et deux détonations claquèrent dans le brouillard.

— Je [2] suis légèrement blessé au cou et le sang coule sur ma capote que je veux jeter pour aller plus vite. J'oublie que j'ai laissé un bouton accroché et lorsque j'arrive à m'en débarrasser, elle est imprégnée de sang. Lorsque les S.S. lâchent les chiens, ils vont jusqu'à la capote et s'arrêtent, ce qui me permet de m'enfoncer en direction du sommet de la montagne.

— J'ai aussi un peu de poivre que je dépose au pied d'un grand sapin. Un col à l'ouest me tend les bras, une route descend vers la vallée, mais sachant qu'un déporté n'aura pas la chance de tenter plusieurs évasions, il faut que ce soit la bonne.

— La [3] colonne arrêta sa marche. Le soldat qui avait tiré expliqua l'incident. D'autres s'avancèrent sur le bord du ravin, et tirèrent au jugé des salves vers les prairies en contrebas, où déjà le brouillard s'était emparé du fugitif.

— Puis, cependant que notre troupe reprenait une marche plus rapide, sous les jurons et les menaces des gardiens en colère, un soldat redescendit en courant vers le camp

1. Témoignage Gaston G. Charlet.
2. Manuscrit inédit Jean-Baptiste Chevalier.
3. Témoignage Gaston G. Charlet.

pour donner l'alarme et déclencher le mécanisme des recherches.

— Tout en poursuivant notre route, obligés au silence par la chiourme qui parlait déjà de complot, nous faisions des vœux pour que Chevalier échappe à ses poursuivants.

— Pour [1] éviter d'être mitraillé longtemps, je pars en direction du camp. En tirant sur moi — étant dans l'axe du camp — ils risquent d'atteindre les S.S. et déportés qui arrivent du travail « de jour » au tunnel. Je choisis donc la direction est où je pense trouver les partisans de Tito. Dans les forêts yougoslaves, la nuit est noire et il faut que je fasse attention pour ne pas laisser des traces de pas dans la neige. Je marche sur les crêtes, la nuit, car le vent balaye la neige, mais je vais d'un rocher à l'autre le jour, souvent à quatre pattes en attendant de rejoindre la forêt. Malheureusement, dans le brouillard, je me suis trompé de direction et me retrouve en Autriche. Les feuilles mortes sont trempées et je marche sans bruit. Dans un virage, je tombe sur deux femmes qui vont ramasser du bois mort. Je leur fais une grande frayeur. Je leur demande quelques victuailles. A la ferme, derrière la table, un vieux grogne de voir la tranche de pain que l'on me prépare. Elle devient de plus en plus mince. Un peu de fromage blanc au fond d'une gamelle. Après m'être renseigné sur la direction, je fais semblant de partir vers la vallée pour ensuite remonter dans la montagne et trouver un passage pas trop à pic.

— Je découvre un chalet dans la forêt et après l'avoir surveillé pendant un bon bout de temps, je m'approche et constate qu'il est ouvert. A l'intérieur des éclats de bois. Il a été mitraillé. Du sang séché recouvre des sacs de pommes de terre qui s'étalent sur le parquet. Avec un sac, je me fais un « superbe » maillot de corps.

— Je passe la crête de la montagne à la tombée de la nuit et rencontre deux S.S. avec chiens. Un S.S. monte dans ma direction et l'autre garde les chiens, la chance est encore de mon côté, je veux m'éloigner du chemin, mais je

---

1. Manuscrit inédit Jean-Baptiste Chevalier.

trouve dans les pins rabougris, mais très serrés (ayant la forme de nos arcosses savoyardes) un éboulis. Je ne peux sans risque de faire de bruit aller plus loin. Je prends un gros caillou et m'apprête, si je suis découvert, à frapper le S.S. Je suis à 6 ou 7 mètres de lui; derrière lui, un ravin. Il passe sans me voir, va sur la crête, tire un coup de fusil et redescend toujours sans me voir.

— A la nuit, je commence à descendre dans ce ravin pour attaquer la pente très raide qui me sépare d'une crête surplombant sûrement une vallée habitée. Tard dans la nuit, j'arrive presque à la crête, je rencontre environ soixante chamois. Je suis trempé et voudrais me reposer un peu contre un sapin solitaire quand j'entends un grognement à quelques dizaines de mètres et je vois un ours... Cela dérange peu les chamois. Il s'éloigne et de nouveau la montagne est calme. Le brouillard est très dense. Je bouge pour ne pas avoir trop froid si bien que, lorsque arrive le jour, au lieu d'être sur le versant opposé au camp, je suis dans la pente qui descend en direction du camp. Des S.S. armés d'un fusil mitrailleur sont en position en face, près d'un chalet d'alpage. Ils font beaucoup de bruit. Je crois qu'ils ont un peu trop bu. A 400 mètres ils ne m'aperçoivent pas et je peux rejoindre la crête de la montagne.

— Arrivé au fond d'une petite vallée, je rencontre un paysan slovène surpris de rencontrer un « zèbre ». Il allait au marché. Il me désigne une ferme un peu au-dessus. Après une inspection des environs, je vais à la ferme et j'ai droit à une assiette de bouillon. Malheureusement, ils ne peuvent me donner des vêtements civils, mais je peux me sécher car j'étais trempé. La fille de la maison m'emmène dans une petite grange cachée dans les bois, mais nous ne parlons pas la même langue et cela ne facilite pas l'établissement d'un programme.

— Un trou très profond dans le foin. Je dors longtemps et, dans la nuit, on me ramène à la ferme. Il y a une liste de membres de la famille avec tampon à croix gammée et un nom est rayé : celui d'un garçon de dix-neuf ans. Je demande s'il est mort (ils parlent slovène et allemand). « Non, pas mort. » « Alors pourquoi rayé de la liste? »

Après une journée d'attente, ils finissent par m'avouer qu'il avait été réquisitionné par les Allemands et envoyé au front russe. Un an après, à sa première permission, il est restée en Slovénie et a rejoint les partisans de Tito. Il était « courrier », c'est-à-dire estafette. Le troisième jour, la jeune fille fait des préparatifs pour rejoindre son frère. Chargés de provisions, nous prenons la direction de la forêt. Dans une clairière, je vois venir vers nous un Allemand armé d'un Mauser. Je me vois de nouveau dans leurs mains, jusqu'au moment où il dépose son fusil contre un sapin et se jette sur les vivres... sans même dire un mot à sa sœur, comme un chien qui n'aurait pas mangé depuis un mois.

— Je caresse le Mauser, fais manœuvrer la culasse, je connais bien cette arme que j'ai utilisée pendant mon séjour dans le maquis savoyard.

— Je suis de nouveau un homme libre.

***

— Maintenue?

— Maintenue.

L'équipe Jouannic encouragée par l'exploit solitaire de Jean-Baptiste Chevalier, ne modifie en rien ses projets.

— C'était [1] un peu la dernière chance. Après il y aurait trop de neige. Vint la nuit du 13 au 14 octobre 1944. Le wagonnet dans lequel nous nous sommes évadés n'était pas construit comme celui de l'équipe Pimpaud, Huret, Pagès. Il était arrondi dans le fond, plus petit et en ferraille, alors que l'autre était en bois. Nous avions d'abord mis plusieurs planches ou madriers sur le wagonnet. Bolaz conduisait la motrice. Nous sommes montés : Célarié, Pélissier, Arnaud, le Yougoslave et moi. Je suis monté le dernier et j'ai tiré les planches pour nous dissimuler. Mais entre le haut du wagon et les planches il restait un espace de deux à trois centimètres par où on pouvait voir ce qui se passait à l'ex-

---

1. Manuscrit inédit Albert Jouannic (20 novembre et 1er décembre 1973).

térieur. Bolaz démarre. Quelques mètres après la sortie du tunnel, le train stoppe pour le contrôle. Je vois très bien le sergent S.S. qu'on appelait « Haricot vert » faire le tour du wagonnet, toucher les planches. Mais il ne les souleva pas : sans cela nous étions faits. Normalement le convoi, une fois sorti du tunnel, une fois le contrôle S.S. effectué, devait avancer de 30 mètres, passer un aiguillage manœuvré par un déporté polonais et revenir en arrière pour emprunter une autre voie menant à la bétonnière où les wagons étaient chargés... alors que l'autre côté de l'aiguillage, l'autre voie, conduisait directement à la décharge (l'endroit de l'évasion du groupe « Grand Jo ») au pied de la montagne.

— Bolaz ralentit en passant l'aiguillage. Le Polonais actionne les leviers. Bolaz au lieu de revenir en arrière pour charger le béton donne de la vitesse à la machine. Le Polonais qui n'est pas dans le coup doit faire une drôle de tête. Bolaz fonce en avant. A ce moment-là les S.S. se sont rendu compte qu'il s'agissait d'une évasion. Ils ont commencé à tirer de tous les côtés. Pour comble de malheur, une dizaine de mètres plus loin... catastrophe... sur des voies de garage plusieurs rames de wagonnets vides en attente, et ces voies sont en pente. Un wagonnet, sans doute mal accroché, se détache. Il roule lentement, prend de la vitesse, saute un aiguillage et percute de plein fouet la motrice de Bolaz qui déraille. Je fais glisser les planches, nous sautons à terre. Impossible de foncer sur la gauche : la montagne est trop raide. Impossible de courir vers la droite : il y a des bâtiments et la route qui descend vers le camp. Une seule solution : aller tout droit, devant nous, sur la voie. Et réaction immédiate, courir en zigzag pour essayer d'éviter les balles. Je croyais bien ma dernière heure arrivée, mais dans des moments comme ça, on n'a pas le temps de réfléchir : on fonce.

— Nous avons parcouru ainsi 6 ou 700 mètres. Les balles sifflaient. Nous avons gagné la montagne. Nos gardiens du tunnel ont immédiatement lancé des fusées pour donner l'alerte. Aussitôt, nous avons entendu les camions démarrer et les chiens aboyer. Ces camions, remplis de S.S. et de chiens, sont montés au sommet du col frontière austro-yougoslave pour balayer les pentes avec leurs phares. Nous les voyions à quelques mètres de nous mais, ayant trop peur des partisans, ils n'osaient pas pénétrer dans les sous-bois.

— Lorsque nous avons atteint la montagne, j'ai eu une défaillance. Il est vrai que j'avais fourni un effort au-dessus de mes forces. J'ai donc dit à mes camarades de partir et de me laisser là. Pour moi, il était préférable d'en sacrifier un que d'être repris tous les six. C'est alors que j'ai évalué le sens de la vraie camaraderie car, immédiatement, Bolaz, Pélissier et le Yougoslave m'ont soulevé et dit qu'ils ne me laisseraient pas derrière eux. Pendant quelques mètres, ils m'ont soutenu, puis les forces me sont revenues lorsque j'ai entendu les chiens aboyer.

— Deuxième incident : nous nous trompons d'itinéraire et, alors que nous avions quitté le Loibl-Pass à 2 heures du matin, nous nous retrouvons à 7 heures en Autriche. Nous avons marché jusque vers 16 heures environ. De temps en temps, nous entendions des rafales d'armes automatiques. Nous nous sommes reposés dans les taillis, tout en discutant de ce que nous allions faire. Nous avons alors décidé d'attaquer une ferme dans l'espoir de trouver de la nourriture car nous n'avions rien mangé depuis la veille à midi, et moi depuis plusieurs semaines je ne mangeais pas grand-chose, car j'étais très énervé en pensant à l'évasion. Nous sommes donc partis de notre cachette et avons marché un moment vers un groupe de maisons, lorsque nous avons vu une vieille dame dans la forêt. Nous nous sommes planqués, sauf le Yougoslave qui a abordé cette personne pour lui demander où se trouvait le maquis. A plusieurs reprises elle lui a fait voir la ferme que nous devions attaquer. Après quelques instants nous avons vu le Yougoslave lever les bras en l'air et un type armé qui le tenait en joue. Ils nous ont fait signe d'approcher; ce que nous avons fait. Immédiatement, nous avons été encerclés par une dizaine de partisans dont un parlant un peu le français; son père était gardien de notre camp! « Gendarme autrichien » — très bien — jamais une brutalité, peut-être le seul du camp. Ces partisans nous ont conduits au P.C. où nous avons été nourris puis interrogés.

— Une demi-heure après : alerte! Deux cents S.S. étaient à nos trousses. Nous sommes partis dans la montagne avec tous les partisans, pendant plusieurs heures. Nous sommes ensuite redescendus à la ferme où nous sommes restés plusieurs jours. Nous étions bien nourris et soignés, car moi j'étais couvert de furoncles et de phlegmons : le pus me sortait de partout.

— Nous voulions rester dans ce maquis, mais ils n'ont jamais voulu nous garder, car nous étions trop près du camp. Il y avait souvent des attaques de la part des S.S. et nous étions toujours habillés en rayé et la boule à zéro.

— Nous sommes donc partis de maquis en maquis, accompagnés de plusieurs partisans. Nous sommes repassés en Yougoslavie. Entre Loubliana et Zagreb, nous avons été obligés de traverser la rivière La Save en pleine nuit. Nous étions peut-être une cinquantaine, peut-être plus. Une route longeait cette rivière et était sévèrement gardée par des militaires. Les patrouilles la parcouraient sans arrêt. Il fallait rester cachés dans un chemin creux, traverser la route et sauter dans un petit bateau à rames, par équipe de cinq ou six hommes. Je faisais partie du troisième ou quatrième tour. Lorsque nous sommes arrivés au milieu de la rivière, un Italien a crié : « On coule! On coule! » Pris de peur, nous avons tous sauté à l'eau, sans connaître la profondeur et, la plupart, sans savoir nager et avec un courant très fort, l'eau glacée — nous étions fin novembre. Heureusement, nous n'avions de l'eau que jusqu'à la poitrine; nous sommes revenus au point de départ. Nous étions trempés et gelés. La journée suivante, nous étions cantonnés dans une ferme abandonnée, sans manger et toujours frigorifiés car nous n'avions pas le droit de faire du feu pour ne pas signaler notre présence à l'ennemi.

— Un certain jour, les partisans nous ont laissés une journée entière dans un champ recouvert de neige, à je ne sais combien d'altitude. Nous étions séparés les uns des autres, de crainte que nous soyons découverts par des patrouilles S.S. Nous sommes restés assis chacun au pied de son arbre.

— Un autre soir, nous sommes arrivés dans un village occupé par les partisans. Ceux qui nous accompagnaient sont entrés dans une ferme après nous avoir laissés dans un chemin. Nous sommes restés toute la nuit accroupis, sous une grosse roche. Il a neigé toute la nuit. Il faisait très froid. Au petit matin, nous sommes allés à la ferme. Les partisans se sont excusés en disant qu'ils nous avaient oubliés.

— Le lendemain, deux partisans nous ont conduits dans une forêt éloignée du village. Je crois que nous sommes restés là deux jours. La nuit nous couchions dans une petite cabane de montagne servant à engranger du foin. Le jour, les partisans nous faisaient sortir pour rester debout en pleine forêt et sans abri, avec comme habillement notre tenue de bagnards. Les chaussures n'existaient plus. La nourriture : un bouillon clair, un os sans viande, mais beaucoup d'« asticots ».

— Plusieurs fois les partisans nous ont promis de nous faire rapatrier par avion; à chaque fois que nous arrivions à proximité de l'aérodrome, celui-ci était soit inondé soit occupé par les Allemands ou la « Garde blanche ».

— Une autre fois nous étions en pleine montagne, nous avons reçu la visite de plusieurs Anglais parachutés. Ils nous ont habillés, fourni du savon, du dentifrice, des brosses à dents, etc. Je crois que dans l'équipe des Anglais il y avait un fils de Winston Churchill. Il nous a promis que nous ne marcherions plus à pied, qu'il ferait l'impossible pour trouver des camions pour gagner la côte adriatique. Il a tenu parole. Nous sommes arrivés à Zara le 31 décembre, où nous avons été reçus sur un navire anglais par le commandant de bord. Il nous a fait prendre une douche et passer à l'épouillage et ensuite un bon repas. Nous avons reçu un accueil formidable.

— Pendant toute la traversée de la Yougoslavie, nous avons été attaqués, harcelés par les Allemands et la garde blanche. Nous ne marchions que la nuit, dans la boue jusqu'au genou, et nu-pieds car les chaussures que nous avions eues avec les Anglais étaient complètement usées. Quand nous restions plusieurs jours avec les partisans, ils nous faisaient faire l'école du soldat, dans la neige et la boue. Ce n'était pas beau. Nous n'avions rien à manger car, au fur et à mesure que nous avancions vers la côte, le groupe grossissait. Prisonniers de guerre évadés, S.T.O. et même des types de la L.W.F. Nous en avons démasqué deux ou trois en arrivant en Italie.

— Les partisans n'ayant pas trop de nourriture pour eux, nous étions contraints de manger des pommes de terre, crues, des betteraves et du maïs, à condition de ne pas se faire prendre. Moi qui étais toujours couvert de furoncles, j'avais du mal à me déplacer, je souffrais énormément. Mon petit camarade René Bolaz courait de tous côtés pour essayer d'avoir un morceau de pain, auprès des civils. A chaque fois qu'il en trouvait un, il m'en donnait la moitié.

— Nous avons donc embarqué sur le navire anglais le 31 décembre 1944, et avons débarqué le 1er janvier 1945 à Bari. Nous sommes restés parqués dans les baraques quinze jours environ, le temps que nous passions à l'interrogatoire de la Sécurité militaire. Ensuite nous sommes partis pour Naples où nous sommes restés un mois en attendant notre rapatriement.

⁂

Septembre, octobre, novembre : l'hiver, le grand hiver de montagne est là avec ses chutes abondantes de neige.

— Plus personne ne pourra s'évader!

— Plus personne ne pourra s'évader.

— Avec ce temps!

— Tu as raison... avec ce temps!

Jours insupportablement identiques : lutter contre le sommeil, contre la faim, la soif, l'épuisement, la peur. Jour après jour. Semaine après semaine. Parfois un « événement » frappe les imaginations, réveille les automatismes, accroche la mémoire pour toute une vie...

— Le[1] meurtre le plus odieux fut celui du pauvre Rudolf Lau. Lau était un Allemand de Kustrin, employé à la poste du grand Reich. Il avait commis un larcin en volant un colis d'un triangle vert portant les initiales S.V. Il était bossu et souffreteux. Il avait vingt-deux ans. On l'employait à balayer le réfectoire des S.S. Comme il ne disposait pas de latrines pour lui, celles qui s'y trouvaient étant réservées aux S.S. et, du fait qu'il restait plusieurs heures à son poste en dehors de notre camp, un jour, il soulagea ses entrailles dans un seau utilisé pour les déchets de nourriture ramassés sur les tables des S.S. après leur repas au réfectoire.

— Il fut découvert. On était à la fin de l'hiver; il resta toute la nuit au garde-à-vous face à la porte d'entrée du camp. Le lendemain, il partit avec le kommando chargé de désenneiger la route qui descendait vers Neumarktl. A la fin de la journée de travail, il fut conduit au détour d'un virage et tué à coups de fusil. Ses camarades chargèrent son pauvre corps sur une brouette et le ramenèrent au camp pour y être incinéré.

— Tsotsoria était[1] un Russe de Georgie. Il avait la peau mate, les yeux noirs et de longs cils. Il avait été choqué lors d'un éclatement d'un obus d'artillerie et depuis ses gestes étaient ceux d'un automate. Les S.S. s'amusaient de sa démarche. Lorsqu'il arriva au kommando du Loibl-Pass, on le plaisantait et, comme il avait une faim inextinguible, les S.S. s'en servaient pour les corvées du camp, car il ne pouvait faire autre chose que pousser une brouette, étant donné l'atteinte de ses facultés motrices. Au bout de quelques mois, il était devenu assez gras, étant nourri avec tous les restes de ces messieurs. Son rôle principal était d'emmener des brouettées de déchets jusqu'au tas d'ordures à l'entrée du camp, et de les y entasser. Un jour, pour je ne sais quelle raison, peut-être les avait-il insultés dans sa demi-folie, ils décidèrent de s'en débarrasser.

— Alors qu'il était sur ce gros tas d'ordures avec sa capote rayée, ils lui tirèrent une balle dans le dos, et le pau-

1. Témoignage Louis Balsan (déjà cité).

vre Tsotsoria s'écroula vers l'avant, toujours comme un automate, sur ce tas qu'il avait contribué à édifier.

— Il m'appartint avec un autre camarade de l'emmener jusqu'au crématoire. Son corps gisait dans les lavabos du camp sur une table, et il n'était revêtu que d'une chemise. Nous le chargeâmes sur une sorte de brancard qu'on appelait une « trague » et qui servait à transporter légumes, rutabagas et pommes de terre. Marchant l'un derrière l'autre en portant ce malheureux corps plié dans la caisse de la trague, suivis de deux S.S., nous empruntâmes le chemin de ronde qui entourait les barbelés et nous descendîmes vers la gorge où coulait un torrent de montagne auprès duquel était érigé le bûcher. Je me souviens de ce parcours au cours duquel nous essayions de nous rappeler toutes les prières des morts pour ce malheureux.

— « Du plus profond de l'abîme, Seigneur, Seigneur nous crions vers toi...

« De profundis... »

— Le crématoire était composé d'un tas de troncs d'arbres juchés en quinconce les uns sur les autres. C'est inouï, curieux, de penser combien il faut de bois pour détruire un corps humain. L'entassement mesurait plusieurs mètres de haut et l'ensemble était de la taille d'une petite maison. Nous balançâmes le corps de Tsotsoria sur le haut du bûcher et le S.S. lui enleva sa chemise. Il restait nu, le dos tourné vers le ciel. Du trou qu'avait fait dans son dos le coup de fusil, gicla encore un peu de sang sur sa peau mate.

— Il était de règle que les bagnards ne restent pas auprès du crématoire une fois qu'on y avait mis le feu. Un des S.S. nous ramena au camp tandis que l'autre, après avoir arrosé d'essence le bûcher, l'alluma. Il brûla pendant longtemps...

⁂

— Antreten les mineurs!

— Il [1] faut nous précipiter sur la place d'appel du kom-

1. Témoignage Jean Granger. Archives de l'Amicale de Mauthausen.

mando sud. Les mineurs de l'équipe de jour arrivent. Il est 2 ou 3 heures de l'après-midi en cette fin de novembre 1944.

— Peters, mon bon camarade, me fait les gros yeux; lui sait de quoi il retourne. Nous pas. En route vers le tunnel que nous traversons et, au côté nord, nous trouvons les mineurs. Combien sommes-nous? Soixante? Soixante-dix? On nous donne à chacun une couverture et, je crois, une boule de pain. Voyez un peu ce capital de rêve...

— « Loss, loss... »

— Nous voici dans les camions, accompagnés de nos anges S.S. et de leurs chiens. En route vers l'Autriche. Nous arrivons dans une petite gare. Les rails apparaissent à peine, noyés dans la neige. Deux wagons sont à notre disposition avec paille et, tenez-vous bien... un poêle! Les Français sont en tête, moi j'avais repéré le milieu. Zut! un rang de trop à l'arrière... Je ne serai pas avec mes copains : Hardy, avec qui je fais équipe au marteau, mon ami, mon voisin de lit, et Koffmann, notre kapo (désigné par nous). Je suis avec des Allemands et des Polonais. Je m'efforce de m'installer près de nos camarades Kurt et Willy, mais je me retrouve auprès d'un S.S. et du chien qui va devenir pendant le voyage mon affectueux copain.

— Je ne sais pour combien de repas la boule de pain était prévue, mais pour la majorité d'entre nous, au petit jour, elle était engloutie.

— Quel « parfum » dans le wagon mêlé à l'odeur des rutabagas; une véritable autoasphyxie...!

— « Cheiss » disaient nos deux S.S., et ils ouvraient un peu la porte, mais c'était tout. Avouez que cette attitude était un peu singulière.

— Et le poêle chauffait...

— Ce sont les Allemands qui sont de tinettes. Ce sont eux aussi qui ramènent de la « soldaten » le même café pour nous que pour les S.S. Il en sera de même à midi et le soir. C'était impensable mais vrai.

— Les wagons roulaient à travers la campagne et les montagnes autrichiennes. Où allions-nous? Il était difficile de s'orienter dans ce pays tout couvert de neige. Dans chaque petite gare, il y avait deux ou trois locomotives sous pression et d'autres éventrées, ce qui faisait plaisir.

— Mais voici le Danube et, bientôt, la gare de Mauthausen. Aïe, aïe, nous sommes revenus dans cet enfer auprès duquel notre petit kommando était presque un paradis. Je vois un Français qui charge des betteraves. Je lui dis :

— « Tu es Français?... »

— « Je suis Georgeti, de Radio-Toulouse », me répondit-il.

— Le commandant du camp arrive. C'est l'angoisse. Il discute avec les S.S. puis renvoie son chauffeur. Au bout d'un moment, celui-ci revient avec un bon morceau de derrière de bœuf, du pain et des couteaux. L'officier demande aux Allemands de couper la viande, il veille à ce que les parts soient bien égales, fait mettre du charbon dans les poêles et l'on nous sert d'authentiques beefsteacks cuits à point ou saignants suivant les goûts.

— Le commandant repart. Nous passons la nuit dans nos wagons. Le lendemain matin, nos deux wagons sont raccrochés à un train et nous partons en direction de Linz. Puis nous roulons vers Salzbourg, puis nous bifurquons vers l'est-sud-est et nous nous engageons dans les montagnes.

— J'ai demandé à rejoindre les Français. Mais c'est un « non ». Je reste donc dans ce wagon les pieds chauds dans mes galoches bien sèches. Nous avons l'autorisation de descendre sur le quai, je vais me débarbouiller avec de la neige.

— Et nous revoilà à Klagenfurt et peu après à notre petite gare de départ où nous attendent les camions pour nous ramener à Loibl-Pass. Combien a duré ce voyage? Cinq, six ou sept jours peut-être, mais j'ai bien pris deux ou trois kilos... et des poux.

— En arrivant au block que je suis très heureux de retrouver après ce voyage dans l'inconnu, je demande à Peters un peu d'ersatz pour me laver car je n'aime pas que mon dos soit pris pour vélodrome. Du linge propre après la douche, ensuite la coupe de cheveux et la barbe.

— Je vais reprendre ma place dans l'organisation illégale, assumer la liaison avec les partisans qui dure depuis le 13 mai et poursuivre ma cure de rutabagas.

— Pourquoi avions-nous été traités ainsi au cours de cet étrange périple? Mystère... Nos bourreaux avaient fait la preuve qu'ils pouvaient se conduire autrement qu'en assassins, voire ne pas obéir aux ordres reçus. Peut-être est-ce sur l'intervention de l'entreprise que nous étions revenus ainsi à notre point de départ.

— On peut tout supposer.

— Mais pour nous ce fait nous a paru tellement rare dans les annales de la déportation que nous l'avions appelé le « Voyage de Noces ».

***

— S'évader!

— Mais il y a trop de neige!

— Justement! Cette neige va faciliter l'évasion de Marcel Aubert et de ses camarades. Marcel Aubert qui avait préparé la première tentative de novembre 1943... et n'avait pas, depuis, désespéré. Marcel Aubert, le dernier évadé du Loibl-Pass.

— Le[1] 21 novembre 1944, il y avait eu une abondante chute de neige : le sol était recouvert de 50 à 100 centimètres de neige. Nous étions quatre déportés français, travaillant comme électriciens : Backer et Moreau, électriciens de profession; Ménard, étudiant en sciences à la faculté de Rennes et moi-même, devenu électricien par l'inspiration du « Schreiber » espagnol qui avait rempli ma fiche administrative le jour de mon arrivée à Mauthausen. A la question : « Profession », j'avais répondu fièrement : « Officier de Marine. » Il m'avait regardé dans les yeux et murmuré : « Je suis Espagnol, j'ai l'expérience des camps, fais-moi confiance. Oublie ton passé et n'en parle jamais si tu tiens à la vie. Tu n'as jamais été officier, mais électricien. Etant donné tes études, tu dois être capable de te débrouiller en

1. Manuscrit inédit Marcel Aubert (déjà cité).

électricité, et cette profession pourra éventuellement l'avantager. »

— Je fus affecté au premier kommando du Loibl-Pass comme électricien! Je m'y suis « débrouillé » effectivement, mais aidé d'une chance incroyable : trois civils professionnels, avec lesquels nous travaillions, furent électrocutés! L'un en mourut, les deux autres en réchappèrent miraculeusement. Ménard, qui avait des connaissances en radio, était parfois sollicité par des S.S. pour réparer leur poste. C'était pour nous l'occasion d'avoir des informations exactes sur la situation militaire.

— A la fin de 1944, nous savions donc que la guerre touchait à son terme et nous étions convaincus que ce terme signifierait aussi notre extermination. Nous étions tous quatre décidés à profiter de la première occasion pour tenter une évasion. L'abondante chute de neige du 21 novembre nous apporta cette occasion.

— Une ligne téléphonique aérienne reliait les chantiers nord (Autriche) et sud (Yougoslavie). Sous le poids de la neige, la ligne se rompit en plusieurs endroits. Aucune importance, en principe, car la percée du tunnel était achevée et nous venions de mettre en service une ligne téléphonique passant par le tunnel. Mais, prétextant la pénurie de matériel, nous convainquons le chef de chantier allemand de nous envoyer récupérer le fil téléphonique. Nous sommes décidés à profiter de la sortie pour nous évader.

— Le 22 après-midi, nous démontons le tronçon A.E. : pas question de nous enfuir, nous sommes en vue du camp yougoslave.

— Durant la matinée du 23, nous démontons le tronçon BCD. Nous nous estimons trop près du camp autrichien pour tenter l'évasion. A midi, nous sommes exténués par ce travail et, peut-être aussi, par l'approche de l'heure H. qui était pour nous la dernière chance. Nous demandons au chef de chantier de reporter au lendemain le démontage du dernier tronçon. Heureusement, il refuse! Ce refus nous a galvanisés : frais et dispos, nous n'aurions peut-être rien osé. Furieux, nous sommes prêts à toutes les folies.

— A 13 heures, nous quittons le camp autrichien, accompagnés de deux S.S., l'un âgé, Allemand, l'autre jeune, d'origine croate, si mes souvenirs sont exacts. Pas de chiens, à cause de la neige. Après quelques minutes de halte au poste-frontière, situé à quelques centaines de mètres du point A, et où nos anges gardiens bavardent gaiement avec les « feldgendarme », nous nous dirigeons vers le point A. Je me souviens même de l'Allemand donnant un bonbon à un isard apprivoisé.

— Point A :

— Heure H.

— Dernière chance.

— Rond-point de la décision : oui ou non?

— Royaume de l'improvisation.

— Nous partons en file indienne vers le point A, le S.S. allemand en tête suivi de Backer, le Croate fermant la marche. A l'arrivée au point A, Backer fait mine de fixer laborieusement les « grimpettes » à ses pieds pour monter au poteau électrique. Moreau est à ses côtés, ainsi que l'Allemand. Le Croate se dirige vers le poteau suivant en glissant dans la neige comme un gamin, sur son derrière, le long de la pente AB. Geste impromptu, Backer se redresse, se jette sur l'Allemand et essaye de lui arracher son fusil, avec l'aide de Moreau. Voyant cela, je me précipite sur les traces du Croate. Ma glissade, sur le derrière aussi, est plus rapide que celle du Croate, car je profite de sa piste. Je le rejoins et attrape sa tête sous mon bras gauche, au moment même où retentit un coup de feu.

— L'Allemand a réussi à tirer un coup de fusil pour donner l'alerte. Il abandonne alors toute résistance, se laisse désarmer par Backer et Moreau les suppliant d'arrêter leur tentative, faisant valoir que l'alerte est donnée, mais qu'il ne dira rien si nous restons tranquilles. Pendant ce temps, Ménard m'a rejoint. Nous nous battons désespérément avec le Croate. Mais il est jeune et vigoureux, nous sommes jeunes aussi, mais épuisés, et à deux contre un, nous n'avons pas le dessus. Heureusement, Moreau nous rejoint, armé de la baïonnette de l'Allemand. Nous parvenons à assommer le Croate, et lui enlevons ses armes.

— Nous nous lançons alors tous quatre dans une course folle : l'alerte est donnée et nous craignons l'arrivée des « feldgendarme » du poste-frontière. Nous restons, autant que possible, sur la ligne de crête, nous dirigeant vers l'ouest. Nous sommes fourbus, les fusils nous semblent horriblement lourds, au point que nous changeons de porteur tous les 20 ou 30 mètres! Au bout d'un temps indéterminé : minute ou siècle, notre course est arrêtée par une coulée d'avalanche très abrupte. Le premier qui s'y aventure perd pied, roule et disparaît. Il faut pourtant fuir, passer coûte que coûte.

— Les trois rescapés, dont je suis, cherchent chacun de son côté un point de passage à la mesure de ses moyens physiques. Inconsciemment, nous nous éloignons les uns des autres, nous nous séparons. Mais la providence veillait. Environ une demi-heure après la traversée de la coulée, nous nous sommes retrouvés, débouchant simultanément en un même point, de quatre directions différentes. Cette jonction mettait en quelque sorte le point final au premier chapitre de notre aventure : l'évasion. Restait à rejoindre la France et, d'abord, les partisans; mais ceci est une autre histoire.

⁂

« Une autre histoire... »

Celle du « Grand Jo », de Pimpaud, de Pagès se poursuit... Ils viennent d'être « embauchés » par une compagnie du génie composée de partisans.

— Nous [1] couchions dans une salle qui, exceptionnellement, avait un toit et il y avait un poêle. Nous faisions quelques corvées. Après une dizaine de jours, Pagès étant très souffrant, un officier lui dit : « Il y a un hôpital à 10 kilo-

1. Manuscrit inédit Georges Huret.

mètres d'ici, à Cerkno. » Nous l'avons encouragé à s'y rendre. Il en revint rapidement. Ça n'avait d'hôpital que le nom. Je passe sur les conditions qu'il nous a énumérées, les Yougoslaves étaient d'ailleurs logés à la même enseigne. Entre-temps, nous avions déserté la salle où nous couchions pour aller dans une grange toute proche. Nous étions seulement les trois Français. Le foin était mouillé mais nous avions l'habitude. Nous avions du mal à nous endormir car, enfouis dans le foin, dès que notre corps commençait à se réchauffer, c'était des démangeaisons insoutenables. Nous étions remplis de poux et de vermine.

— Début décembre, le kommando du génie se rassembla et nous partîmes dans la soirée. Vers 9 heures, nous fîmes une halte dans un village qui s'appelait Cepovan. C'est là que se tenait l'état-major du IXe Korpus. Il faisait un temps exécrable. Il neigeait à gros flocons depuis le matin. Après une soupe, on commença à chercher un abri pour dormir. Chose extraordinaire, nous avons trouvé une étable. Il y avait quatre vaches et deux cochons. Il y régnait une petite chaleur douce. Je m'installais dans la mangeoire. C'était formidable. Pagès et Pimpaud avaient aussi trouvé une bonne place. Nous dormions profondément quand, vers minuit, grande branle-bas! « Tout le monde debout! »; et rapidement on nous donna des pelles. Dix minutes après, nous marchions à la queue, les uns derrière les autres, en pleine tempête de neige. Nous avons escaladé un col, traversé un bois, marché aussi pendant peut-être six heures. Pas un seul instant la neige ne cessa de tomber à gros flocons. Nous sommes arrivés vers le matin. Il y avait une très grande clairière. C'était près de Predmeya. Notre travail consistait à déblayer la neige sur une assez grande distance pour permettre à un ou deux camions de passer. Naturellement, pas de brouet clair. De suite au travail, frigorifiés, paralysés. Le chemin que nous tracions se remplissait au fur et à mesure de neige. Cette journée-là fut terrible. Le brouet nous fut servi vers 3 heures de l'après-midi. Je dis alors à mes camarades Pagès et Pimpaud : « Il faut faire quelque chose. Nous allons crever ici. Jamais nous ne tiendrons. Nous allons partir et retourner à Lokoa. »

— Je vais faire un retour en arrière de quelques jours pour vous parler de Lokoa. Nous avons été chargés, à une quinzaine d'hommes, d'aller dégager une petite route de montagne, des arbres avaient été abattus en travers de la route. Le travail fait, il fallait rentrer au port d'attache. Très mauvais temps. Il fallut s'abriter pour la nuit : c'est là que poussant plus loin que nos compagnons yougoslaves, nous arrivâmes à Lokoa. C'est un gros village, complètement dévasté : pas une maison debout, toutes les maisons incendiées, une vision d'apocalypse. C'était la tactique première des Allemands et des Oustachis : tout brûler sur leur passage pour forcer les habitants à partir dans la montagne, crever de froid et de faim et, du même coup, ils supprimaient l'aide que pouvaient fournir ces habitants, presque tous petits cultivateurs, aux partisans. Tout était détruit sauf la petite église, perchée à l'extrémité du pays. Après avoir cherché longtemps un abri à travers ces ruines, nous allions partir quand nous avons trouvé une cave. L'entrée en était, en partie, obstruée. Nous l'avons dégagée et nous nous sommes allongés pour dormir à poings fermés.

— Le lendemain : petit tour, prudemment, aux alentours. A 20 mètres au-dessus, sous un amas de planches, formidable découverte : un sac de 50 kilos de pommes de terre. Quel repas! Pagès s'y entendait à merveille pour faire du feu, par n'importe quel temps, n'importe où. Nous avions bien chaud dans cette cave, mais il fallait, en permanence, rester allongés car la fumée séjournait à environ 70 centimètres du sol. Au bout de quatre jours, nous vint l'idée de gravir cette petite montagne et d'aller voir ce qui se passait dans l'église. En général, celles-ci étaient épargnées, la majorité des Oustachis, ennemis jurés des partisans, étant presque tous catholiques.

— En rampant, nous avons escaladé cette montagne, épousant toutes les anfractuosités. Toutes les choses étaient cassées à l'intérieur, des troupes s'y étaient abritées. Dans un coin, nous avons trouvé un tas de linge que nous avions d'abord pris pour des chiffons. Il y avait là des tuniques blanches plissées du curé et d'enfants de chœur. Nous nous sommes empressés d'en prendre chacun deux et de les enfiler à même notre peau. Nous n'avions plus naturellement de maillot de corps, simplement les vêtements en ersatz du Loibl-Pass. Nous nous sentions bien propres. Le bon Dieu n'a pas dû nous en vouloir. Nous nous sommes un peu retapés pendant une bonne semaine dans cette cave.

C'est là que je proposais, quand nous déblayions la neige, de revenir. « Il nous faut partir d'ici et rejoindre cet endroit », leur répétai-je. « Jamais nous ne retrouverons le chemin par ce temps », disaient-ils.

— Je ne cessais jusqu'au soir d'essayer de leur faire adopter mon projet. Rien n'y fit. Je pense qu'ils croyaient que j'étais devenu fou. « Alors, retournons dans l'étable d'où nous sommes partis! » « C'est insensé, un mètre de neige, plus de trace. On va se perdre et crever en peu de temps, et l'ennemi, qu'en fais-tu? » Ils étaient inébranlables. Moi aussi. Après un dernier appel à me suivre, je les ai salués et, à 10 heures du soir, je suis parti dans la tempête de neige, ma demi-couverture toujours sur la tête, avec ma pelle. Je savais de quel endroit nous avions débouché sur cette clairière. J'y suis parvenu et je m'enfonçai dans le bois. Je n'y voyais pas à 3 m. Très souvent, je me suis buté dans les arbres, dans les branches. Quelle nuit! J'ai marché pendant cinq heures. Je rencontrais maintenant moins d'obstacles sur ma route et, finalement, je sortis du bois. O! bonheur! J'aperçus de toutes petites lumières en bas. A peine perceptibles. Je commençai une descente prudente, environ deux heures. Une grande maison détruite et les lumières là, à 100 mètres. Pour faire ces 100 mètres-là, je crois bien avoir mis une demi-heure. Quelle surprise! J'étais à Cepovan dans la cour de l'étable. En dix minutes, j'étais allongé dans la mangeoire des vaches. Je crois que je me suis réveillé bien au chaud vers midi. Il y avait un Yougoslave un peu simplet mais brave, qui s'occupait des vaches. Il n'arrêtait pas de me parler. Je ne comprenais strictement rien. Il m'a ravitaillé gentiment en soupe. Je suis resté sans bouger pendant quarante-huit heures. Le troisième jour, j'ai décidé une petite inspection. Sorti de mon étable, j'aperçus deux hommes jeunes s'affairant autour d'un feu. Il y avait des gamelles : tout un attirail qui me fit penser que ça devait être la cuisine, la popote. Je distinguais maintenant les voix. C'était un mélange d'italien. De temps à autre un mot de français. Je les interpellais. C'étaient deux Niçois : Auguste Cognet et Sbicca. Ils étaient non loin de la frontière autrichienne, à Sélénice, pays de Selena. Ils ont rejoint les partisans; avec ces deux camarades, à partir de cet instant nous ne nous sommes plus quittés. La Croatie, la Dalmatie, Split, Bari, Naples et Marseille en mai 1945.

— Après un quart d'heure de conversation, j'appris de leur bouche une formidable nouvelle. Il y avait, à 2 kilomètres de là, une mission anglaise qui était là pour superviser les parachutages d'armes, de munitions, de vivres, etc. Je leur dis immédiatement : « Il faut que j'arrive à contacter ces Anglais. » « Ce sera impossible, me dirent-ils. Il y a en permanence des partisans qui les gardent », et ils m'indiquèrent le lieu exact où logeait cette mission.

— A partir de ce moment, j'émigrais dans la journée à 20 mètres de mes camarades dans une maison complètement détruite. Cognet me fournissait quelques légumes, des pommes de terre, un peu de farine de maïs, et je me confectionnais ma petite cuisine. Le soir je rejoignais assez tard mon étable et ma mangeoire.

— Un beau matin, c'était la première quinzaine de décembre peut-être vers le 10, je décidais « l'abordage » de la mission anglaise. Avec des ruses de Sioux, j'arrivais juste devant, caché derrière les buissons. Je les voyais à 30 m. Il n'y avait pas de rideaux. Ils étaient assis autour d'une table, bien propres. Dans un nuage de fumée, je distinguais des rayons pleins de vêtements kakis, des couvertures, des conserves, une bouteille de whisky sur la table. Je croyais rêver de voir ces lascars se la couler douce, se la faire belle comme on dit. Je pensais à mes deux camarades sur la route de Predmeya, en train de déblayer la neige, vêtus comme des minables alors que les rayons débordaient de vêtements, de pulls, de caleçons, etc. Tout me paraissant calme, je décidai de passer à l'attaque. Je sortis de ma cachette, traversai la petite route. A peine étais-je dans le couloir que trois Yougoslaves, sortis je ne sais d'où, me tombèrent sur le poil, l'arme au poing, m'invectivant, complètement déchaînés... Je rebroussai chemin, toujours sous leurs insultes, et réintégrai mon logis, bien décidé à tenter une nouvelle attaque, très vite. Quand j'expliquai à Cognet ce que j'avais vu sur les rayons, il avait les yeux hors de la tête, comme moi. Le lendemain, à la tombée de la nuit, je décidais de remettre ça. Même parcours, même poste d'observation. J'étais là depuis dix minutes à peine quand je vis un sergent se lever, sortir et traverser la route. Je me précipitai dessus. Quand il a vu ce hère devant lui, affreux, pas rasé depuis deux mois au moins, des sacs autour de mes ballerines, déchiré de partout, puant, il a eu un recul. Je l'ai agrippé. Je croyais qu'il allait se précipiter dans la maison et me fuir. J'avais bien ressassé mon anglais. Je comprenais pas mal l'anglais, le lisais assez bien mais je parlais mal. Je commençais : « I am French !... » Je n'étais guère beaucoup plus loin de ma conversation quand trois nouveaux archers me tombèrent dessus. Même sérénade que la veille. Mais cette fois ils ne me laissèrent pas partir, ils me ceinturèrent et me conduisirent dans une petite maison toute proche. Il y avait là un commissaire politique qui m'interpella. Je lui répondis que j'étais Français. Il me fit asseoir, appela un partisan qui était dans la pièce voisine, un homme de cinquante ans qui parlait parfaitement le français.

— « Le commissaire demande que vous lui racontiez votre vie. »

— C'était parti.

— Je commençai classe 1937. La guerre aux avant-postes. Mes citations, prisonnier de guerre, évasions, retour à Paris, repris après quatre jours, évadé du train me ramenant en Allemagne (janvier 1942), repris février 1943, Mauthausen, Loibl-Pass, évasion, bataillon russe, etc. Ça a duré une heure, tout en passant beaucoup de détails. Au bout d'un quart d'heure, il héla une dame âgée, me fit apporter une grande tasse de café au lait, un pot de confiture et du pain. « Mange. » Il me donna une cigarette. Il était passionné. Bougrement sympa ce Tovaric Mirko ! A la fin de mon récit, il me dit à brûle-pourpoint : « Que penses-tu de l'accueil que t'ont réservé les partisans? » J'étais morfondu. Je mourais d'envie de lui crier de toutes mes forces : « Ils nous ont accueillis comme des chiens. » Je ne pouvais dire ça. Il était tellement sympathique et peut-être allait-il pouvoir faire quelque chose. Je m'en tirais par une pirouette : « Ce sont des gens qui souffrent et qui se battent tellement qu'il est difficile de pouvoir juger. » Je voudrais bien le revoir ce Tovaric commissaire Mirko pour lui demander s'il a cru vraiment ma réponse sincère. Je sais qu'il vit encore. Il m'a dit : « Reviens me voir. Dès demain je vais parler à l'état-major de votre situation à toi et à tes camarades évadés. » « Merci Tovaric, et si par hasard je me faisais arrêter en route par une patrouille de partisans, je n'ai rien pour justifier? » Il prit alors une feuille, un laissez-passer (un zapismo) et le signa de sa main, me donna plusieurs paquets de cigarettes, du pain. Quelle « fumée » avec Cognet et Sbicca! Quelle bonne nuit pleine de rêves.

Le surlendemain, fier comme tout avec mon laissez-passer, je rendais visite à nouveau à Mirko. Même processus : « Assieds-toi. » Café, pot de confiture, pain, cigarettes. « Le commandant du Korpus va vous recevoir demain avec les deux camarades de Cepovan. » Rendez-vous était pris pour 10 heures. Auparavant, il me présenta à un groupe de partisans assez âgés : c'étaient les journalistes du Korpus. Ils me demandèrent mon nom et mon adresse, celles de mes deux camarades, Pagès et Pimpaud. Ils ont dû communiquer un message aux troupes alliées car des amis ont entendu dans l'émission de langue française de la B.B.C. que j'étais chez les partisans yougoslaves bien vivant, ainsi que mes deux camarades.

— L'entrevue du lendemain avec l'état-major du Korpus a été dramatique. Ils étaient plusieurs gradés, dont le commandant Kodric que j'ai revu plusieurs fois depuis. Mais il n'y en avait qu'un qui parlait. Il s'est surtout cabré quand je lui ai dit, voyant qu'il ne pensait pas à nous vêtir, alors que par la fenêtre, pendant l'entrevue, j'apercevais le terrain de parachutage, avec un tas de containers du parachutage du matin même, alors que les rayons anglais étaient surchargés... Je lui ai dit : « Trouvez-vous normal que des combattants soient réduits à cet état? Je suis évadé depuis le 17 septembre 1944, j'ai rallié les partisans le 18 et je fais la guerre depuis 1939. » Et joignant le geste à la parole, je levais ma jambe pour lui montrer mon pantalon rayé déchiré sur au moins 30 centimètres, la veste en lambeaux, pas de pull. J'enlevais le chiffon que j'avais autour des pieds pour lui montrer mes ballerines, etc. « Nous en avons besoin pour nos soldats, pour nos partisans », hurla-t-il. L'entretien se termina dans la confusion. Nous sommes sortis et là un jeune officier me dit : « Le commandant a décidé de réunir tous les Français qui pourraient être dans les brigades du Korpus et de les incorporer dans une brigade autrichienne, stationnée non loin d'ici. » Pas de pantalon, pas de chaussures, pas de pull mais c'était déjà un petit résultat.

— C'est le surlendemain que se produisit une chose mémorable, inespérée. C'était le soir. J'étais comme d'habitude dans cette maison détruite et m'apprêtais à rejoindre mon étable. Tout à coup j'entends une rumeur, un chant. Je distinguais nettement les accents de la Marseillaise. Mais oui, c'était bien la Marseillaise entonnée par un groupe important. Plus d'une fois j'ai pensé que j'étais devenu fou. Mais cette fois je me secouais, me disant : « Mais tu es devenu dingue. » Je m'approchai de la sortie et je vis défiler, trois par trois, une centaine de S.S., toujours chantant la Marseillaise à tue-tête, au pas cadencé. Je restai cloué sur place, interdit, figé. Ils étaient déjà au moins à 100 mètres quand je réalisai. Je piquai un sprint effréné, rattrapai la queue du groupe. « Qu'est-ce que vous êtes? » « On est Français, Alsaciens, on s'est rendu aux partisans. Va voir en tête. Il y a un Parisien. Il parle bien français. » Je redémarrai au sprint. Ils marchaient vite les bougres.

— « Il y a un Parisien ici? » « Oui, me répondit quelqu'un sans aucun accent, nous nous sommes rendus avec armes et bagages et nous allons à Zolla, à environ 10 à 15 kilomètres d'ici. Après nous serons rapatriés. » Je les regardai passer et disparaître dans le lointain.

— Je rejoignis mes camarades Auguste et Sbicca. Ils avaient entendu, comme moi, mais de loin. Je les mis au courant; abasourdis comme moi. Je n'ai guère beaucoup dormi cette nuit-là. Dès 9 heures j'étais sur la route pour rejoindre mon commissaire Mirko. Je lui exposais la situation. Il était naturellement au courant. C'étaient des Alsaciens qui étaient dans la S.S. Polizei, qui avaient combattu avec acharnement à plusieurs reprises contre les partisans, dans cette région du IXe Korpus à Primorsk. Apprenant la libération de Strasbourg, ils s'étaient échappés et s'étaient rendus avec toutes leurs armes, formidable armement! Un bon moment, il fut question de les fusiller tellement ils avaient fait de dégâts dans les rangs des partisans. Certains d'entre eux me l'ont d'ailleurs confirmé par la suite. Finalement, l'état-major décida de les rapatrier, laissant aux Français le soin de les juger.

— Finalement, je dis au Tovaric Mirko : « Voilà des gens qui ont été vos ennemis, qui ont fait des ravages dans vos rangs et vous allez les rapatrier? Tandis que nous... » Il me coupa la parole et dit : « Je vais aujourd'hui même à l'état-major et vais soulever le problème devant tous les officiers. Viens me revoir demain. » J'ai attendu avec angoisse le résultat de sa démarche. Le lendemain, il me dit avec un grand sourire et une grande tape amicale : « Tous les Français du Korpus vont se joindre aux Alsaciens. » Je donnai la situation exacte de l'endroit où j'avais quitté mes deux camarades Pagès et Pimpaud, le port d'attache du kommando Mesto à Treboussa, à quelques kilomètres de Cepovan. Le commissaire Mirko s'en occupait activement. Je lui rendis visite tous les jours. Mes amis restaient introuvables; ils devaient être dans quelque autre endroit pour déblayer la neige.

— Un beau jour, vers le 15 décembre, nous reçûmes l'ordre de partir pour Zolla où se trouvaient les Alsaciens. Nous sommes partis; Sbicca et Cognet m'accompagnaient. Nous avons mis environ trois heures pour arriver à ce village en grosse partie détruit. Quelques maisons restaient habitables et environ une dizaine de personnes n'avaient pas quitté leur maison. Il y avait là aussi un bataillon italien : le bataillon Massini combattant auprès des partisans.

— Dès notre arrivée, nous nous sommes présentés aux officiers. Parmi eux un officier yougoslave m'avait connu quand j'étais dans le bataillon russe. Il fit réunir tous les Alsaciens, les fit mettre en rang, m'appela et me désigna : « Voici votre commissaire politique. Vous devez lui obéir et exécuter tous ses ordres. » Puis il me prit à part : « Tu vas leur faire une demi-heure de causerie politique tous les jours, tu dois les surveiller ou les faire surveiller nuit et jour. Nous n'avons aucune confiance en ces... Ils nous ont fait assez de mal. En un mot tu es, à partir de cette minute, responsable de tous ces hommes. »

— J'ai commencé à les répartir équitablement dans les maisons, chacune comptant vingt à vingt-cinq hommes. Je pris avec moi six Alsaciens parmi ceux qui me paraissaient les plus sympathiques et parlant le mieux le français. L'un d'entre eux, en particulier, Ric... de Strasbourg-Neudorf, un gros ferrailleur de cette région (il l'est toujours d'ailleurs). Je pris celui-ci à part et lui dis : « J'ai besoin de toi. Je ne comprends pas votre langue. Il faut que tu sois en permanence parmi eux et que tu me fasses un rapport sur leur état d'esprit et leurs intentions. » Tous les jours il me fit scrupuleusement un petit rapport. Dans la journée, je leur faisais ramasser du bois pour la roulante du bataillon Massini et la nôtre. Par roulement, ils descendaient pour le ravitaillement de ce même bataillon. L'instruction politique durait cinq minutes. La plupart s'en fichant éperdument, ne comprenant ou ne voulant pas comprendre le français. Chaque jour nous arrivaient un ou deux Français qui se trouvaient dans des brigades yougoslaves. La plupart étaient des S.T.O. travaillant en Yougoslavie, en Slovénie, région occupée par les Allemands. Les partisans, par des coups de main nocturnes, les avaient délivrés et embrigadés. En peu de temps, il en était arrivé une dizaine. Tous plus mal vêtus les uns que les autres et très diminués au point de vue physique. L'état-major avait tenu parole en rassemblant les Français. Mais toujours pas trace de mes camarades Pagès et Pimpaud. Il m'affirma continuer ses recherches, avoir donné des ordres. Mais aucune trace d'eux. Je revins à Zolla atterré.

— Vers le 22 décembre, une corvée d'Alsaciens remontait de Cepovan. Je remarquais aussitôt quelque chose d'anormal. Ils se tenaient par groupes et discutaient avec force gestes. Ric... s'approcha de moi décomposé : « Quelqu'un leur a affirmé, au Korpus, que Strasbourg était pris. » Ces bruits étaient consécutifs à l'offensive Von Rundstedt. Grand énervement ! Discussions passionnées entre eux. Je les observais. Ric... revint une heure après et me dit : « Ces c...-là, la moitié veut s'en aller cette nuit et repartir chez les Allemands ! » Ceux-ci étaient stationnés non loin de Zolla, dans la riche plaine de Vipacco, à 10 ou 12 kilomètres. J'en référais immédiatement à l'état-major. Les officiers étaient au paroxysme de la colère. Il était hors de question d'en laisser partir un seul. Ils connaissaient les emplacements des partisans, les effectifs, etc. C'était dramatique. Ils voulaient en fusiller quelques-uns, les meneurs, que je devais leur signaler, à titre d'exemple. Je donnais alors ma parole que pas un homme ne partirait, de me faire confiance...

— J'alertais immédiatement Ric... et lui dis : « Tu vas me réunir dix de tes camarades, ceux dont tu es sûr. » Dix minutes après, ils étaient là. Je leur remis à chacun une grenade et leur dis : « Vous allez monter la garde à tour de rôle devant la porte des baraques. S'il y a la moindre alerte, vous balancez la grenade. » Je réunis tout le groupe, leur certifiai que la « reprise » de Strasbourg était une fausse nouvelle et que le premier qui tenterait de partir serait descendu sans sommation. Moi-même je ferai des rondes, plusieurs dans la nuit. A l'appel du lendemain et du surlendemain, pas un homme ne manquait.

— Le matin du 24 décembre 1944, nous subîmes un bombardement d'artillerie pendant quelques heures. C'était assez mal ajusté. L'après-midi fut très calme. Nous nous étions promis de faire un petit réveillon. C'est Auguste qui s'en était occupé : un peu de farine délayée dans l'eau avec quelques morceaux de mou, le tout agrémenté d'un peu de graisse ; mais quel délice ! Nous avions une carafe de vin blanc, un bon verre chacun, peut-être deux. Nous avions décidé de commencer nos agapes à minuit tapant. Vers 11 h 30, je venais de faire ma ronde... Nous étions assis par terre autour du feu. Tout à coup, intense fusillade et au même moment la porte s'ouvre violemment. Dans l'encoignure se présente un soldat, mitraillette à la main. A peine rentré, il est ressorti. Nous n'avons pas encore compris pourquoi il n'a pas tiré. Il pouvait tous nous coucher en quelques secondes. Ce fut naturellement une fuite éperdue. Ça sortait de toutes les baraques, sous un feu nourri. C'était la nuit. Tout le monde tombait. Nous butions dans les troncs d'arbres, dans les branches. Même le bataillon italien s'enfuyait à toutes jambes. Quelle courette! Nous avons ainsi couru plus d'une demi-heure. Les coups de feu toujours aussi nourris s'éloignèrent de plus en plus. Nous avons fait une petite halte. Les hommes arrivèrent de partout. Un ordre retentit dans la nuit : nous prenions la direction d'un col abondamment garni de neige glacée. Ça grimpait à un train d'enfer. Les lâchés n'avaient aucun espoir de revenir. Ce fut une grimpette qui s'arrêta tout en haut de la montagne, à 6 heures du matin. Nous étions vidés. Il y avait un petit plateau avec quelques granges. Cet endroit s'appelle « Meurs la Rouppa ». Janko m'a dit que ça voulait dire en serbo-croate : « l'endroit le plus froid ». Il a fallu trouver une place pour se reposer et se mettre à l'abri d'un vent glacial à cette altitude. D'autres bataillons étaient arrivés avant nous. C'était une attaque générale des Allemands et des Oustachis. Suivant leur bonne méthode, ils nous chassaient au plus haut pour nous faire crever.

— Les premières baraques : impossible de trouver une place. Le sol était jonché de partisans endormis. Finalement, à l'extrémité du plateau, il y avait une grange pleine de bûches avec du foin mouillé : presque du fumier. Nous nous sommes vautrés là-dedans. Quel formidable Noël 1944. Avec Cognet, dans notre correspondance de fin d'année, nous évoquons souvent cette nuit de cauchemar. Nous sommes restés là pendant huit jours avec un brouet clair le matin, un brouet clair le soir. Sans la moindre patate, sans la moindre pincée de maïs ou de quoi que ce soit. Il faisait moins 30°. Infernal! Et cependant j'avais un fameux entraînement. L'ennemi ayant regagné ses bases, nous redescendîmes à Zolla. Tout était brûlé excepté l'église et les cadavres des gens qui nous avaient hébergés — une dizaine environ — étaient allongés devant le cimetière.

— J'appris là que la patrouille italienne, qui gardait la route, s'était enfuie lors de l'attaque, sans donner l'alerte, sans donner un coup de fusil le 24 décembre à 11 heures et demie, de sorte que les hommes du bataillon italien qui se trouvaient dans les deux premières maisons ont été surpris et tués. Les autres victimes avaient été décramponnées dans l'escalade du col. Et tous mes Alsaciens étaient là. Ils étaient entraînés les bougres et tous mes petits Français aussi.

— Très bref séjour à Zolla. Alors commença la longue marche vers la Croatie, afin de la traverser, de rejoindre ensuite la Dalmatie libérée. Je passe sur les embûches de toutes sortes rencontrées pendant notre marche : la neige, le froid, les attaques de l'ennemi, la traversée de la Save, les nuits à la belle étoile, les marches de nuit. Un calvaire. Mais nous avancions. Nous avons atteint la Croatie, fin janvier, début février. Nous avons stationné dans une région, changeant souvent de place, entre Cernoml, Delmci, Karlovac.

— Un beau jour à Cernoml, un Yougoslave me dit : « Il y a des Français un peu plus loin. Ils ont le même costume rayé que tu avais avant. » Je me rends de suite à la maison en question et que vois-je? Trois Français : Moreau, Backer, Aubert. Ils étaient au Loibl-Pass et s'étaient évadés deux mois après nous. Ils m'expliquent leur évasion et me disent que Ménard était avec eux mais que, épuisé, il était resté dans un village situé à quelques kilomètres. Il faut dire qu'eux-mêmes étaient dans un triste état.

— Je partis donc la nuit à la recherche de Ménard dans le village en question. Après avoir visité plusieurs maisons, je le trouvai allongé, amorphe, usé, recroquevillé sur lui-même. Je l'attrapai et l'embrassai. « Je vais t'emmener avec moi. » Il pouvait à peine parler tellement il était vidé.

En rayé, pas de lainages, pas de chaussettes, de pauvres galoches trouées aux pieds. Je le pris sur mon dos et l'emmenai sans difficultés. Il ne pesait presque rien. Arrivé à Cernoml, il mangea une bonne soupe. Il y avait du feu dans la pièce. Je restais allongé sur le parquet près de lui. Nous nous sommes endormis. Le matin il parlait plus facilement. Je ne le quittais pas d'une semelle (je pouvais dire ça maintenant). Le Yougoslave qui servait la soupe avait pris pitié. « Tiens, disait-il, pour le petit Français. » Et il avait double gamelle. Nous parlions beaucoup. De temps en temps il s'assoupissait. Il aurait fallu que cette tranquillité durât un mois pour espérer le voir se tenir normalement. Hélas! au bout de quatre jours l'ordre nous fut donné : il fallait partir. Une trentaine de kilomètres à faire dans la neige et le froid. 10, 20, 30, 40 centimètres de neige parfois. Ménard était incapable de partir. Il n'aurait pas fait 100 mètres. Il était beaucoup plus raisonnable qu'il restât là avec deux autres, incapables de marcher, dont un Alsacien qui avait les pieds gelés. Il y avait un feu, un toit à peine endommagé et ce Yougoslave qui s'occupait des cuisines et qui m'avait assuré qu'il prendrait soin de lui. Je n'ai jamais revu Ménard. L'Alsacien aux pieds gelés a dit qu'ils avaient été attaqués et que sûrement il n'avait pas pu s'enfuir. Il a dit cela en 1945, quand il est revenu à Strasbourg.

– Nous partîmes donc et, à marches forcées, toujours avec de nombreux reculs en arrière, retours en avant, selon les caprices de l'ennemi (je passe sur toutes les aventures pendant ce parcours). Vers le 15 février, nous sommes arrivés dans une petite ville de Croatie appelée Glina, située à une vingtaine de kilomètres de Zagreb. Il faisait moins mauvais. Il y avait des fermes, des civils, un peu d'activité. La maison où nous couchions, toujours par terre évidemment, avait des fenêtres. C'était l'école. Il faisait moins froid. Il y avait une mission anglaise. A 10 kilomètres, une petite ville d'eau (eau gazeuse chaude) nommée Topousco. Aussi une mission anglaise, commandée par un capitaine, qui était là depuis quinze jours. Il remplaçait Randolph Churchill qui était resté là, à Topousco comme chef de mission pendant plusieurs mois.

— Nous sommes restés dans cette région un peu plus d'un mois. Il était impossible de s'aventurer vers la Dalmatie, pays libéré, car la route était très dangereuse, vers Bihac et Gospic le coin étant infesté d'Oustachis, très nombreux en Croatie. En mars, Split, puis avril Bari, Naples, etc.

— Qu'est devenu [1] Janko Tisler? Il est resté chez les partisans jusqu'à la fin de la guerre. J'ai reçu de ses nouvelles fin 1945. Nous avons échangé une correspondance suivie. Il avait l'intention de poursuivre ses études en géologie à Paris. Je lui envoyais, sur sa demande, un certificat d'hébergement. J'ai été très heureux de l'accueillir. Il habita chez moi, dans une petite chambre confortable, puis fit venir sa femme, elle aussi héroïne de la résistance yougos-

1. Janko Tisler a raconté lui-même, à ses anciens camarades, le 7 août 1971, au cours d'une réunion des « anciens du Loibl-Pass », comment il avait été obligé d'abandonner le chantier du tunnel.

— A 9 heures du matin, le 1er juillet, quatre S.S. vinrent pour m'arrêter dans le petit château derrière l'église. J'eus de la chance. Une fois de plus, grâce à l'ingénieur slovène nommé Cevin, qui répondit aux S.S. : « M. Tisler a quitté le bureau. » Bien que je fusse présent. Je dus donc conduire les quatre S.S. en direction du tunnel en leur conseillant de prendre la personne qui, devant le tunnel, porterait l'appareil topographique. Ils me crurent et, après les avoir accompagnés pendant environ 50 mètres, tandis qu'ils se rendaient seuls vers le tunnel, je repris le chemin du château où mon bagage était toujours prêt. Et c'est ainsi que, dans l'après-midi, j'avais rejoint les partisans entre Loibl-Pass et Trzic.

— Malheureusement, à la poste, la liaison était coupée; il n'y arrivait plus ni colis, ni nouvelles, mais la liaison avec le camp, elle, subsistait. Grâce à Mlle Selena qui travaillait au camp, je recevais très régulièrement des nouvelles. Vers le 15 septembre 1944, elle m'adressa un rapport concernant des ouvriers civils qui travaillaient en dehors du tunnel. Ils étaient deux cent quarante-huit au total, dont cent vingt-trois Slovènes, vingt-deux Allemands et Autrichiens, trente-deux Croates, soixante-trois Italiens, deux Polonais, un Grec et un Tchèque. Nous décidâmes d'entreprendre la mobilisation totale de tous ces civils. L'action fut entreprise le 30 septembre 1944, à deux heures de l'après-midi, sur la route qui descend vers Trzic. Nous barrâmes la route, arrêtâmes deux camions chargés d'ouvriers et cent trente personnes environ furent mobilisées. Après un premier tri, à proximité de la route, nous gardons soixante-dix civils, dont sept Italiens et un Français (Jean Vœren, né le 11 novembre 1921 à Volfloroy, Loire. Sa profession : maçon). Les autres étaient Slovènes. Ainsi le nombre des travailleurs civils du tunnel était réduit au minimum.

lave, et sa fille, la petite Militza. Nous devons une reconnaissance infinie à cet homme qui a pris tous les risques pour nous venir en aide. Il fait partie du petit monde que j'admire profondément.

— Quant à Selena Vilman, elle a été arrêtée aussitôt après notre évasion. Comme un tout petit nombre était au courant de nos relations, je suppose que c'est Gartner, le kapo, qui m'avait arraché la lettre des mains dans le tunnel, qui a parlé. Selena m'a écrit, après sa libération. Elle devait venir à Paris. Finalement, elle s'est mariée à Secénice avec un officier partisan.

— J'ai tenu à pousser mon récit jusqu'en Croatie le plus rapidement possible, oubliant volontairement bien des épisodes pour en arriver à ma rencontre avec André Ménard et aussi pour parler de Jean Pagès.

— André Ménard, de Rennes, un des pionniers du réseau « Action », à peine dix-huit ans à son arrestation.

— Jean Pagès, de Prats de Mollo, une quarantaine de passages pendant la guerre jusqu'en janvier 1943.

— Comme on a très peu ou pas parlé de ces deux hommes, je vais vous dire ce qu'ils ont fait : après quinze mois et plus de déportation, dans un état physique que nous connaissons bien, qui aurait réclamé beaucoup de soins attentifs, ils se sont évadés avec un cran extraordinaire. Ils ont refusé de subir, de se soumettre. Ils ont montré aux bourreaux qu'ils ne les avaient pas abattus.

— Ils se sont évadés pour aller où? Chez les partisans yougoslaves. Alors que ceux-ci rejoignaient les maquis, avec leur sac plein de lainages, de victuailles, parfaitement équipés et entraînés, pouvant se ravitailler, ceux-ci, malgré tout, mouraient de froid dans une proportion énorme. Pagès et Ménard sont partis en « pyjama » (le vêtement rayé en ersatz) avec aux pieds d'affreuses galoches. Ils se sont trouvés dans une guerre impitoyable, durant l'hiver 1944. La neige, le froid, la pluie, des températures de l'ordre de moins 10, moins 15, moins 20°, à suivre presque toujours la ligne des crêtes; nourriture insignifiante à n'en même pas parler;

l'ennemi multiple : Allemands, Oustachis, Tcherkess, Bellogardistes. Pas de prisonniers. En général celui qui était touché, restait sur place. Pas de docteurs, d'infirmiers, d'ambulances, presque toujours des balles. Pour dormir? Dans la nature, dans des maisons ou des granges, la plupart du temps en piteux état, dans la paille mouillée.

— La Yougoslavie 1940 : treize millions d'habitants. La Yougoslavie 1945 : un million quatre cent mille morts dont quatre cent mille au moins morts de froid dans la montagne.

— Pagès est enterré sur les bords de la rivière Isonzo, à la frontière italienne, dans une fosse commune.

— Ménard en Croatie, près de Cernoml, dans la région de Delnice. Je pense souvent à eux quand je vois des résistants de tous bords gorgés d'honneurs, bardés de décorations. Combien y en a-t-il qui auraient suivi Pagès et Ménard... seulement 10 mètres [1]?

---

1. Témoignage Fernand Pimpaud (inédit) :

— Mon camarade Pagès devait trouver la mort dans un dernier combat, dans une grande forêt où quatre mille partisans, cernés, furent massacrés par une division S.S., fin avril 1945. A la suite de cette bataille, qui dura plus d'une semaine, à peine deux cents survivants s'en tirèrent.

— Après m'être caché trois semaines dans la forêt, en vivant (ou plutôt en survivant) de racines et de fruits sauvages, je rencontrai deux Italiens, réchappés comme moi de cette bataille. Je puis dire que l'un d'eux, le camarade Alexandro Musina, m'a sauvé la vie. C'était un homme simple et extraordinaire, ayant une parfaite connaissance de la région. Sur tous les plans, il savait toujours exactement ce qu'il convenait de faire ou de ne pas faire, au milieu d'une région infestée d'Allemands battant en retraite.

— Je suis arrivé à Cormons, pays de mon camarade italien, après une extraordinaire odyssée. Là, nous avons reformé des groupes de partisans jusqu'à l'arrivée des Anglais.

— Le 8 mai 1945, j'ai pris la route de France à pied et, le 17 mai, j'arrivais enfin à Paris où je retrouvais ma femme.

Camp de Loibl-Pass : les derniers jours.

— Le samedi 5 mai 1945 [1], réveil à l'heure habituelle. Travail au tunnel. Retour à midi. Pas de travail après la soupe de midi. A 16 heures, rassemblement, y compris des malades valides. Pas d'alignement. Pas de comptage des hommes. Le commandant du camp, Winkler, se présente devant nous sans son revolver. Il réunit les interprètes et appelle l'attention sur ce qu'il va nous dire : « La guerre est terminée. Nous sommes dès maintenant des hommes libres, mais nous devons rester quelques jours au camp, jusqu'à ce qu'une organisation alliée nous prenne en charge. » Il nous recommande une bonne tenue et une discipline volontaire. Nous prévoyions un événement quelconque depuis quelques jours, du fait que nos bourreaux tortionnaires, les chefs de blocks, avaient abandonné leur tenue « haftling » pour l'uniforme des S.S. et étaient soumis chaque matin à un entraînement intensif de marche et de tir. Aussi avions-nous constitué un « Comité de gestion » du camp, tendance Front National. Il comprenait notamment : Pasquier, Loirat, Gaudin, Charlet, Theeten, Yanouch, Balsan, etc. Aussitôt que le commandant eut terminé sa harangue, les membres du Comité quittèrent les rangs et se placèrent sur l'estrade, à ses côtés. Pasquier fit traduire à celui-ci l'intention du Comité de prendre en main la gestion du camp après s'être fait ratifier par l'ensemble des camarades. Pasquier explique en français (que chaque interprète traduit à tour de rôle), les raisons de la constitution de ce Comité, ses buts et moyens, et demande la ratification immédiate, aussitôt accordée. Il fait appel à la raison de chacun pour la bonne tenue et la propreté du camp, la discipline librement consentie et propose quelques minutes de silence, en hommage à la mémoire de nos malheureux camarades morts en captivité, et au président Roosevelt pour son action en faveur de la paix. Puis il exige du commandant une substantielle amélioration de la nourriture pour commencer. On peut aisément imaginer notre état d'âme...

1. Manuscrit inédit Jean Gesland (notes sur la libération du Loibl-Pass).

Dimanche 6 mai 1945.

— Réveil à 8 heures (au lieu de 4 h 30). Liberté totale dans le camp. Aucun incident notable si ce n'est que, dans la nuit, la garde volontaire a pris des camarades volant des denrées au magasin, qu'elle leur a fait aussitôt restituer au collectif. Pour regrettable que ce soit, ce vol après l'appel à la discipline, il n'est pas surprenant après tant de mois de sous-alimentation. Nous ne travaillons plus évidemment, et ne travaillerons plus. Le tunnel en restera là... Nous avons tout loisir, enfin, de contempler le magnifique panorama dans lequel, depuis si longtemps, nous vivons une existence de souffrances et de tortures, de bêtes affamées. Si tout nous semble encore tellement plus beau maintenant que nous sommes à peu près sûrs de sauver notre vie, nous ne pouvons pas ne pas éprouver une peine profonde et angoissée pour les pauvres gens qui, depuis plusieurs jours, s'égrènent au fond de la vallée en un interminable exode, au long de la seule route qui conduise au col. Primitivement composé presque exclusivement de militaires en déroute, le long serpent s'augmente progressivement d'éléments civils, serbes, allemands, slovènes armés jusqu'aux dents, bousculant tout sur leur passage, courant, hurlant, marchant à reculons pour tirer sans fin sur un adversaire invisible. Ce sont les groupements réactionnaires et collaborateurs, oustachis, blancs-gardistes, mikhaélovistes, etc. fuyant en protégeant leur retraite devant les républicains yougoslaves. Au soir, nous nous apercevons que nos tortionnaires qui, depuis hier ne pénètrent plus dans le camp, préparent leur départ qui, d'après ce qui se dit, doit avoir lieu dans la nuit. La soupe aux deux repas a été sensiblement améliorée, mais le commandant du camp s'est refusé à donner les rations demandées par le Comité, sous prétexte qu'il doit faire face aux provisions de route de ses troupes.

— Je ressens une légère douleur au mollet gauche. Yanouch diagnostique une trombo-phlébite et m'ordonne le lit dans l'immobilité la plus complète. Il fait un temps magnifique. C'est le printemps, la liberté, la joie dans les cœurs. Chacun déambule en devisant, et je me morfonds sur ma paillasse, dans la crasse et la puanteur. Les pronostics sur le jour et les différents modes de libération vont leur train...

Lundi 7 mai 1945.

— Réveil 7 heures. Vers midi, les camarades de Newmark remontent, harassés d'avoir eu à faire les 12 kilomètres de route avec les interminables convois de l'exode. Les S.S. et policiers sont toujours là et toujours prêts à partir. Nos tortionnaires de chefs de blocks, déguisés en S.S., vont et viennent, désœuvrés, heureux de se sentir à l'abri des vengeances de l'autre côté des barbelés. Ils se désennuient en tirant au fusil et au revolver dans la montagne, ajoutant à la tristesse infinie de cet exode interminable qui ne cesse ni la nuit, ni le jour. Je retrouve Morin qui, à peine, a le temps de me dire bonjour. Le bruit du départ immédiat s'est répandu subitement... Affolement général. On court au paquetage, à la distribution des vivres, on pille le magasin aux chaussures, on déchire les draps pour confectionner des balluchons, on s'énerve. « On va à Klagenfurt, à Udine, à Trieste. » Personne ne sait exactement, mais chacun prétend savoir. Le commandant assiste, impassible et impénétrable, à cet affolement qu'il aurait bien vite réprimé, à coups de schlague, en d'autres temps. Enfin les S.S. se groupent à la porte du camp. Ils sont armés mais, paraît-il, sans cartouches. Les déportés sont groupés par nationalité, et le départ s'effectue au chant des hymnes nationaux. La colonne des bagnards « libérés », précédée et fermée par des groupes de S.S., s'insère non sans difficulté dans l'immense et incessant serpent des fuyards. Seul Jean Mesmer vient me dire au revoir en courant. Et les quelques infirmes que nous restons sommes abandonnés à nous-mêmes, avec, hors des barbelés, les quelques S.S. qui restent, toujours en instance de départ.

— Au Revier, l'équipe Joseph, Roland, Michel est partie sans la moindre hésitation, abandonnant les malades aux soins de Yanouch et de Roger, d'ailleurs volontaires. Nous sommes une vingtaine : Français, Polonais, Allemands et

Yougoslaves. Ces derniers, qui ont été placés au camp par les Oustachis, n'ont pu suivre la colonne des valides de crainte d'être tués par ceux-ci au cours de leur retraite devant les républicains. Alors, ils s'habillent en civils et partent, par petits groupes, isolés, en évitant les blancs-gardistes en retraite. Nous sommes donc les maîtres du camp et commençons à nous organiser à l'intérieur du baraquement du Revier. Roland Lecontre, heureusement, est à peu près valide, et comme il est cuisinier de métier, il se charge de la cuisine. Gaudin et moi, immobilisés sur nos paillasses, ne pouvons rien faire.

Mardi 8 mai 1945 [1].

— Pas de réveil officiel naturellement mais chacun se lève de bonne heure. Vers 9 heures, les S.S. partent enfin, commandant en tête. Nous voici enfin soulagés... même de leur vue. Quatre anciens déportés allemands, affublés malgré eux de l'uniforme S.S., ont pris la fuite peu avant le départ de ceux-ci. Aussitôt après le départ des S.S., le pillage commence. Ce sont les fuyards qui profitent des longs arrêts forcés de la colonne pour s'égailler vers le camp. Et tout y passe. Tous nos camarades valides se précipitent sur la cuisine et, en de nombreux voyages, rapportent des

---

1. Ce 8 mai 1945, la colonne des déportés valides du Loibl-Pass sera libérée par les partisans.

— (Le 8 mai), notre lugubre convoi rencontra sur la route un camion de ravitaillement en panne. Malgré nos gardiens, nous nous jetâmes dessus et, en un instant, il fut pillé. Pendant cet incident comique, l'un des S.S., désespérant de nous voir obtempérer à ses ordres, tirait des coups de revolver par terre, sans pour cela oser tirer dans notre tas, car nous étions trop nombreux et nous aurions pu nous jeter sur lui.

— C'est vers ce moment-là que les partisans yougoslaves sortirent d'un bois voisin, vêtus d'uniformes verts hétéroclites, avec l'étoile rouge sur le front.

— On se serait cru dans une scène de film soviétique. Les S.S. furent désarmés et emmenés. Les communistes rejoignirent les rangs de l'armée de Tito. Quant à moi, je pris la tête de la colonne de tous les autres Français au nombre de soixante environ...

— Nous marchâmes par la Rosenbach (vallée des roses) vers la gare de Rosenbach. Sur notre route, nous vîmes un nuage de poussière s'avancer vers nous. C'était une colonne de chars de cavalerie, éléments avancés de la 8e armée britannique, qui avait franchi, la veille, le col du Taruis (témoignage Louis Balsan).

quantités considérables de vivres de toutes sortes. Nous avons grandement la subsistance assurée pour longtemps, malgré que les innombrables pillards plient sous le poids des charges qu'ils emportent; et cela durera toute la journée et le lendemain, sans interruption ni de jour ni de nuit. Et le commandant prétendait ne pas pouvoir améliorer la nourriture en ces derniers jours!

— La route est jalonnée de voitures de toutes sortes, abandonnées souvent avec leur chargement de caisses de munitions, de fusils brisés, de casques, de mobilier, de literie, d'ustensiles les plus hétéroclites...

Mercredi 9 mai 1945.

— Toujours le même spectacle ininterrompu : l'exode et le pillage sans fin. Nous passons une journée tranquille au milieu de ce brouhaha qui monte toujours de la vallée sans que la montagne, dans sa majesté, semble seulement s'en apercevoir. Cependant, nous remarquons de plus en plus que sont agressifs les hommes qui montent jusqu'au camp pour piller. Certains entrent au Revier sous un prétexte quelconque : demander à boire ou à manger, quelque chose à emporter, d'autres nous interpellent au travers des barbelés. Ils nous parlent des bandits de partisans qu'il faut exterminer parce qu'ils sont la cause de toutes ces misères, ils ont fait massacrer beaucoup de Yougoslaves. Ils se tournent vers le sud en braquant leur revolver dans un geste de menace et de vengeance. On les sent pleins de haine et de rage, leurs yeux brûlent de colère. Je vois une femme bottée et nue sous une blouse noire qui s'écarte et ne laisse plus rien deviner à mesure qu'elle saute de rocher en rocher, revolver au poing, comme une sauvage. Puis c'est un jeune garçon, de douze ans tout au plus, qui surgit dans le Revier, un revolver dans chaque main, le doigt sur la détente; ses yeux sont exorbités, hagards, pleins de haine. Il marche sur moi qui suis couché nu au soleil et braque son revolver dans ma direction. Je suis seul et je sens un frisson de terreur me parcourir. J'ai le sentiment que je vais être tué par ce gosse au moment où, après tant d'années de misère, de souffrances et de désespoir, je suis sur le point de revoir ceux que j'aime. Heureusement, Yanouch, toujours Yanouch, l'a vu et surgit derrière lui. Il lui enserre les deux bras et l'empêche de tirer. La pensée nous vient de le désarmer et de le corriger comme il le mérite mais nous craignons de provoquer de terribles représailles de ceux de sa bande si surexcités contre nous sans défense. Et Yanouch se contente de l'éloigner après lui avoir expliqué ce que nous sommes et ce que nous faisons là. Dès ce jour, le crépitement des mitrailleuses, des fusils, des revolvers, le sifflement des fusées, des obus va toujours croissant. La montagne se couvre de fumées, l'odeur de poudre se répand partout. C'est un combat de sauvages contre un ennemi invisible. Partout des incendies s'allument et irradient la montagne, et toujours l'incessant serpent de l'exode qui allonge lentement ses anneaux dans un mouvement saccadé d'arrêts brusques et de départs épuisants. Les véhicules militaires sont de plus en plus nombreux : camions blindés, chars d'assaut, camions antichars. Au Revier, nous ne sommes plus que quelques-uns. La plupart de nos camarades allemands et polonais ont fait leur sac et se sont joints à la colonne d'exode allant, eux aussi, vers l'inconnu. Nous ne sommes plus que quelques Français et deux Polonais mourants. Yanouch est descendu à Neumark dès mardi. Il a pu faire téléphoner à l'hôpital pour demander qu'on vienne nous chercher. Réponse : « Peu de places et peu de vivres, et surtout pas d'essence. On va tâcher de s'en procurer et, en cas de réussite, venir nous chercher dès que le dégagement de la route permettra d'y circuler. » Il rentre le soir, exténué de ces quelque 30 kilomètres en montagne et à contre-courant des fuyards. Il était en « haftling » et, de ce fait, s'est fait interpeller par un officier allemand qui lui a demandé toutes sortes d'explications ridicules, comme si les Allemands étaient encore les maîtres. Il a essayé en route d'obtenir des voitures de Croix-Rouge qu'il a rencontrées, qu'elles nous prennent au camp, mais sans succès. Il est retourné à Neumark aujourd'hui, voyant qu'aucun secours ne nous venait de l'hôpital, malgré la promesse faite; mais cette fois, il a enfilé de vieilles loques civiles abandonnées pour ne plus se faire interpeller.

Il rentre le soir, épuisé. L'hôpital a pu se procurer l'essence nécessaire, mais toute circulation est toujours impossible sur cette seule et unique route de la gorge, toujours encombrée par l'exode interminable et pitoyable. Et les derniers camarades valides des jambes s'en vont à leur tour à l'aventure. Nos vœux les accompagnent... et nos cœurs se serrent...

Jeudi 10 mai 1945.

— Nos camarades ne sont pas revenus; ils ont donc dû réussir à franchir le tunnel. Ils doivent être maintenant avec les Anglais ou les Américains. Peut-être aurons-nous la joie d'apercevoir leurs ambulances dans la soirée ou demain matin... En attendant, toujours ce lamentable défilé, toujours le pillage de nos baraques, toujours ces tirs de fusils, de mitrailleuses, de canons dans toutes les directions. Nous nous apercevons tout à coup que le block 5 est en flammes. La vallée se couvre d'une épaisse fumée noire qui monte en vrille et ternit le soleil couchant. Dix minutes ont suffi pour anéantir ce lieu de tant et tant de mois de souffrances, que nous avons laissé brûler sans tenter d'en sauver quoi que ce soit. Nous craignons que le tir n'atteigne les autres blocks et surtout celui dans lequel nous nous sommes réfugiés. Nous nous préparons à le fuir à tout moment. Yanouch nous assigne à chacun une tâche et éventre les barbelés les plus proches pour nous livrer passage. Mais la question des deux Polonais mourants le préoccupe : il ne voudrait pas les abandonner, et cependant fuir avec eux est impossible puisque nous sommes tous impotents et ne pouvons déjà pas nous traîner nous-mêmes. Il craint pour moi l'embolie si je fais le moindre effort. Nous nous étendons sur nos paillasses tout habillés et ne pouvons dormir.

Vendredi 11 mai 1945.

— Toujours le défilé, toujours la canonnade. Dès le début de l'après-midi le feu dévore le block 1 et nous apercevons un homme qui place au pied de la cuisine une fusée incendiaire. Roger court l'enlever avant qu'elle n'éclate mais il est vu d'un blanc-gardiste qui le menace de son revolver en hurlant que les partisans sont des sauvages qu'il faut exterminer et qui le seront tous sans exception (c'est Yanouch qui nous traduit). Quelques heures après, une nouvelle fusée incendiaire est découverte au même endroit. La volonté des blancs-gardistes d'incendier tout le camp ne peut plus faire de doute et nous risquons d'être grillés dans notre block. Nous n'avons toujours pas résolu la question du départ à cause des deux mourants qui sont parfaitement conscients du danger et qui pleurent, s'énervent, priant qu'on ne les abandonne pas. La nuit tombe et le crépuscule augmente notre angoisse. Le tir nous environne. Un obus vient d'emporter la toiture de l'un des blocks des policiers. A peine sommes-nous de nouveau étendus sur nos paillasses qu'une lueur formidable déchire la nuit. C'est le poste de garde qui flambe avec toutes ses munitions. Les cartouches, grenades, obus éclatent et projettent leur mitraille tout autour de nous et sur l'inépuisable ruban des fuyards qui se dispersent précipitamment de tous les côtés, courant souvent au-devant de la mort qu'ils voulaient éviter. Ce sont des explosions formidables qui nous couchent à plat-ventre. Nous voulons gagner les rochers proches par les ouvertures que Yanouch a pratiquées dans les barbelés, mais il est déjà trop tard pour s'exposer, et les deux Polonais nous surveillent, pleins d'anxiété. Nous sommes à plat-ventre sous les lits depuis déjà longtemps sans que les explosions s'apaisent. Des éclats trouent la toiture de notre block, les vitres sont brisées. Une lueur et une explosion plus formidables encore déchirent la nuit; le block en a été secoué, les portes et les fenêtres arrachées. Le bruit vient de la route. Je me risque à regarder. C'est un camion de munitions qui explose à son tour. Une immense flamme monte au ciel, les explosions se succèdent en crépitant, là, tout près de nous. La chaleur est suffocante et la mitraille brûlante retombe sur la toiture, traverse les cloisons. Fuir? Il est encore trop tard. Les quelques mètres seulement qui nous séparent des rochers sont impossibles à franchir, et puis... il y a toujours les deux Polonais... Je regarde le foyer qui s'apaise. Plus âme qui vive nulle part aux environs. Au travers des flammes qui diminuent peu à peu se dessinent dans l'ombre les carcasses des caissons de voitures, les cadavres des chevaux éventrés. Une nouvelle explosion me rejette à plat-ventre sous un lit (ce que c'est que l'instinct) et toujours cette terrible canonnade qui ne s'arrête pas. Rien à faire qu'à attendre le jour si la chance veut que nous le revoyions. Les explosions s'espacent, puis se raréfient. Le calme est à peu près rétabli quand le jour se lève.

Samedi 12 mai 1945.

— Nous regardons le spectacle inoubliable de ce ravage indescriptible. Tout est noir, fumant, se consumant, lentement, jusqu'à plus de 100 mètres du camion qui a explosé. Ce ne sont que débris, carcasses, fers tordus; personne n'ose approcher, et cependant peu à peu le long serpent interminable de l'exode se reforme, en contournant le foyer dangereux. Les gens passent à proximité de notre block. Ils nous regardent, comme surpris de voir là des vivants après ce carnage. Le soleil monte, resplendissant dans un ciel sans nuage. Toute la vallée n'est que fumée. Nous sortons de sous nos lits. Depuis un moment, la canonnade a cessé. En profiterons-nous pour fuir dans les rochers avant qu'elle ne reprenne? Je suis de cet avis avec quelques autres camarades. Yanouch aussi, mais il veut, lui, rester avec les deux mourants qui ont toute leur connaissance et auprès desquels il est resté pendant tout le danger, tenant une main à chacun d'eux. Nous tentons de le persuader de se mettre à l'abri avec nous, lui faisant ressortir que, puisque de son propre avis de médecin ils n'en ont plus que pour quelques heures tout au plus, il est déraisonnable de sa part de s'exposer inutilement, d'autant plus que, démuni de tout, il ne peut absolument rien faire, même pas soulager leur agonie. Il reste inébranlable, nous expliquant qu'à ce moment il n'est plus le médecin, impuissant à les soulager, mais l'homme, le camarade dont la seule présence leur rend l'agonie plus douce. Il leur parle dans leur langue avec tendresse, et leur regard désespéré le cloue sur place. Il sent que sa présence les réconforte; la faible pression de leurs mains sur les siennes c'est comme s'ils tenaient celles de ceux qu'ils aiment là-bas, bien loin dans leur village. Brave Yanouch! Nous resterons donc tous avec toi. Vers 11 heures, fusillade et canonnade recommencent. Nous apercevons dans la nuit les feux des blancs-gardistes qui tirent de la « décharge ». Ils arrosent sans arrêt le débouché de la route et nous sommes en pleine trajectoire. Qu'ils tirent un peu court et tout est pour nous. Rien d'autre à faire que de se remettre à plat-ventre et de jeter un coup d'œil de temps en temps. Ils tirent, tirent toujours sans arrêt et sans que l'ennemi toujours invisible leur réponde. Le serpent des fuyards s'est dispersé, la route est redevenue déserte. Il semble qu'ils en profitent pour intensifier le tir. Les coups de feu partent de toutes les directions. Quelques mitrailleuses doivent être à quelques mètres seulement de nous, leur crépitement sec nous déchire les oreilles. Si, par malheur, les partisans se mettaient à leur répondre, nous n'en sortirions certainement pas vivants. Depuis combien de temps, et pour combien de temps sommes-nous encore sous les lits? Quelle heure peut-il être? Peut-être 15 heures? La fusillade ralentit peu à peu; depuis un moment elle ne donne plus que par saccades; on dirait quelques fous qui s'amusent à tirer sans raison. Nous nous risquons vers notre observatoire et apercevons les derniers groupes de blancs-gardistes qui quittent la « décharge » en file indienne. Ils se dirigent, fusils et mitraillettes braqués en se retournant à chaque pas, vers le tunnel. Partout où portent les regards, ce ne sont que foyers d'incendie dans la montagne. Peu à peu le calme revient. Il semble que les royalistes soient définitivement partis. Ils ont voulu couvrir la retraite des leurs jusqu'au dernier convoi et interdire tout passage aux poursuivants par ces feux de barrage. Nous commençons à respirer. Mais n'allons-nous pas être maintenant la cible des partisans? Ne vont-ils pas tirer à leur tour sur les quelques baraques qui restent, dans la pensée que des royalistes peuvent s'y être cachés?

— L'un des Polonais, le plus vieux, semble maintenant dans le coma. Yanouch voudrait que nous partions avec l'autre. Il pense que nous rencontrerons, en cours de route, des partisans qui nous porteront secours. Il nous coûte de le laisser seul avec le mourant. Il n'a plus aucun doute sur sa fin prochaine puisqu'il cherche un morceau de fer quelconque qui pourrait lui servir à creuser sa tombe. Dans ces conditions, nous lui suggérons de l'achever. Nous sentons en lui un drame de conscience magnifique, non pas qu'il songe une seule minute à adopter notre suggestion, mais il sait que nous ne voulons pas partir sans lui et que, ne pas profiter de cet instant d'accalmie inespéré, c'est peut-être dans quelques instants nous exposer tous de nouveau au danger dont nous venons de sortir vivants par miracle. Il finit par décider que nous devons partir avec le plus jeune des deux Polonais que nous porterons tant bien que mal sur une paillasse, et que lui nous rejoindra dans très peu de temps après qu'il aura enseveli, Dieu sait comment, le mourant. Je découvre une paillasse pour utiliser la toile comme brancard. J'y suis occupé depuis un moment quand Gaudin nous signale une charrette à chevaux qui sort du tunnel et se dirige vers Newmark. C'est le salut inattendu. En quelques secondes nous sommes prêts; nous défonçons les barbelés pour couper au plus court. Yanouch a pris sa décision : nous emporterons le plus jeune des deux Polonais dans la toile de paillasse, et lui restera avec le plus vieux et Roger. Nous courons après la charrette et la rejoignons. Elle est conduite par deux jeunes garçons et un vieillard yougoslaves qui ne nous comprennent pas mais nous acceptent sans difficulté. Nous y hissons le jeune Polonais mourant, sur le visage duquel l'espoir est revenu. Nous donnons quelques vivres aux conducteurs et nous nous mettons en route accompagnés de quelques balles de mitrailleuse qu'un fou attardé s'amuse à tirer sur nous; mais le détour de la route nous met bientôt hors de sa portée. Nous nous sentons pénétrés d'un profond soulagement. Mais je ne puis m'empêcher de penser à Yanouch qui, lui, court toujours le même danger. Je suis maintenant sauvé et il pourrait l'être comme moi sans cet infaillible dévouement qu'il exerce avec tant de volonté et de simplicité. La charrette descend lentement, les roues arrière bloquées par de gros rondins que les deux jeunes Yougoslaves appuient de toutes leurs forces contre les cerceaux pour faire frein;

nous sommes ballottés d'un côté puis de l'autre de la route, au gré des obstacles de toutes sortes qui la jonchent. Le temps est beau, tout est maintenant calme, frais, reposant. Je respire à pleins poumons et commence à retrouver mes facultés de réflexion. Je me demande ce qui se passe à la maison lointaine vers laquelle m'achemine lentement cet attelage délabré. Combien d'étapes encore et d'obstacles à franchir et de longues journées à errer avant de revoir enfin la France. On tire devant nous des fusées éclairantes, leur clarté déchire la nuit. Bientôt une voix gutturale, que je ne comprends pas, nous ordonne impérativement d'arrêter. Trois silhouettes d'hommes s'approchent de nous, revolvers braqués. Ce sont les premiers partisans que nous rencontrons. Ils interrogent nos conducteurs, mais ceux-ci ne les comprennent pas plus que nous et les explications en petit nègre de plusieurs langues ou patois sont laborieuses. Il en sera ainsi tout au long du trajet. Ils nous laissent enfin continuer notre route. Un peu plus loin, ce sont des hommes qui surgissent tout à coup sur notre côté; c'est un poste de partisans; il est si bien dissimulé dans les rochers qu'il est impossible de le découvrir : même interrogatoire, mêmes difficultés que tout à l'heure avec nos conducteurs. Plus loin encore, nouvel arrêt, cette fois à l'orée de Sainte-Anna dont nous apercevons les toits des maisons en silhouette sur le ciel. Mais cette fois on nous oblige à descendre de voiture et l'on nous guide à l'intérieur d'une maison occupée par les partisans. Des hommes et des femmes armés, l'air résolu, les uns en civils, les autres vêtus de pièces d'uniformes disparates; des officiers sans galons dont l'autorité se devine dans leur comportement et sur leur visage énergique et intelligent. On s'étonne de notre cortège, on nous questionne : qui sommes-nous, amis ou ennemis? Que faisons-nous sur cette route en pleine nuit et en tel équipage? D'où venons-nous? Où allons-nous? Quelques-uns parlent le polonais que deux des nôtres comprennent à peu près. Arrive enfin un homme jeune, à la figure énergique et intelligente, qui s'adresse à nous en plusieurs langues dont quelques mots de français. J'essaie avec beaucoup de peine de lui faire comprendre que nous sommes des prisonniers politiques libérés, abandonnés parce que nous étions malades, que nous cherchons à rejoindre Trzic pour nous y faire hospitaliser. Il me fait comprendre que nous repartirons dans quelques instants, et nous fait donner du café chaud. Je regarde les allées et venues de ces hommes et femmes qui viennent de livrer un dur combat victorieux et poursuivent prudemment l'ennemi dont ils veulent débarrasser leur patrie... C'est le premier contingent que je vois d'une armée du peuple; ma surprise est si grande que j'ai peine à croire ce que je vois. Je me sens plein d'admiration pour ces courageux combattants de la liberté. Nous reprenons notre route et avançons difficilement au milieu des débris de toutes sortes qui témoignent de l'acharnement féroce avec lequel les adversaires se sont combattus. Cadavres d'hommes et de femmes, de chevaux, voitures renversées, éventrées, munitions, armes, canons, camions rongés par l'incendie, paperasses, vivres, linge, chaussures, cigarettes répandus comme si on les avait semés, bicyclettes, machines à écrire... bétail et chevaux vivants par miracle, errant de tous côtés. Quel carnage! Il nous faut à tous moments dégager le passage de la charrette. Nous sommes certainement les premiers sur cette unique route de la vallée, à circuler après le combat.

— Les cahots répétés ne font pas l'affaire de notre malheureux petit Polonais qui crache le sang. Il a froid malgré la douceur de cette belle nuit. Entre deux crachements il me demande « Yanouch » et je lui fais croire que Yanouch sera là... demain; et son visage s'éclaire. Et tout au long du chemin, ce sera la même chose : son seul espoir, sa seule pensée, sa dernière joie : revoir Yanouch. Nous atteignons les premières maisons de Trzic; elles sont en flammes. On nous enjoint de finir la nuit dans un poste de partisans.

Dimanche 13 mai 1945.

— Nous nous dégourdissons les jambes devant la maison et cherchons une fontaine pour faire un brin de toilette; chacun s'ébroue d'un petit filet d'eau fraîche. Je me sens envahi à la fois d'une grande joie de retrouver la nature et la liberté et d'une grande peine que je ne m'explique pas. Je voudrais converser, parler, demander, questionner, mais comment faire entre gens qui ne se comprennent pas. J'entre de nouveau dans le poste voir où en est notre pauvre petit Polonais. Il suffoque sur sa paillasse. Avec un camarade, nous le sortons pour l'étendre au bord de la route; sa figure se ranime et il réclame toujours Yanouch. Quelques femmes, matinales, s'approchent. Elles s'étonnent de notre présence, voient le Polonais et aussitôt disparaissent pour revenir, bien vite, les mains pleines de ce qu'elles ont pu trouver chez elles : pain, gâteaux, lait, qu'elles nous distribuent de tout leur cœur. Elles forment un petit groupe autour du Polonais qu'elles essaient de faire manger et boire. Il tend les mains, le regard avide, mais ne peut absorber qu'un peu de lait.

— Le jour est maintenant tout à fait levé et voilà que j'aperçois Yanouch qui descend à pied de la montagne. Il paraît bien fatigué; nous nous précipitons vers lui et l'assaillons de questions. Le plus âgé des Polonais est mort un peu après notre départ. Il l'a enseveli de son mieux, presque à fleur de terre. Il est fourbu mais son premier soin est de s'informer du jeune Polonais. Dès que celui-ci l'aperçoit la vie revient sur son visage. Il est cependant mal en point, il a été trop gourmand des douceurs que les femmes lui ont données. Yanouch exige que les gens s'écartent du malade et le laissent reposer. Mais le bruit de la présence de notre groupe s'est répandu dans le village en fête qui, malgré l'heure matinale, danse dans les rues au son des accordéons et des orchestres improvisés. Tout le monde est à la joie, et c'est en chantant et dansant que des groupes compacts sont montés du centre du village jusqu'au poste de garde et nous entraînent. Le brancard du petit Polonais est aussitôt saisi par des volontaires et nous nous trouvons entourés de tous qui nous font cortège et en musique nous mènent vers le centre. C'est une joie exubérante qui nous étourdit quelque peu au milieu de laquelle nous allons, comme un troupeau, nous laissant mener sans savoir où, mais nous aussi heureux et confiants. Nous arrivons bientôt devant un immeuble qui semble être un hôtel dont les blancs-gardistes avaient fait leur poste de commandement. Les porteurs y pénètrent avec le brancard, et nous à la suite. Nous sommes dans une salle de café; banquettes de moleskine rouge, tables de brasserie. On nous fait asseoir dans un brouhaha indescriptible auquel nous ne comprenons rien; on nous donne des paquets de cigarettes, on apporte des verres, des carafes d'eau couvertes de buée, des couteaux, des fourchettes, toutes choses que nous ne connaissons plus depuis des années. Les plus proches de nos suiveurs nous mettent eux-mêmes les cigarettes dans la bouche, nous donnent du feu, nous versent de l'eau et nous font boire. Je suis ravi et touché de tant d'empressement, mais fumer et boire de l'eau fraîche à cette heure matinale et à jeun... Je préférerais manger quelque chose. Mais voici du pain et du pain blanc! Des années que nous n'en avons pas eu! Les choses surgissent on ne sait d'où : des assiettes (quel luxe!) avec de gros biftecks et des pommes frites, et l'on nous fait comprendre, par gestes, qu'il faut manger, que nous en aurons d'autres, autant que nous voudrons. Nous sommes saisis de joie et d'attendrissement devant tant de gentillesse spontanée de la part des gens qui, eux-mêmes, ont tant souffert et sont visiblement heureux de nous donner ce qu'ils ont pu cacher et soustraire à leurs bourreaux. Nous mangeons de bon appétit; je suis même obligé de ralentir la cadence car, à peine une assiette est vide qu'une autre surgit et mon estomac est depuis longtemps déshabitué de l'abondance et même de la suffisance. Nous sommes séparés les uns des autres. Entre chacun de nous se sont assis des paysans, des paysannes, des enfants. Ils nous regardent manger, nous versent à boire, nous touchent aux bras, aux épaules. Leurs mains, leurs yeux nous disent ce que nos langages ne savent exprimer, et nous les comprenons si bien! Mais j'entends du français dans tout le bruit. Je m'informe. C'est un homme qui vient d'arriver : yeux bleus, figure énergique, visage rayonnant, il est déjà accaparé par tous quand dans la bousculade, je parviens près de lui. Il nous dit qu'il revient d'accompagner Yanouch, le petit Polonais et nos plus impotents à l'hôpital, et que Yanouch nous rejoindra bientôt. Il y a à peine deux heures que nous l'avons retrouvé et le voilà déjà reparti avec ses malades, sans même avoir pris le temps de se restaurer quelque peu. C'est que, pour lui, chaque minute compte dans son désir, dans son besoin de sauver une vie, de soulager une souffrance, et puisque, à quelques kilomètres, il y a un hôpital, c'est immédiatement, sans perdre une minute, qu'il recrute des porteurs bénévoles pour y conduire ses malades. Je ne puis m'empêcher, dans cette joie délirante, de tous ces gens qui m'entourent, de songer à ce jeune docteur tchèque qui aurait pu, comme son confrère le docteur polonais J..., comme son aide-infirmier français R..., quitter le camp avec la colonne des valides. Sans doute serait-il aujourd'hui à Prague, dans sa famille, entouré de sa femme, de sa mère, de ses enfants qu'il avait si grande hâte de revoir.

— Yanouch est de retour parmi nous. Tranquillisé, il consent enfin à se restaurer un peu, et c'est de bon appétit qu'il fait honneur au steack pommes frites. Mais chacun voudrait qu'il traduise ce que tous ces braves gens nous expriment. C'est impossible. Nous nous attardons à fumer des cigarettes dans ce brouhaha joyeux. Nous entendons du dehors la musique et les chants des danseurs. Il fait beau. Quelqu'un s'est emparé de la chaise de l'un de nous et l'a placée devant la maison, au soleil, sur le trottoir qui borde la chaussée. Aussitôt tout le monde en fait autant et nous nous trouvons alignés contre le mur, assis face au soleil qui nous réchauffe, à contempler cette joie exubérante de toute la population d'un village libéré, envahissant la chaussée où toute circulation est impossible. Les Yougoslaves sont de fameux danseurs. Tout le monde danse, jeunes ou vieux, les musiciens comme les autres, jouant qui du violon, qui de l'accordéon ou de quelque autre instrument, tout en dansant. Rien n'est organisé, c'est du spontané. On dirait que rien ne compte plus que les chants et les danses au gré de chacun tant la joie est grande. Les femmes, les hommes, les enfants, tout le monde veut nous faire danser. Je regrette bien de ne pas savoir. Je vois Yanouch qui danse, ainsi que d'autres camarades que des femmes ont arrachés de leur chaise. Pour la première fois, j'entends le « Chant des Partisans » dont je ne peux comprendre les paroles, mais dont la musique me saisit d'un sentiment que je ne m'explique pas; c'est une sorte de fierté, d'orgueil, tellement elle traduit bien cette impression que nous avions dans nos misères de dominer nos tortionnaires du moment.

— Et les danses et les chants continuent et se poursuivront jour et nuit pendant plusieurs jours. Beaucoup de couples qui passent près de nous se séparent, nous adressent des compliments, des encouragements que nous ne comprenons pas mais qui nous font du bien. Je vois quelques camarades parmi ceux d'entre nous qui dansent, qui s'en vont tirés par le bras par leurs partenaires; quelques moments d'absence et ils réapparaissent méconnaissables, complètement transformés : gauches et empruntés dans leurs habits civils. C'est encore ce jeune ingénieur [1] qui a pris l'initiative de nous faire donner des habits. Yanouch, que j'ai perdu dans la foule des danseurs, vient vers moi, tout riant et reluisant, rasé de frais et vêtu d'un costume sport avec knickerbokers, bien chaussé, cravaté, complètement transformé. Je ne l'avais jamais vu autrement qu'en bagnard et nous nous amusons bien de sa transformation. Il me présente à deux fortes femmes qui semblent être Allemandes et sœurs, et m'explique qu'elles demandent que je les suive. Ce que je fais avec empressement. Elles me tiennent chacune par une main pour ne pas me perdre dans la foule des danseurs. Les gens que nous croisons s'en amusent : on dirait qu'elles viennent de m'arrêter. Après une assez longue marche au cours de laquelle elles n'ont pas cessé de me parler, en allemand je suppose, sans que je les comprenne, elles m'introduisent dans une coquette petite maison où, avec force gestes, elles me font comprendre que je dois les attendre dans l'entrée. Depuis si longtemps que je n'ai vu autre chose que des cellules de prison ou des baraquements de bagnards, j'examine tout avec curiosité et m'émerveille de la propreté. Elles réapparaissent bientôt, les bras chargés de linge et de vêtements, et m'entraînent à proximité dans une autre petite maison où il faut descendre des marches. Là se trouvent d'autres per-

1. C'est Janko Tisler qui a organisé la réception des déportés libérés.

sonnes occupées à quelques travaux de ménage, qui abandonnent aussitôt ce qu'elles font pour se précipiter vers moi, bras ouverts, mains tendues, avec force éclats de rires et de voix que je comprends être des souhaits de bienvenue. Mes deux Allemandes donnent leurs paquets à une jeune fille qui m'entraîne dans une arrière-salle où elle me montre une grande bassine pleine d'eau claire, des brocs pleins, du savon, une brosse à ongles, une brosse à dents toute neuve, gants de toilette et serviettes. Elle me montre une fenêtre au pied de laquelle passe une rivière à fort courant et me fait comprendre par gestes que je peux me déshabiller tout entier, jeter mes hardes dans la rivière et revêtir tout ce que les Allemandes ont apporté. Elle se retire dans la première pièce et referme la porte pour que je fasse tranquillement ma toilette. J'ai l'impression de vivre un rêve depuis ce matin : manger à sa faim, se laver, se vêtir, tant de choses simples et ordinaires de la vie de chaque jour que nous avions oubliées depuis des années... à tel point que je me sens tout gauche et ne sais par où commencer. J'examine les paquets posés près de moi : des chaussures, des chaussettes, un caleçon, une chemise neuve et épaisse, une cravate neuve, une casquette, neuve également, et un costume sport gris en parfait état. Ces femmes ont visiblement donné ce qu'elles ont trouvé de meilleur et je suis touché de tant de sollicitude. Je me déshabille, jette mes hardes dans la rivière, je les regarde sans regret s'en aller, emportées par le courant, et je procède à une toilette consciencieuse. Je m'habille et ne me reconnais pas moi-même. Ainsi nanti, je reviens dans la première pièce où attendent les personnes de la maison. C'est un éclat de rire général : les femmes tournent autour de moi, me palpent aux épaules, me font tendre les bras; le costume est évidemment un peu grand et je comprends à leur mimique qu'elles vont m'en procurer un autre; elles me font signe de m'asseoir pendant que deux des femmes sortent en courant et reviennent, peu après, avec un autre costume qu'elles placent devant moi. Je rentre me changer dans mon cabinet de toilette et reviens aussitôt à la satisfaction générale. Je retrouve mes deux Allemandes qui me reconduisent auprès de mes amis.

— Et la fête continue. On crie, on chante, on danse, les camarades s'égaillent dans le village. Chacun a son logement assuré d'avance tant les gens ont mis d'empressement à nous accaparer. Bien déçus paraissent ceux arrivés trop tard qui ne peuvent loger aucun de nous. Je suis logé avec Yanouch dans une jolie petite chambre à deux lits, dans la maison des deux Allemandes. Yanouch m'explique que ce sont deux sœurs dont les maris, antihitlériens, ont été déportés et dont elles sont sans nouvelles. Nous devions prendre nos repas chez elles mais les voisins se sont insurgés; dès lors qu'elles ont le privilège de nous loger, d'autres doivent avoir celui de nous nourrir. Nous déjeunerons chez celui-ci et dînerons chez cet autre; le petit déjeuner encore ailleurs pour que tout le monde en ait. Chacun de ceux qui s'offrent nous montre le chemin pour nous rendre chez lui. Le soir même, nous dînons chez le docteur du village qui, ayant appris la présence d'une confrère déporté libéré veut l'accaparer; mais les dispositions sont prises, nous ne pouvons revenir sur nos différentes invitations.

— Durant les quelques jours nécessaires à l'aboutissement des démarches pour notre évacuation, nous vivons dans une véritable euphorie. Pour le déjeuner, c'est dans une boulangerie où l'on me sert force gâteaux. La boutique borde la route et l'arrière de la maison donne sur un très grand jardin, traversé par la rivière. La patronne a installé une chaise longue sous les ombrages auprès de laquelle elle a placé quelques livres français. Elle me fait comprendre que je dois me reposer là et, chaque jour, vers 5 heures, elle m'apporte, toute souriante, un plateau avec le thé, le lait et les brioches. Partout où nous allons nous sommes l'objet de ces délicates attentions. Quel dommage de ne pouvoir s'exprimer! Ainsi, chacun de nous, où qu'il soit, est traité comme un pacha jusqu'au dimanche, jour où Yanouch nous informe enfin que le lendemain matin, lundi 21 mai, un car nous emmènera à Klagenfurt où nous trouverons des autorités anglaises qui se chargeront de notre rapatriement.

III

GUSEN II

Au cours de l'année 1943, l'administration centrale S.S. décida de créer, dans la dépendance territoriale de Mauthausen, un centre d'habillement pour ses troupes. La main-d'œuvre nécessaire au fonctionnement des ateliers de tailleurs, de transformation, de récupération, et des différents services de blanchisserie et de désinfection devait être fournie par le camp. Près de Gusen, à moins de 500 mètres du mur d'enceinte, limité par la propriété d'un maraîcher, la route Mauthausen-Linz et le chemin de fer à voie étroite construit pour évacuer le granit des carrières, un vaste terrain était disponible. Un kommando de Gusen, dirigé par le kapo Ludwig Gœtz, monta les premiers baraquements au cours de l'hiver 43-44. Quelques mois plus tard, l'administration centrale des camps décidait d'abandonner le projet de création du centre d'habillement et de convertir « lieux et locaux » en camp de concentration « vu l'affluence des détenus, à Mauthausen en particulier ».

— Gusen [1] II : bagne des bagnes, enfer des enfers, le camp de la mort, le camp du meurtre, le camp du suicide, le camp de la folie. Où êtes-vous, tous mes camarades qui êtes entrés, un matin d'avril 1944, dans ce camp ouvert

1. Bernard Aldebert. *Chemin de Croix en cinquante stations*. Librairie Arthème Fayard, 1946.

pour nous, et vous autres qui êtes venus, en incessants renforts, combler les vides, renforcer nos rangs?

— Gusen II : le camp dont on ne parlera pas parce qu'il était un camp d'extermination et que tous y sont morts ou presque.

— Gusen II, dont le nom seul fait trembler ceux de Gusen I, ce camp qui passa pour être le plus terrible des kommandos sous la tutelle de Mauthausen.

— Gusen II et sa monstrueuse usine souterraine.

— Gusen II, après Buchenwald, après Mauthausen, après Gusen I, c'est la fin de la voie sur la ligne de la grande aventure, c'est le butoir après lequel il n'y a plus rien : que la nuit, que la peur, que la mort.

— On ne revient pas en arrière, on ne va pas de Gusen II à Gusen I ou à Mauthausen.

— Ici nous sommes tous bons pour la casse. Il n'y a qu'une porte de sortie : la grande, celle qui passe par la cheminée.

— Le camp, à son ouverture, comptait quatre blocks; quelques mois après, il en avait dix-neuf. Les baraques sont beaucoup plus grandes que dans tous les autres camps où nous avons passé. Dans sa forme définitive, le camp a une population beaucoup plus forte que celle de Gusen I.

— Une cinquantaine de milliers d'hommes sont morts dans ce camp ou dans la montagne où ils creusèrent vingt-huit kilomètres de galeries.

— De [1] jour et de nuit un train, entraîné par une locomotive poussive, fait la navette entre le camp et l'usine souterraine de Saint-Georgen, amenant et ramenant sa cargaison de bagnards d'un enfer à un autre... Le voyage de nuit est un calvaire venant s'ajouter aux autres. Les wagons étant à ciel ouvert, les S.S. exigent que nous soyons assis, le menton touchant les genoux. Nous sommes recroquevillés, agglutinés, tassés à coups de bottes et de crosses de fusils. Afin de décourager toute évasion, des projecteurs placés en tête et en fin de convoi complètent les précautions de sur-

1. Manuscrit inédit Bernard Aldebert (janvier 1974).

veillance. Au moindre murmure, les kapos frappent, au hasard, dans le tas.

— Les hommes souffrent, beaucoup sont couverts de plaies, les cachant pour éviter l'acheminement qui passe par le Revier, pour se terminer, trop souvent, par la chambre à gaz. Je suis de ceux-là. J'ai les jambes trouées d'ulcères dont je fais, moi-même le pansement avec du papier de sac de ciment retenu par des bouts de fil de fer. Quand nous sommes acheminés de jour, c'est une autre douloureuse épreuve, toute morale celle-là. Si nous sommes encore entassés, nous restons debout, les S.S. qui occupent chaque voiture nous tiennent à distance, par répugnance, à cause de l'odeur que répandent les « chiasseux » et de peur que nous leur transmettions quelques-uns de ces poux dont nous sommes couverts.

— Nous avons le droit de regarder le paysage : une campagne insolente en ressemblance avec ce qui pourrait être la nôtre. Nous laissons aller nos regards dans cette nature éternelle, avec sa terre et ses herbes, ses chemins et sa route avec des charrettes lentes et des vieux courbés sur les guides de leurs chevaux. Des fermes avec leurs jardins et du linge bien propre qui sèche au vent, et des enfants blonds qui gambadent.

— Il y a une rivière à l'eau claire qui paresse dans la prairie avec quelques pêcheurs égarés qui ne se détournent plus pour voir passer les forçats.

— La vie, la liberté sont là tout près de nous, à portée de nos yeux qui ne savent plus pleurer, à portée de notre cœur qui fait si mal que nous oublions, pour un temps, les appels de nos estomacs, torturés par la faim, les déchirures de nos membres brisés par l'épuisement.

— Nous voudrions, au passage, caresser de la main les hautes herbes folles que le frôlement du train courbe faiblement le long du ballast.

— Et puis c'est le village de Saint-Georgen flanqué près de notre montagne monstrueuse, avec son église et son clocher qui pointe sa flèche vers le ciel, à deux pas de notre enfer.

— Jour après jour, à chaque voyage, nous voyons se métamorphoser la nature.

— A quelques mètres de la voie, il y a un énorme cerisier que nous avons vu enneigé de fleurs. Nous avons vu se dessiner les fruits, nous les avons vus rosir pour devenir écarlates, provocants et gorgés de tout ce qui semble nous manquer.

— Peut-être était-ce une poignée de ces cerises-là qu'une jeune fille lança d'une fenêtre au milieu de notre kommando, rangé en file devant l'entrée du tunnel? Sous une grêle de coups de matraque, distribuée par les kapos, ce fut une belle curée.

— Le hasard bienheureux voulut qu'avec un camarade français, nous nous emparions d'un des fruits que nous avons équitablement partagé.

— ... J'échouais [1] dans l'avant-dernier wagon, au milieu d'anciens qui, nous reconnaissant à nos tenues neuves, crurent bon de nous conseiller. J'appris donc qu'à l'arrivée à Saint-Georgen, il fallait sauter des wagons et essayer de se glisser dans un « kommando » du tunnel, car ceux-ci ne travaillaient que huit heures. Fort de ce conseil, je sautais donc sitôt arrivé, mais avec les Polonais, les places dans lesdits « kommandos » se payaient à coups de poings. Aussi, avec quelques camarades, nous fûmes proprement « vidés » et récupérés par un kapo s'occupant d'un kommando de douze heures. Nous le suivîmes donc et traversâmes en sa compagnie, et sous la surveillance des S.S., le petit village de Saint-Georgen. A cette époque, le Tyrol était une splendeur et je ne pouvais que regretter qu'un cadre pareil puisse servir de bagne. Un petit serrement de cœur m'étreignait à la vue de délicieux vergers complètement retournés pour laisser passer les voies de chemin de fer.

— Nous arrivâmes donc à une baraque où il nous fut remis des outils; j'héritais une pioche, puis on nous amena à une voie ferrée en construction, on nous dispersa le long de la voie qui n'était pas encore remblayée, puis on nous

1. Manuscrit anonyme inédit (probablement en date de 1945-1946). (Archives Amicale Française de Mauthausen.)

appela pour pousser une énorme benne contenant des cailloux de remblai. Arc-boutés, nous eûmes de grosses difficultés à mettre en route ce wagon, mais le kapo crut nous aider, en se précipitant sur nous et nous frappant le dos avec une trique. Le wagon enfin démarra, ce fut à ce moment que les vannes latérales furent ouvertes et que l'avalanche de cailloux se déclencha; nous ne voyions plus clair tant la poussière était dense, les pierres nous tombaient sur les pieds, nous les mettant à vif et il fallait pousser sous la menace constante de la schlague. A midi, pendant la pause, la soupe nous fut distribuée, nous souffrions tous, ayant les pieds en sang et la perspective de la reprise du travail nous effrayait.

— Pourtant il fallut recommencer, et après une heure de piochage pour tasser les pierres, nous passâmes à un autre exercice. On nous amena par groupes de huit devant un tas de rails situés à 500 mètres, et on nous les fit charger sur l'épaule, pieds nus, haletants, couverts de sueur. Il nous fallut faire douze fois le voyage; aussi lorsque le rassemblement pour le retour au camp sonna, nous n'étions plus que des loques; le visage ravagé et gris de poussière et les épaules en sang. Ce fut le retour, la ruée dans les wagons sous les coups pour finalement nous retrouver dans le block. Nous n'étions pas avertis de la vie du camp et le fait de ne pas être allés au lavabo, au retour du travail, nous valut quelques paires de gifles. Enfin, nous touchâmes notre pain et notre saucisson et, l'ayant dévoré, nous nous laissâmes aller au sommeil...

— Il en fut ainsi pendant quatre jours au bout desquels je pus réussir à me glisser, à force de coups de poings, dans un kommando de huit heures. On m'affecta à l'usine souterraine en construction, et mon travail devait consister à creuser des galeries au marteau pneumatique, cet outil pesait 7 kilos et, pendant huit heures il fallait le tenir dans toutes les positions, quelquefois verticalement. Aussi, inutile de décrire l'épuisement doublé de la fatigue nerveuse provoquée par les vibrations de l'appareil. Néanmoins, je préférais cela au transport des rails, d'autant plus que nous ne travaillions que huit heures. Je restai donc à ce poste jusqu'au 9 juin, date à laquelle on me cassa la main dans les conditions que voici :

— Aussitôt le réveil, je m'étais dirigé vers les lavabos, comme je le faisais habituellement. Au moment de me rhabiller, mon béret avait disparu, adopté par un Russe. Je rentrai donc au block et j'eus le malheur de demander une autre coiffure. Le chef de block vint donc avec un nouveau béret, mais me fit agenouiller à terre, la tête reposant sur un tabouret, puis il ordonna à un kapo de me frapper de douze coups d'un bâton qui avait la dimension d'un manche de pioche et, celui qui devait le manier, était un véritable athlète. Au premier coup, la douleur me fit hurler, mais au troisième, n'en pouvant plus, je mis instinctivement ma main gauche sur mes reins, ce fut elle qui prit le choc. Je perçus un craquement et je m'évanouis, je sus, par d'autres camarades, que les douze coups me furent assénés. Je revins à moi quelques minutes après, j'avais la tête en sang par les coups de pieds reçus pour me forcer à me lever. Ma main gauche gonflait à vue d'œil et devenait verdâtre, j'esquissais un geste, on me donna un béret et, après un dernier coup de pied, on m'envoya rejoindre la colonne qui partait au travail. Evidemment, dans cet état, il n'était pas question de reprendre le marteau, aussi je fis constater ma fracture au kapo qui, après avoir demandé avis au S.S. nous gardant, décida que je resterais assis toute la journée. Je souffrais terriblement et ce n'est qu'au retour que je pus me rendre à l'infirmerie. Je fus reconnu aussitôt et on me porta sur la liste des malades à présenter au médecin S.S. Le lendemain matin donc, j'allais à cette visite. C'était un spectacle d'horreur car, si pour mon compte ma main avait triste apparence, de pauvres malheureux n'étaient qu'une plaie du milieu du dos aux mollets. La trace des coups était visible et certaines plaies suppuraient, ce qui ajoutait encore à cette horreur.

— J'espérais être hospitalisé, mais après une radiographie, on me mit l'avant-bras dans le plâtre et l'on m'octroya dix jours de repos au block. Après une seconde visite, cet arrêt fut porté à vingt jours, que j'avais hâte de voir terminés, car la vie au block était rendue impossible par un kapo polonais qui, à longueur de journée, cherchait l'occasion de nous frapper. J'arrivais donc au terme de mon repos quand un médecin polonais, parlant couramment le français, me proposa de me faire revenir à Gusen I et, comme ex-aviateur, me faire travailler à l'usine Messerschmidt. Il me fit remarquer que l'hiver je serais à l'abri et que le travail y serait moins fatigant. J'acceptais donc à la condition que trois camarades français, avec qui je travaillais à Gusen II, puissent venir; ce qui fut fait (Bonsergent, Bénat, de Bonneval).

— La [1] vie au tunnel est sans cesse plus terrible; à mesure que les galeries se creusent plus profondément dans la montagne, le travail est plus pénible, plus malsain. Le sol est encombré de matériaux de toutes sortes, poutres de bois ou de fer, échafaudages sous lesquels il faut passer en rampant. Pendant un long temps, je suis aux wagonnets et à la pelle. Je suis derrière les « Bora », les marteaux piqueurs; ce sont des Allemands ou des Polonais que l'appât d'une ridicule prime de travail déchaîne.

— Le sable, ce sable intarissable, coule de la montagne comme un torrent, il envahit tout; un moment d'arrêt dans le pelletage, c'est l'amoncellement. Il y a parfois trois, quatre marteaux pneumatiques qui fouillent avec rage dans la chair étincelante de la montagne. Je suis souvent le seul Français de la galerie.

— Le vacarme est assourdissant; c'est à peine si j'entends mes voisins qui sont avec moi à la pelle et qui me harcèlent lâchement : « Schnel, Franzose. »

— Le kapo, vautré dans un coin, mange ou fume. Il me surveille sournoisement du coin de l'œil. Il me fait parfois voir la trique qu'il tient en permanence près de lui Soudain, il bondit; d'un coup de pied il m'envoie rouler à terre et, se saisissant de ma pelle, il me fait une courte démonstration. Ruisselant de sueur, le souffle coupé, il va reprendre sa place. Des civils viennent parfois, ils jettent un rapide coup d'œil et s'en vont. Ils n'ont pas grand-chose à dire. Tout va bien!... Les wagonnets pleins, il faut aller les vider.

1. Bernard Aldebert (déjà cité).

Je fais partie de l'équipe qui, à deux ou à trois, doit aller les pousser jusqu'à l'extérieur. Cette corvée est une de celles que je redoute le plus.

— Les loris, qui doivent être pleins à déborder, sont lourds, peu maniables; les roues ne sont jamais graissées. La voie est mal assemblée; tordue par endroits. D'inévitables déraillements se produisent. Les autres wagonnets, qui arrivent d'autres galeries, s'immobilisent. C'est l'idiot de Français qui est cause de tous les malheurs. Désemparé sous les coups de bâton, je ne sais plus ce qu'il faut faire : parer les coups ou essayer de remettre le wagonnet en place. Je reçois des ordres de tous les côtés, dans un allemand auquel je ne comprends à peu près rien. Les kapos se sont groupés en meute hurlante. Ils s'étranglent de colère : vont-ils me tuer là?... Il y a de quoi devenir fou. Ça doit être ça l'enfer. Le wagonnet en place, nous reprenons notre course forcenée, pas pour longtemps. Ici, la voie amorce un virage à la sortie. Automatiquement, le lori se bloque dans l'aiguillage. Dans un virage qu'éclaire seulement la lointaine pâleur du jour, un kapo demeure en permanence. Il m'attend à chaque voyage; d'aussi loin qu'il m'aperçoive, il bondit de l'ombre où il a tissé sa toile de cruauté. Il est armé de longues planches dont il a, près de lui, toute une provision. Il a une face grimaçante de dément, il ricane en frappant. Je m'abrite comme je peux derrière le wagonnet, ce qui décuple sa fureur. Le passage difficile franchi, nous reprenons notre course; j'ai les bras ankylosés par les coups de planche.

— Arrivés dehors dans l'aveuglante lumière du jour, nous essayons de prendre un peu de répit, de nous gonfler les poumons de cet air pur que nous absorbons comme une bonne liqueur, mais d'autres kapos sont là. A peine avons-nous abandonné les loris pleins qu'il faut reprendre les vides pour aller de nouveau les remplir. C'est encore la course. C'est le tonnerre de l'entrechoquement de la ferraille, le hurlement des tyrans; les pieds, les mains éclatent, le sang coule par des plaies béantes qui, continuellement remplies de sable, ne guériront plus.

— Comme elles sont longues ces huit heures dans le ventre de la montagne où chaque minute peut être la dernière! Nous sommes tellement las, tellement accablés, que parfois la mort nous apparaît comme la libération.

— Puisque nous sommes tous condamnés à crever un jour, pourquoi pas tout de suite? La mort, nous la frôlons tellement à chaque instant qu'elle ne nous fait plus peur. Ce doit être un abîme qui ne doit pas être bien plus sombre que ces galeries où s'enfonce notre calvaire. Quelquefois, courbé sur ma pelle, je me laisse envahir par la douceur de penser, j'oublie ma fatigue physique et j'évoque l'éblouissante image de tout ce que j'ai laissé; je vois ceux qui m'attendent. Je n'ai même pas la force de pleurer. Je refoule cependant le merveilleux coloriage de ce film qui me raconte le passé. Penser à eux, c'est un peu les entraîner dans cet enfer. Cela, il ne le faut pas.

— Dans l'ombre du tunnel, dans celle de mon cœur, il y a une lueur, une étoile qui va grandissante. Comme un homme qui se noie, je me cramponne à elle. Je veux vivre, quand même. Les muscles bandés, les dents serrées, je plante ma pelle dans le sable. Ils ne m'auront pas encore, les vaches! J'entends le kapo qui répète de sa voix grasseyante « Schnell, Franzose ». Tiré de ma rêverie, je suis pris à nouveau par l'étourdissant tintamarre qui remplit la galerie, comme si, un instant, il s'était tu.

— Soudain, instinctivement, nous courbons l'échine; un bruit monstrueux vient du fond de la galerie, c'est l'implacable éboulement. La montagne entière semble s'écrouler. Comme un jeu d'allumettes, les échafaudages éclatent sous la masse gigantesque des rochers. Des civils, casqués de cuir, passent en courant. Nous saurons au rassemblement le nombre des manquants. Pour ceux-là, le calvaire est fini.

— Le travail au tunnel est sans cesse plus infernal, la discipline plus forcenée. C'est la course effarante d'une Allemagne qui sent venir la tempête et qui s'enterre. Nous nous enfonçons toujours plus profondément dans le cœur de la montagne. Les tapis roulants, destinés à déblayer le sable, occupent presque toute la largeur des galeries, la marche est très pénible. Parfois, à trois, les forçats portent des poutres énormes qui nécessiteraient l'emploi d'un nombre double d'hommes. Nous voyons leurs silhouettes squelettiques écrasées sous le fardeau. Le kapo, diabolique berger, frictionne les côtes du bout de son bâton. Les malheureux portent leur charge pendant plus d'un kilomètre sans l'espoir d'un repos; la peau s'en va sur les épaules amaigries. Si un homme trébuche, c'est l'écroulement. Il faut pourtant se relever; le kapo tuerait ses victimes avec ce qui lui tombe sous la main, avec des pics, avec des pelles.

— Dans l'extraordinaire labyrinthe, les galeries se coupent à angle droit et tourner est un problème qui semble insoluble; pourtant « impossible » est un mot qui n'est pas allemand dans le temps de la douleur et du martyre. Les hommes luttent, hurlent sous les coups, s'abattent, crèvent, mais l'obstacle est franchi. Nos camarades, qui travaillent au béton, connaissent une autre sorte de torture : échelonnés comme des pygmées dans la forêt des échafaudages. De palier et palier, ils se font passer le béton à larges pelletées, qu'ils prennent à leurs pieds pour le jeter au-dessus d'eux. Avec leur chair pâle, leur effarante maigreur, ils ont, sous la sueur qui les recouvre, des allures de Christ d'ivoire. Ici comme ailleurs, le travail ne souffre aucun arrêt. Si un homme faiblit dans la chaîne, qu'il ne puisse plus aller plus loin, qu'il n'en puisse plus, qu'il meure, il est jeté en bas comme une flasque poupée de son. Un autre le remplace.

— Dans la profondeur des « Stalle », l'atmosphère est irrespirable. Il n'y a, à plusieurs kilomètres sous terre, aucune aération; l'odeur qui règne en permanence est un mélange de caoutchouc, de carbure, de moisissure, de sueur humaine, de mort. Des civils travaillent avec nous et surtout nous font travailler, ajoutant leur brutalité à celle des kapos. Ils sont, pour la plupart, autrichiens. Il y en a quelques-uns, parmi eux, qui sont bons, humains, d'autres sont passables, d'autres encore très mauvais. A part quelques rares exceptions, ils souffrent tous de ce mal qui atteint tout un peuple : cette peur maladive qui va de l'imbécillité à la colique. J'ai beaucoup de peine pour travailler; mes jambes me font horriblement souffrir. J'ai des ulcères qui me rongent la chair comme des bêtes dévorantes. Je me suis fait des pansements avec du papier et de la ficelle.

— Aujourd'hui, je suis penché sur ma pelle, près du tapis roulant. Je jette soigneusement le sable avec une régularité de métronome. Je n'ai pas vu arriver ce S.S. qui promène la terreur à travers l'usine souterraine. Il a l'art de faire de subites apparitions. Sans relever la tête, je vois les bottes du S.S. qui s'immobilisent en face de moi. Je sens peser sur moi son regard d'assassin. Hier, il a fait éclater à coups de revolver la tête d'un Russe qu'il avait trouvé assis. Soudain, il bondit, m'arrachant la pelle des mains, il se met à m'en frapper avec toute sa rage de brute. Je ne peux esquisser tous les coups qui viennent de flanc, en faucheuse. Je roule à terre, préservant instinctivement mon ventre que le salopard cherche à atteindre. C'est l'affolement de mon sang dans mes veines, j'entends le bouillonnement terrible qu'il fait dans ma tête. Je pense que le S.S. va me tuer; pourtant il me fait relever à coups de pied en hurlant : « Aufstehen, Aufstehen. » Je suis comme saoul.

— Le [1] 10 juillet au matin, comme vous l'a décrit Bernard Aldebert, je prenais le train avec André Wachlerr et nous débarquions à Saint-Georgen, la fameuse usine souterraine où les tunnels vous ont été décrits dans leur construction. Nous fûmes dirigés vers le magasin où, au bout d'un moment, un civil (plus tard nous apprîmes qu'il se nommait Jaeger; il avait une ressemblance frappante avec l'acteur américain Buster Keaton) nous amena près d'un établi où il y avait deux étaux. Il nous fit limer chaque pan pour se rendre compte si nous étions bien mécaniciens. Etant imprimeur et mon copain jardinier, celui-ci me conseilla de ne pas mordre avec la lime, simplement polir. Au bout d'un moment, Jaeger revint, constata et nous déclara « prima ».

— Le lendemain, affectés à son service, dans la Stalle II, il nous commanda d'enlever une poulie à gorge montée sur un porteur, pour y mettre une poulie plate. Après avoir desserré le boulon de blocage de poulie, j'essaie de faire

1. Manuscrit inédit Maurice Petit (avril 1974).

glisser celle-ci. N'y parvenant pas à la main, je pris un marteau et, par petits coups, essayai de la débloquer. Ce qui devait arriver se produisit, un coup plus fort que l'autre et voilà un côté de la poulie qui se brisa. Le fameux Jaeger, qui se trouvait à proximité, arriva. Après les menaces, il me conduisit à l'Obermaester Holsmann, qui dirigeait le Stalle II et, après plusieurs gifles magistrales de la part des civils, je fus accusé de sabotage. Dans leur jargon, je ne comprenais que « kaput » avec le geste de la corde passée au cou. Ils me renvoyèrent. Revenu près de mon camarade, je constatais l'ampleur de ma situation. Un sous-officier de la Luftwaffe vint nous voir, il nous fit comprendre qu'il était le seul survivant d'une famille de six garçons, ses frères ayant été tués à la guerre, et qu'on l'avait placé là pour garder un échantillon de la famille. Il chercha le moyen de me tirer d'affaire en essayant de me trouver un poste de soudeur. Mais comme les ateliers étaient en train de s'équiper, rien ne fonctionnait encore. L'après-midi, nous continuâmes à monter ce moteur sur un chariot devant faire tourner un compresseur. Quand je fus de nouveau appelé devant l'Obermaester qui repartit dans ses injures. Ce sous-officier de la Luftwaffe vint nous aider l'après-midi à terminer le travail qui nous était commandé. Entre-temps, j'avais donné à André Wackleer, au cas où il s'en sortirait, l'adresse pour prévenir ma famille car, pour moi, c'était ma dernière journée. La sonnerie du soir résonna parmi les Stalles, le retour au camp se fit sans que rien ne se passe pour moi. Malgré cela, j'avoue que je n'en menais pas large. Je pensais ma dernière heure venue. J'appréhendais l'appel du soir. Eh bien ! rien ne se passa. Le lendemain, je repris le chemin de Saint-Georgen et cela pendant neuf mois, jusqu'au 3 mai 1945.

— Je [1] fus donc, comme technicien, expédié à Gusen II, où l'usine souterraine fonctionnait depuis plusieurs mois. Je devais assurer le contrôle à la construction d'un avion

1. Manuscrit anonyme inédit, probablement en date de 1945-1946. (Archives Amicale Française de Mauthausen.)

à réaction : le *Messerschmidt 262;* à peine arrivé au camp, je m'aperçus qu'il n'avait pas changé au point de vue régime des coups. J'avais été affecté au block 8 et mon entrée fut ponctuée d'un coup de matraque, car c'était l'heure de la soupe et l'on m'avait pris pour un retardataire. J'eus le malheur de vouloir m'expliquer, et je reçus une véritable correction, « l'heure n'était pas aux explications mais à la soupe ». Je fus finalement servi et en me donnant un lit avec des Russes, on m'avertit que je n'étais pas à Gusen I et qu'ici tout marchait à la trique. Je n'avais pas beaucoup d'illusions, mais cette fois j'étais fixé. L'après-midi, je fis un tour dans le camp. Depuis mon départ en juin 1944, il s'était considérablement étendu et, malgré les massacres, le typhus et autres maladies, l'effectif était passé de 10 000 à 17 000 hommes en moyenne, je dis en moyenne car il arrivait constamment de nouveaux convois de 800 et 1 000 hommes provenant de camps évacués par l'avance des armées alliées, et cependant le chiffre de 17 000 ne fut jamais dépassé, car les morts compensaient largement les entrées. Ici le spectacle de la mort était monnaie courante. Si à Gusen I on avait le soin de ne pas laisser les cadavres en plein air (« ils étaient chaque soir entassés dans les lavabos respectifs des blocks »), à Gusen II on simplifiait le tout en jetant pêle-mêle les morts de la journée devant le block exactement à côté des bacs en ciment destinés aux ordures.

— Chaque soir, après l'appel, le chef de block désignait une vingtaine d'hommes pour emporter les malheureux dans une sorte de remise destinée à cet effet. Le spectacle était lamentable, on prenait les morts par les pieds en les tirant, la tête et le dos cahotant sur les pierres. Arrivés à la remise, ils étaient balancés dans le réduit où ils devaient passer la nuit; certains soirs, on ne pouvait fermer la porte tant il y avait de cadavres; c'est à coups de pieds que les membres qui dépassaient étaient repoussés à l'intérieur. Puis le matin les corps étaient sortis, bien alignés, leur numéro respectif inscrit sur la poitrine. Ils étaient inventoriés par le secrétaire du crématoire, puis entassés une dernière fois dans une charrette et conduits à l'incinération. La moyenne journalière des morts à Gusen II, en période normale, était de deux cents à deux cent cinquante, et il fallait regarder de près ces cadavres. On trouvait sur leur corps des plaies encore saignantes, souvent un filet de sang sortait de la bouche, il était facile de déduire qu'il avait dû se trouver là une ou plusieurs dents en or, le procédé était tellement connu...

— Le soir, au retour de l'équipe de jour, je retrouvais quelques camarades, mais ils étaient méconnaissables. Je dois avouer que, pour eux, l'impression était la même à mon égard. Je demandais des nouvelles d'autres amis que j'avais quittés en juin. Je devais apprendre qu'ils avaient encore plus de morts ici qu'à Gusen I. L'hiver avait fait ses ravages. Ils me contèrent ce que fut l'épidémie de typhus et l'extermination qui s'ensuivit.

— Chaque soir dans les blocks, le tri était effectué. On divisait les hommes en deux catégories puis on les envoyait, une fois séparés, à droite et à gauche du block et, aux yeux de tous, la tuerie commençait. Le chef de block, aidé de quelques « Stubedienst » [1] s'avançait vers le groupe choisi composé des hommes les plus faibles, et, à coups de tabouret, on assommait, tel du bétail, les pauvres bougres. C'était affreux d'entendre leurs cris, leurs supplications et ne pouvoir rien faire pour eux. Après les avoir assommés, on finissait le travail par la strangulation, puis les cadavres étaient déshabillés, leur matricule était inscrit à la fuchsine sur le thorax, et ils rejoignaient ainsi le tas des autres morts de la journée. A cette époque, il y eut jusqu'à six cents cadavres par jour au crématoire.

— On avait, à cette époque, réuni dans un block tous les hommes incapables de travailler, étant donné leur faiblesse générale. La discussion avait dû se faire sur la manière de faire disparaître ces bouches inutiles; la piqûre à la thérébentine, employée couramment au Revier, aurait été un

1. Stubedienst : hommes restant affectés au block pour l'entretien; la majorité était composée de Polonais; ils ne travaillaient presque pas, étaient convenablement nourris; d'apparence physique, ils faisaient tache parmi les autres détenus.

moyen trop long. On trouva mieux : un soir, tous ces hommes furent dévêtus et, sous prétexte de désinfection, on les fit sortir, gardés évidemment, en une interminable file qui aboutissait aux lavabos. Ils y entraient par quatre ou cinq et, à l'intérieur, étaient accueillis par des tueurs qui les culbutaient, la tête la première, dans des tonneaux remplis d'eau, jusqu'à asphyxie complète. Quand l'un d'eux avait trop de force, on l'assommait d'abord, et on le noyait ensuite. A l'autre bout du lavabo, le tas de morts grossissait et, régulièrement, la charrette du crématoire emmenait sa sinistre cargaison. Il faut se représenter la souffrance morale endurée par ces hommes qui, en plus de la torture du froid, attendaient leur tour. Ils savaient qu'ils allaient mourir car, dès les premières exécutions, l'affreuse vérité s'était propagée de l'un à l'autre. Leur supplice moral durait plusieurs heures; quelques camarades qui en furent les témoins me relatèrent leurs derniers moments, l'épouvante qui se lisait dans tous les yeux, les larmes de certains. Ils recueillirent de quelques Français les dernières pensées aux êtres chers qu'ils ne reverraient plus, et dans toutes les langues ces hommes interpellaient leurs compatriotes, leur disant : Adieu. On ne pouvait rien faire pour eux, c'eût été le massacre général du camp et de leur côté, ils étaient si faibles...

— Dans[1] le courant du mois de décembre 1944, le block 13 du camp de Gusen II fut partiellement vidé, et les occupants appelés à réintégrer respectivement d'autres blocks. Là, il me fut permis de constater la chose suivante : les malades du block 4 furent placés dans une cour à part, et parqués comme des moutons. Lorsque, dans la nuit, je me réveillai, je rencontrai mon ami François Auge, propriétaire du « Café des Sports » à Montauban, et quelques amis français et belges. Auge me déclara, en substance : « Mon pauvre Nicolas, fais-moi fumer une cigarette car je ne suis plus un homme. Je viens de passer au block 13 quel-

1. Déposition du déporté Nicolas Werich, le 13 mai 1945, devant le Comité international de Mauthausen.

ques nuits effroyables et, pensant bien y rester, j'ai pissé au lit car, si je m'étais levé pour aller aux cabinets, j'aurais été assommé. Tous ceux qui avaient besoin de se rendre aux w.-c. ne revenaient plus et étaient assommés ou étranglés par deux Russes du Lagercontrol (contrôleurs du camp chargés de la police et de la répression des vols mais choisis parmi les plus audacieux voleurs) et par le chef du block. » Le regard d'Auge n'était plus celui d'un homme normal. Témoin de tels actes, Auge avait le moral tellement atteint qu'il se croyait en butte à des persécutions. Partout où il se trouvait en présence d'un Allemand, il tremblait de peur. A cette époque, le Rapportführer, un S.S. Oberscharführer dénommé Pendel, avait déclaré : « Il faut faire de la place dans le camp. Nous devons nous débarrasser, à tout prix, des parasites. Il y a, à Mauthausen, quatre mille Polonais qui ont des têtes comme ça — et il fit voir d'un geste qu'ils se portaient bien — et qui ne demandent qu'à travailler. Vous savez, messieurs, ce qu'il vous reste à faire. »

— Les messieurs en question étaient les chefs de blocks et leurs acolytes kapos, sous-kapos et quelques Russes. Je sais que cette besogne était faite, en partie, par deux Russes pour une demi-boule de pain et une soupe par jour.

— La demande du Rapportführer ne tarda pas à être satisfaite. En effet, en plus de tous les gens assassinés à l'infirmerie, dans tous les blocks, des prisonniers furent assommés, étranglés ou noyés. A cette époque, personne ne voulait plus faire partie de la réserve car on était à peu près sûr, à moins d'être un protégé du chef de block, de ne pas vivre longtemps. Je puis affirmer que, dans mon block, le nombre des détenus ainsi tués s'élevait, journellement, à dix ou quinze. Un jour, il y en eut dix-sept. On comptait quotidiennement trois cent cinquante ou quatre cents morts par jour, ce qui représente un joli chiffre pour un camp dont l'effectif était, à l'époque, de douze mille environ.

*
**

— Les[1] Juifs hongrois et polonais, portent au travers de leur poitrine une large bande à la peinture jaune. Ils étaient plusieurs milliers; ils ne tiendront pas longtemps.

— Il y a de tout parmi eux, des enfants, des vieillards. Recroquevillés sur eux-mêmes, ils sont doux, résignés. Ils semblent incapables de la moindre réaction; vaincus d'avance. Les adultes sont petits, voûtés, mal faits. Ils portent en eux tant d'abnégation qu'ils en sont exaspérants. Affectés à des blocks spéciaux, quelques-uns cependant sont venus dans le nôtre. Ils étaient une douzaine, ils ont tenu un peu plus d'une semaine.

— Dans notre baraque, Joseph, qui est un spécialiste des questions juives, s'est immédiatement emparé d'eux. A la grande joie du personnel du block, et d'un public lâchement complaisant qui rit pour s'attirer les faveurs du bourreau, il invente, pour eux, toutes sortes de jeux cruels. Avec les raffinements d'un chat, dont il a les inquiétants yeux verts, il joue avec sa proie sans la tuer trop vite. La suprême plaisanterie, celle qui enchante la foule rassemblée, est celle qui consiste à faire ouvrir la bouche aux Juifs et à leur envoyer un énorme crachat au plus profond de la gorge. Les yeux arrondis par l'épouvante, les « Jud » restent impassibles, figés dans un grotesque garde-à-vous. Ils avalent l'ignoble souillure qu'ils n'osent rejeter.

— A l'usine souterraine, dans l'ombre complice, Joseph retrouvera d'autres Juifs. Avec d'autres kapos, il peuplera ses heures d'oisiveté de nouvelles tortures. Il force les Juifs à danser deux par deux, à s'embrasser sur la bouche et à d'autres plaisanteries du même goût. Excité par les rires, il serre les gorges, lentement, savamment. Nous entendons, à travers l'infernal tintamarre des machines, leurs cris aigus d'enfants qu'on égorge.

— Dans le camp, les « Jud » sont affectés à toutes les répugnantes besognes. Ce sont eux qui assurent la vidange. S'ils n'étaient pas là, ce serait sans doute aux Français que serait confié ce poste de confiance.

1. Bernard Aldebert (déjà cité).

— Des enfants juifs sont plongés nus dans les fosses; cramponnés à une échelle de fer, ils se font passer les seaux pleins que d'autres vident dans un wagon citerne. Leurs corps, que déforme le rachitisme, sont répugnants à voir. Ils sont couverts de ces matières immondes qui s'égouttent des seaux. Ces gosses, avec des gestes d'un automatisme résigné, accomplissent leur besogne sans murmurer. Les aboiements des kapos ne semblent pas les tirer de la torpeur où il sont enfermés.

— Peut-être pensent-ils aux choses auxquelles pensent les petits, rêvent-ils d'un autre monde, si près d'eux où l'on ne battrait plus les enfants, un monde illuminé d'étoiles qui ne seraient pas jaunes?...

— Les Juifs qui sont affectés aux wagons-citernes, sont adultes ou vieillards, des hommes sans muscles. Tordus par l'effort, ils mettent difficilement les lourdes voitures en marche. On entend le bruit caverneux de leurs maigres carcasses sous les triques. Sous l'affolement, les malheureux tirent, poussent sans conjuguer leurs efforts.

— Ce sont eux encore qui assurent la vidange des tonneaux fichés en terre qui servent de waters. A longueur de journée, ils transvasent, à l'aide de vieilles casseroles, les matières qu'ils emportent à travers le camp, dans des baquets montés sur des brancards. Parmi les Juifs, beaucoup parlent français. Craintivement, ils viennent nous causer. Les Français sont les seuls qui, au camp, les écoutent sans les repousser. Ils nous demandent des nouvelles, ils nous transmettent les leurs qui sont extravagantes. Pour eux, la libération n'est pas une chose lointaine, elle ne peut pas l'être. Ils ne peuvent pas attendre. Il y a tant de détresse dans leur espoir, ils se mentent tellement à eux-mêmes, que nous nous taisons.

— Ce sont d'interminables cohortes de « Jud », qui sont périodiquement emmenés pour être exterminés. C'est un hallucinant carnaval de la pourriture humaine, masques pharamineux passés au bromure que défigurent les érysipèles, jambes violacées, gigantesques, prêtes à éclater, gangrènes monstrueuses. Presque aucun ne reviendra; une expéditive piqûre au pétrole les enverra au « kréma ».

— C'est à l'usine souterraine que les Juifs endurent le pire de leur calvaire. Quand nous passons près d'eux, dans la nuit des galeries, nous les trouvons parfois statufiés, dans l'extase des prières. Ils balbutient des choses incompréhensibles avec une ferveur qui leur fait oublier le danger qui pèse continuellement sur eux. On en trouve un peu partout de ces pauvres « Jud », pendus aux plus hautes poutres des échafaudages. Suicides?... Quelquefois.

— Nous sommes en janvier 1945. Le nombre des malades, des éclopés, des blessés, des mourants est indiciblement grand. Tous les modes d'exécution, mis en œuvre jusqu'alors pour l'extermination des hommes, s'avèrent insuffisants. Les bourreaux sont débordés, sans doute à cause de leur désir de trop bien faire, du fignolage. Les charretées de cadavres se suivent, alimentant, jour et nuit, le « kréma » qui nous renvoie sa fumée écœurante.

— Dans chaque block, l'emplacement, réservé à ceux que leur état de santé trop mauvais condamne, est plein. Parmi ceux qui attendent dans l'anxiété le sort qui leur sera fait, il y a de nombreux Français. Nos camarades se hissent le long des planches qui leur interdisent de nous approcher. Ils tournent vers nous des regards suppliants où nous lisons presque l'ombre du reproche, le reproche de nous voir de l'autre côté de la barricade, dans le camp de ceux qui vivent encore. Comme au Banhof, ils sont laissés sans boire et sans manger et dans le même état de repoussante saleté. En cachette, nous parvenons à leur faire passer, à travers les planches, quelques gamelles de soupe et de café qu'ils avalent en se battant. Ce block est rempli de l'odeur pestilentielle qu'ils dégagent.

— Prétextant les menaces de typhus qui pèsent sur le camp et sur les bâtiments voisins où casernent les soldats, les autorités militaires du camp décident que le camp sera désinfecté. Depuis quelques jours, les S.S. exigent que nous nous tenions à dix pas quand ils nous adressent la parole. Les soldats de la « Luftwaffe » qui nous accompagnent au travail, ne montent plus avec nous dans les wagons. Ils suivent à pied le convoi qui marche au pas. La plus grande partie des détenus est expédiée à Linz pour y être désinfectée. Ils retrouveront, dans les wagons, l'entassement meurtrier des wagons scellés. Les prisonniers d'un wagon entier mourront asphyxiés. Je suis resté à Gusen II avec la partie des hommes qui subiront, au camp même, la désinfection.

— Nous sommes entassés quelques milliers dans deux blocks, pendant que les blocks vides seront désinfectés. Pendant trois jours et trois nuits, nous avons vécu tout ce qui, en horreur, dépasse les bornes de l'imagination. S'en souvenir c'est se demander si l'on n'a pas été l'objet d'une hallucination. L'effectif du block où nous sommes enfermés est déjà au complet; nous venons y ajouter la population de plusieurs blocks. Nous devons rester debout, il n'est pas question de se coucher, à peine s'asseoir. Nous sommes si serrés, si comprimés que la respiration est coupée, qu'il est impossible d'esquisser le moindre geste.

— Par jeu, les kapos passent et repassent dans la marée humaine en fendant les crânes à coups de bâton; il y a du sang partout. Chaque homme, conscient de l'importance de l'épreuve qu'il traverse, lutte farouchement pour la vie; transformé en brute déchaînée, il est prêt à tuer pour vivre. Le mouvement incessant de flux et de reflux qui remue la foule innombrable, rejette au fond du block comme les déchets d'une tempête, l'autre foule, celle des malades. Ils forment un tas où s'entremêlent morts et vivants.

— Les détenus affolés s'élancent à l'assaut des lits. Les centaines d'hommes qui les occupent déjà se défendent à coups de sabots. Des hommes supplient pour obtenir une place; ils tendent, en échange, des morceaux de pain. Sous les lits, toute la place est occupée.

— Des hommes ont grimpé jusque dans la charpente, pourchassés à coups de lattes de bois, ils s'écroulent de plusieurs mètres de hauteur, dans la foule. La soupe est servie dehors, dans la cour, au milieu des cadavres. Les mourants sont jetés nus dans la neige, qui les recouvre lentement. Ils sont une quantité qui s'acharnent à ne pas vouloir mourir. Ils sont assis, les yeux exorbités, perdus dans on ne sait quel rêve extraordinaire. Ils semblent ne pas sentir ces morsures cruelles du vent et du froid. Lentement, ils caressent leurs bras, regardent obstinément leurs mains, mangent de la neige. Ils nous observent comme si c'étaient nous qui offrions un étonnant spectacle.

— La pâleur cadavérique de leur corps les fait parfois confondre avec la neige qui les recouvre. Poursuivis par les coups de matraque, nous nous empêtrons dans leurs membres raidis. Nous nous écroulons sur eux, sentant contre nous le marbre de leur chair morte.

— Chacun essaye de trouver une place pour passer la nuit; dans l'étroit couloir qui sépare les lits, des hommes se glissent, mais ils sont assommés par ceux qui sont déjà couchés.

— Une de ces trois nuits d'épouvante, je suis parvenu à ramper dans un des couloirs, calculant chacun de mes gestes, je pense ne pas avoir été remarqué. Cependant, j'entends une voix, près de moi, qui interroge : « Franzose? » La voix plus doucereuse, plus inquiétante encore, répète : « Franzose? » Je réponds enfin par l'affirmative; mon interlocuteur invisible me déclare en allemand que, demain, tous les Français doivent être tués, tout comme les Juifs, et que si mes chaussures sont en bon état, je peux bien les lui laisser, demain je n'en aurai plus besoin. Je ne réponds rien, feignant de dormir; mais je juge plus prudent de m'enfuir. S'endormir ici c'est risquer de ne plus se réveiller. Je me replonge dans la multitude houleuse de tous ceux qui, debout, luttent désespérément contre la fatigue et le sommeil. Je frappe comme les autres, à coups de pied, à coups de poing; je parviens jusqu'au fond du block. Il me semble que le sol du block va en montant. J'ai atteint le tas des morts et des moribonds qui enchevêtrent leur pourriture nauséabonde. Je suis si las que le matin, je suis à demi enseveli sous les corps. D'autres sont imprégnés de boue, de sang, de déjections.

— Nous avons vécu pendant trois jours dans cette galère, trois jours de folie, trois jours de terreur. Nous acceptons presque comme libération la douche que nous devons aller prendre, nus, au fond du camp.

— Il fait un froid atroce, qui nous ceinture dès que nous

avons franchi la porte. M'étant retourné, j'aperçois plusieurs de nos camarades malades qui ne peuvent courir. Ils agitent désespérément leurs bras comme des hommes qui s'enlisent, puis ils disparaissent dans la neige.

— La désinfection est terminée; elle a duré trois jours, elle a fait quatre mille morts.

— Le [1] dimanche 22 avril, vers 17 heures, une commission passe dans tous les blocks. Il y a le Lagerführer Schultz, le S.S. italien de l'infirmerie, le Blockführer et le docteur de l'infirmerie du camp de Gusen II, Philipp si je me souviens bien. On fait aligner et se déshabiller les prisonniers dits « de la Réserve » et parmi eux, un tri est fait. On me fait ranger à part avec quelques autres tout aussi débiles que moi. Je suis le seul Français du block 3 à être désigné. Nous devons abandonner nos pauvres hardes et l'on nous inscrit sur la poitrine, au crayon encre ainsi qu'on le fait aux morts partant au crématoire, notre numéro matricule.

— La même scène se passe dans tous les blocks à l'exception du block 16 où nous serons tous dirigés, nus et immatriculés pour la mort. Dans ce block, au fur et à mesure de notre arrivée, nous sommes empilés quatre par paillasse, dans les lits à trois étages où les plus faibles ont bien du mal à se hisser. Pas de couvertures, celles-ci sont entassées dans un espace libre au milieu du block et il est défendu d'y toucher. Et c'est une première nuit d'épouvante qui commence. Plusieurs fois l'on nous fait lever tous et à grands coups de bâton et gummi, on nous entasse d'un côté du block pour nous compter et vérifier notre matricule avant de nous laisser regagner notre place.

— L'appel du soir, nous devons y assister, dehors, par tous les temps, toujours nus, assis le derrière dans la boue ou la neige, empilés l'un dans les jambes de l'autre, dix par dix. Nous avons dû rester ainsi parfois bien longtemps

1. Manuscrit inédit Roger Duchamp.

et toujours pour quelques-uns cet appel fut mortel. La nourriture a consisté en un quart de litre de soupe claire, qui nous fut distribuée tous les deux jours, à raison d'une gamelle par lit. Chacun des prisonniers avalait quelques cuillers avant de la passer à un autre qui avalait le même nombre de cuillers et la faisait suivre ainsi de suite jusqu'à épuisement du contenu. Cinquante grammes de pain, soit le pain infect en vingt-quatre parts. Encore le moindre bruit fut-il prétexte maintes fois à la suppression totale de nourriture dans tel ou tel coin du block.

— Voisinaient, au block 16, sur les mêmes paillasses, des détenus de toutes nationalités, d'où première difficulté pour obtenir le silence. Ensuite, ces détenus étaient soit dysentériques, atteints de gangrène, de cachexie, plaies multiples, abcès, tuberculose et tous ces maux provoquaient des gémissements et des plaintes ininterrompues, d'où deuxième difficulté pour obtenir le silence.

— Notre block était un block de lamentations et, ces lamentations obsédant sans doute le chef de block et ses sous-ordres, Stubedienst, Schreiber, Frisor, il en résultait pour nous, et particulièrement la nuit, des tueries aveugles, frappant à tort et à travers. Et je n'exagère pas en disant que du 22 avril au 27 avril 1945, deux cent cinquante à trois cents détenus furent exécutés. C'est un chiffre minimum que je maintiendrai envers et contre tout.

— Le procédé courant d'extermination fut celui-ci : au hasard, à l'occasion de bruit ou d'un déplacement nocturne aux w.-c. (tonneaux rangés à l'extérieur du block), le chef de block et ses sous-ordres, précipitaient par terre les détenus avant de les assommer à coups de bâton. L'achèvement se faisait de la manière suivante : le détenu étant par terre, assommé, le bâton lui était posé sur le cou et les tortionnaires montaient un pied dessus, de chaque côté, jusqu'au dernier soupir inévitablement proche. Le corps était ensuite tiré dehors et empilé sur le tas derrière le block.

— Ces exécutions se faisaient par séries et presque toujours la nuit. Lorsque les tortionnaires étaient fatigués ou repus plus exactement, fatigués réellement car les coups qu'ils assénaient étaient terribles et toujours dirigés sur la tête, alors le calme revenait au block et nous autres, témoins impuissants, poussions un soupir de soulagement. Chaque soir à l'appel, alors que le Lagerschreiber venait nous compter, nous suppliions le retour au travail, et demandions à manger.

— Je signale ici un incident qui ne peut être passé sous silence : un détenu, russe je crois, qui avait été désigné par Fleicher Karl pour quitter son lit et être tué sur place, refusa de sortir de l'allée et, se cramponnant après les montants du lit, résista un moment aux efforts de ce bandit qui le tirait et le frappait en vain. Ce que voyant, le bandit se saisit d'un seau d'eau bouillante déposé sur le poêle sis derrière lui et en lança le contenu sur le détenu qui, immédiatement, lâcha prise et fut sauvagement tué aussitôt sous nos yeux. Le jeudi soir, à la tombée de la nuit, on rassembla les Juifs présents au block et on les avertit qu'ils partiraient le vendredi matin, 27, pour le travail. De fait, ils partirent le lendemain matin pour une destination inconnue. J'ai appris plus tard, par le docteur Bloch, médecin juif du Revier block 13, que tous ces Juifs avaient été emmenés à Ebensee. Le vendredi 27 avril 1945, au soir, on appelle les Français, Belges et Hollandais et l'on nous informe que nous allons recevoir un colis de la Croix-Rouge. On nous renvoie au lit. Dix minutes plus tard, on nous appelle à nouveau pour nous apprendre la stupéfiante nouvelle, sur laquelle nous ne comptions plus, à savoir notre rapatriement par la Croix-Rouge de Genève.

— A partir de cet instant, nous avons droit à quelques égards. Nous allons aux douches, et obtenons la permission de coucher notre dernière nuit du block 16, du 27 au 28 avril 1945, deux par lits avec une ou deux couvertures. Nous étions quatorze ou quinze rescapés, je ne me souviens plus exactement, étant donné l'état dans lequel nous étions. Le 28 avril au matin, on nous donna une paire de claquettes, un pantalon, une veste et un béret. Nous reçûmes un morceau de pain, de saucisse et un peu de café avant de rejoindre les autres Français du camp pour partir vers Gusen et Mauthausen ensuite.

— Notre cauchemar était fini.

— Le[1] 25 avril, à l'appel du matin, les Français sont mis à part. Ils ne partent pas au travail. Nous apprenons que des camions de la Croix-Rouge sont arrivés à Gusen I et que nous allons être libérés. C'était vrai, mais pas pour tous. L'Obermaester Wolfrau, un civil allemand affecté à la Rodt, s'opposa au rapatriement des Français travaillant à l'usine souterraine de Saint-Georgen, et quatorze Français, dont je faisais partie, restèrent au camp. On nous distribua un colis. Un moment de détresse s'empara de nous et nous reprîmes le chemin des tunnels. La discipline était moins dure. Nous sentions qu'un malaise planait et que nos bourreaux ne savaient plus de quel côté il fallait se placer.

— Le 3 mai, j'étais de nuit, personne pour nous commander. L'Obermaester Holzmann se fabriquait une remorque pour fuir en emportant du matériel. Notre civil Jaeger avait disparu! Nous avons passé la nuit sans contrainte. Il faut signaler qu'en neuf mois, dans les quatorze kilomètres de tunnels équipés en machine, il est sorti plus de onze cents carlingues d'avions Messerschmidt. Quelques instants avant l'arrêt du travail, un maester civil vint près de moi et me souffla : « Do Franzose, bientôt libre... retour Paris! » et il s'en alla.

— A 6 heures, les cris de « Antrethen » résonnèrent à travers les Stalles. Je fus surpris de ne pas rencontrer l'équipe montante que l'on croisait quand nous sortions. Nous ne retournerons plus à Saint-Georgen. L'appel se fit rapidement, embarqués sans coups, et nous voilà revenus au camp. Nos accompagnateurs avaient changé : ce n'étaient plus des S.S., mais des anciens de la Wehrmacht, aidés par des pompiers de Vienne. Nous sommes entrés directement dans nos baraques sans appel. Nous avons touché notre ration : un pain pour vingt-quatre hommes, et quel pain! La moitié était moisie car, depuis une quinzaine de jours, il n'y avait plus d'arrivage. Dans le block je retrouvais mes copains, André et Marco, et tous trois nous nous sommes promis de ne pas nous séparer jusqu'à la fin. Kapos et chefs de blocks devenaient sociables. Ils ne frappaient plus,

1. Manuscrit inédit Maurice Petit (avril 1974).

cherchant même à nous parler, allant jusqu'à offrir des cigarettes. Que ne fait-on pas pour se faire pardonner.

— Nous sommes restés deux jours, dans les blocks, interdiction de sortir. Plus d'appels. Il y avait trois ou quatre alertes par jour. La D.C.A. allemande ne tirait plus. De temps en temps, nous voyions passer sur la route qui surplombait le camp, des convois qui ressemblaient étrangement à ceux qui ont sillonné nos routes de France en 1940. Eux aussi ils connaissaient la débâcle.

— Dans la nuit du 4 au 5 mai, nous entendions, distinctement, le bruit des canons. Le 5 mai au matin, nous reçûmes cette eau sale, baptisée café. Nous cherchions vainement à savoir ce qui se passait. A travers les fenêtres, on apercevait toujours quelques soldats allemands qui fuyaient avec armes et bagages.

— A midi, une soupe d'herbe pour deux. Vers 3 heures, on nous fit sortir devant les baraques pour procéder à un appel. C'est à ce moment que j'ai remarqué que les chefs de blocks et les kapos avaient retiré leur numéro matricule, et les carrés de tissus, cousus dans le dos qui les désignaient comme bagnards. La plupart avait des tenues civiles correctes. J'en fis part à André qui était à côté de moi, je lui dis : « Serrons-nous les coudes, c'est la fin ! » L'appel venait de se terminer, quand apparurent, traversant le pont du chemin de fer et s'engageant sur la route deux autos mitrailleuses qu'accompagnait une voiture blanche [1], munie de haut-parleurs. Après avoir tiré une salve de mitrailleuse, ordre fut donné par haut-parleur, à trois soldats, de se rendre avec leurs armes, et de se ranger par trois sur la route...

— Tous les soldats qui nous gardaient se rendirent sans difficulté. La colonne s'éloigna, escortée par les voitures.

— Ce moment de stupeur passé, qui permit à la plupart de nos tortionnaires de fuir à travers champs, ce fut le

1. Il s'agit de l'Opel de Louis Haefliger, le représentant de la Croix-Rouge qui a réussi à prendre contact avec une petite unité américaine et persuader l'officier commandant, de détacher quelques blindés pour libérer les camps de Mauthausen et de Gusen (voir *Les 186 Marches*, même auteur, même éditeur).

déchaînement. Les uns se ruèrent sur les palissades en bordure de la route et les renversèrent. Quant aux autres, ils envahirent les baraques S.S. et commencèrent le pillage. Dans le camp, c'était la chasse aux bourreaux d'hier, à coups de tabouret, de planche. Tout ce qui tombait sous la main, qui pouvait servir d'arme, était bon. Bientôt ce ne fut que cris, que râles. Cette justice sommaire faisait son œuvre. Malheureusement les grands chefs responsables avaient fui. Les allées du camp étaient bientôt jonchées de cadavres, pour la plupart nus. Nos propres baraques pillées, brisées, sans savoir où nous pourrions coucher la nuit prochaine, car nous étions littéralement abandonnés à nous-mêmes.

— Déjà, des petits groupes s'en allaient par les chemins, certains Français décidèrent de rejoindre Gusen I et Mauthausen. D'accord avec André et Marco, nous avons préféré rester là pour la nuit, demain nous aviserons.

— Des Russes avaient envahi le silo à pommes de terre, allumant des feux avec le bois de nos lits et des palissades. Je réussis à ramasser environ la valeur de 5 kilos de pommes de terre et, tous les trois, nous en avons fait cuire car nous avions faim. Une petite pluie fine s'est mise à tomber. Et le camp ressemblait à un village ayant subi un bombardement avec tous ces feux qui brûlaient.

— Toute la nuit, nous nous sommes réfugiés dans un coin de baraque, après avoir tout de même trouvé des couvertures et nous avons passé notre première nuit de liberté. Plus grand monde était resté. La plus grande partie des survivants avait préféré s'éparpiller dans la campagne...

— Le 6 mai, au matin, en sortant du block avec André, du haut de ces marches qui accédaient à la baraque, notre champ de vue présentait une désolation complète. Ce camp, qui était surpeuplé, présentait l'abandon : des tabourets cassés, des gamelles, des planches, des paillasses éventrées et des morts!... Encore des morts gisant dans toutes les positions... Nous partîmes vers les baraques servant de réserve aux vêtements civils que l'on nous volait lors de notre arrivée.

— Là encore, le pillage, nous marchions littéralement sur

un tapis de vêtements, chaussures, chapeaux, portefeuilles dont les photos des êtres chers laissés au pays sortaient pêle-mêle dans ce fouillis inextricable d'effets de toutes sortes. Au bout d'une heure, nous nous trouvions une nouvelle fois déguisés. A notre retour, nous retrouvions les quelques Français qui étaient réunis dans la chambre d'un chef de block pour tenir conseil. Certains maintenaient que le mieux était de rejoindre Mauthausen, d'autres de gagner Linz où l'on pensait trouver du secours. Nous n'étions pas toujours d'accord.

— Nous mangeâmes une espèce de purée de patates et, vers midi, je partais avec Wackherr et Marco pour rejoindre Linz. Cela représentait 18 kilomètres à pied; pour nous, c'était énorme, mais nous étions capables de tout... Donc, nous quittions définitivement ce qui restait du camp. Partout des cadavres... Nous prîmes la route... elle représentait pour nous la liberté; pourtant, que de fois pendant notre calvaire, nous l'avions empruntée pour nous rendre du camp à Saint-Georgen.

— A 2 heures, à l'église de Saint-Georgen, nous avions rendez-vous avec ceux qui optaient pour Linz. Comme nous étions en avance, nous nous reposâmes. Les civils nous regardaient, ils avaient l'air atterrés par notre maigreur et notre accoutrement; pourtant, ils ne pouvaient pas ignorer nos souffrances. L'usine souterraine était en bordure du village de Saint-Georgen. Nous travaillions et étions battus à mort à la vue de tous.

— A l'heure fixée, aucun de nos camarades ne nous avait rejoints. Nous reprîmes notre route vers Linz.

— Nous avions marché des heures et nous approchions de Linz.

— A la traversée d'un petit village, dont le nom m'échappe, j'aperçois un sous-officier, arrêté avec son vélo, parlant français à un civil. Que c'était bon d'entendre parler notre langue. Je m'approche de lui et dis : « Pardon, sergent, pour aller à Linz? »

— « Qu'allez-vous faire à Linz? »

— « Chercher refuge et du secours. »

— « Qui êtes-vous et d'où sortez-vous? »

— « Français, déportés de Mauthausen-Gusen. »

— « Je suis Belge et prisonnier de guerre, mais vous n'entrerez pas à Linz, les Américains ne laissent passer personne. »

— « Alors, qu'allons-nous devenir? »

— Il réfléchit, tire son calepin et inscrit quelques mots, me tend la feuille et me dit : « Vous êtes trois, bien, allez au camp de prisonniers de guerre; comme vous, nous venons d'être libérés. Vous trouverez à manger mais je ne sais si vous pourrez coucher. Au revoir, bonne chance. »

— Et nous voilà partis.

— Il nous devança avec sa bicyclette. Quand nous arrivâmes à la porte du camp de prisonniers, un accueil qu'il n'est pas possible de décrire nous attendait. Nous fûmes véritablement portés en triomphe. Le capitaine-major, le chef du camp, tous étaient là aux petits soins.

— En moins de temps qu'il ne faut pour l'écrire, une baraque fut aménagée, avec une table dressée, couverte de victuailles, des lits montés avec des draps! L'officier qui dirigeait le camp, nous fit déshabiller, envoyer aux douches et habiller de neuf avec du linge pris à l'intendance de la région. L'ordre fut donné que tous les déportés français se dirigeant sur Linz seraient envoyés au camp, et plusieurs baraquements furent aménagés en vue de leur arrivée, car nous étions les premiers.

— Le soir, nombreux furent les camarades prisonniers, venant aux nouvelles sur notre vie de déporté, et quelle fraternité!... Vous vous en souvenez, n'est-ce pas?

— Dès le lendemain, le coin des déportés de Gusen s'organisait. Tous les Français trouvés sur les routes étaient dirigés sur ce camp et, comme nous devenions nombreux, je fus désigné à la répartition des vivres pour les camarades déportés. Nous sommes restés là jusqu'au 21 mai, date à laquelle les camions sont venus nous chercher et nous emmener à l'aérodrome de Linz, via la France.

IV

LES FAUX-MONNAYEURS

15 février 1945.

Le block 20, redevenu opérationnel douze jours après la grande évasion des six cents détenus soviétiques [1], est livré « clés en mains » à trois officiers supérieurs qui, murmure-t-on dans les « milieux bien informés »... des employés de bureaux, ont débarqué à Linz d'un avion spécial.

— Commission d'enquête sur l'évasion?

— Probablement.

Les visiteurs ne s'attardent qu'une heure.

16 février 1945.

Branle-bas de combat dans les kommandos permanents de monteurs de fils, plombiers, maçons, menuisiers qui doivent, sous quarante-huit heures, doubler les protections de barbelés électrifiés, tirer plusieurs lignes de force du transformateur vers le block 20, élever des cloisons, installer deux w.-c. et une cabine de douche, monter les châlits nécessaires à cent quarante personnes, récupérer des bancs, des tables, des bureaux, des lampes de bureaux...

— Tout ça pour les nouveaux Kugel?

— Non! c'est réservé aux survivants du complot contre Hitler.

Pendant une dizaine de jours, les bruits les plus fantai-

1. Voir *Les 186 Marches*, chapitre XX (même auteur, même éditeur).

sistes circuleront dans tous les milieux du camp sur la destination du block 20 « rénové ».

— Une chose est certaine : les peintres n'ont reçu aucun ordre... Il y a du sang séché partout... Si le « 20 » était réservé aux « hôtes de marque », ils auraient au moins nettoyé.

— Ils ont cependant équipé les lits de sacs de couchage et de couvertures.

— On verra bien!

Ils verraient bien! D'ailleurs, le front se rapprochant, les préoccupations des déportés de Mauthausen et de la direction clandestine du Comité international de la Résistance étaient bien éloignées du block 20.

1er mars 1945.

— Ils arrivent demain! Tous les camions disponibles doivent attendre à la gare...

— Veinards! Nous on a fait la route à pied.

2 mars 1945.

Le capitaine Bernhard Krüger piaffe sur le quai de la petite gare de Mauthausen. Il campe au village depuis trois jours dans la salle paroissiale réquisitionnée en 1939 par la mairie et qui sert, de moins en moins, aux réunions et aux fêtes du Parti. Ce retard, s'il en doutait, est la preuve de la désorganisation générale des voies de communication. Cinq jours pour effectuer ce voyage Oranienburg-Mauthausen... et le train était prioritaire! Pourvu qu'il n'ait subi ni mitraillage, ni bombardement!

Les S.S. qui débarquent le rassurent.

— Tout est en place. Hommes et machines. Pas de tentatives d'évasion.

Salomon Smolianoff se penche à la porte coulissante du « wagon à bestiaux ». C'est bien la gare de Mauthausen : le « Patron » n'a pas menti. Salomon est le seul déporté du convoi de cent trente-quatre prisonniers à avoir séjourné longuement à Mauthausen. Ses amis du « kommando Bernhard » (prénom du capitaine Krüger) lui ont demandé, tout au long du voyage, de raconter et raconter le camp. Les hommes depuis leur évacuation d'Oranienburg sont persuadés, comme tous les « porteurs de secret » qu'ils vont être liquidés à leur arrivée.

— Mauthausen est bien un camp d'extermination?

— Oui, bien sûr, mais ils n'auraient pas entrepris cette longue évacuation avec tous les wagons de matériel pour nous gazer à la descente du train.

— Sans nous les machines n'ont aucun intérêt.

Smolianoff, seul véritable droit commun du groupe est à la fois haï et admiré par les autres détenus. Il est bien sûr criminel et « presque collaborateur » (ancien kapo à une époque où les politiques ne tenaient aucun rôle dans la hiérarchie des camps) mais l'ensemble du kommando reconnaît sa compétence tout à fait exceptionnelle et son immense courage. Qui, en effet, d'autre que Smolianoff aurait pu tenir le contrat en forme de pari proposé par Krüger? Sans la réussite « professionnelle » de Smolianoff, le kommando aurait été passé par les armes dans le dernier trimestre 1944. D'ailleurs, malgré quelques jalousies et oppositions de circonstances, Smolianoff s'est imposé comme le porte-parole du groupe et, ma foi! dans ce domaine également, il réussit assez bien.

— Je voudrais parler au capitaine Krüger.

La sentinelle saute sur le quai. Krüger visite le dernier wagon bourré de caisses en forme de cercueil.

— Allez chercher le tzigane.

Trois soldats en armes encadrent Smolianoff.

— Puis-je parler librement?

Krüger hausse les épaules.

— Le chargement n'a pas souffert. Je vous écoute.

— Nous voudrions dormir dans les wagons tant que le train ne sera pas entièrement déchargé.

Krüger éclate.

— C'est toujours la même chose. Je vous ai dit que rien ne vous arriverait. Vous allez embarquer dans les camions. Une dernière fois je vous donne ma parole que rien ne vous arrivera. Nous avons pour plusieurs mois de travail.

Allez! un block isolé vous est réservé. Vous pourrez dormir et manger.

Une garde spéciale venue de Mauthausen — une centaine de très jeunes soldats — prend position le long du convoi composé de dix-sept wagons : trois pour les déportés, douze pour le matériel d'imprimerie, un pour les rames de papier, un enfin — véritable coffre-fort — abritant les réserves façonnées par les spécialistes du kommando.

— Débarquez!

⁂

Le dernier lacet.

Smolianoff sourit en reconnaissant le fossé où, quinze mois auparavant, aurait pu se terminer son étrange aventure.

Décembre 1943.

L'Obersturmführer Karl Schulz, commandant la section politique (Politische Abteilung) de Mauthausen et le « directeur » de la sûreté Bachmayer avaient préparé une petite fête — trois assiettes de gâteaux secs et deux bouteilles de vin de Moselle — aux envoyés spéciaux de l'Office central de Sécurité du Reich (R.S.H.A.). Leur voiture, une Salmson noire, ne fut pas autorisée à franchir la lourde porte du camp.

— Que pouvaient bien vouloir ces « messieurs » et qui étaient-ils?

Les fonctionnaires « les mieux en vue » de l'administration concentrationnaire craignaient toujours ces visites « avec préavis de trois ou quatre heures » de personnages mystérieux, agissant pour le compte d'une section non moins mystérieuse du S.D. ou du R.S.H.A. et qui se permettaient toutes les enquêtes avec la bénédiction d'Ernst Kaltenbrunner, successeur d'Heydrich ou d'Heinrich Himmler. Schulz et Bachmayer qui déchargeaient Ziereis des « basses besognes policières » savaient bien qu'il était inutile de jouer au plus malin avec cette autorité floue, mais aux pleins pouvoirs, les poches bourrées d'autorisations en tous genres avec cachets et signatures.

Ils furent certainement déçus en constatant que leurs visiteurs n'étaient que des petits gradés : Hans Werner, lieutenant, Helmut Beckmann, adjudant-chef. Deux autres S.S., simples soldats, restèrent au voisinage de la Salmson. Dans le bureau de Schulz, Werner débloqua la serrure à chiffre de son porte-document et Beckmann à l'aide d'une clé de son trousseau compléta la double manœuvre d'ouverture. Ce genre de précautions inusité au cours des précédentes enquêtes ne fut pas sans inquiéter les « policiers » de Mauthausen.

— Avez-vous reçu en date du 20 juillet 1942 cette note WVHA, D II/1 Ma/Hag en provenance de votre direction d'Oranienburg?

Les deux officiers de Mauthausen se penchèrent sur la pelure jaune :

— « ... Faites-nous connaître, dans les meilleurs délais, les noms des prisonniers juifs, de leur profession, typographes, dessinateurs, spécialistes de l'industrie du papier ou d'autres ouvriers adroits de leurs mains, tels des coiffeurs...» Schulz et Bachmayer ne se souvenaient pas... C'était impossible!... Aucun dossier ne s'était jamais perdu... Ils répondaient toujours... D'ailleurs le classement de leurs archives était parfait.

— Ils plongèrent dans les classeurs, les différents secrétariats vidèrent leurs tiroirs : pas la moindre trace de la note du WVHA ou de son enregistrement.

— Très bien, dit Werner, il faudra y répondre quand même, malgré le retard. Je vous laisse un double. D'ailleurs peu importe s'ils sont juifs ou non. Maintenant nous voudrions voir le prisonnier Salomon Smolianoff.

Werner répéta le nom, le prénom et sortit un dossier épais de sa serviette. Schulz qui revenait déjà avec celui du détenu, conservé par la section politique, constata que la chemise de Werner débordait de photographies, de feuillets dactylographiés, de coupures de journaux, tandis que la sienne ne comportait qu'une fiche.

— Né le 27 mars 1897?

— Oui, c'est bien ça! A Brno.

— Très bien! Profession : artiste peintre?

— C'est ça! Nous le connaissons bien, il a réalisé quelques travaux pour la décoration du mess des sous-officiers. Il sera là très rapidement. Je l'ai envoyé chercher.

Werner tendit une photo.

— C'est bien lui?

— Oui, c'est lui.

— Et que fait-il ici?

— Il est kapo d'un groupe de maçons.

— Il est en parfaite santé?

— Je crois! Un kapo! Nous allons voir.

— Je vous demanderai de faire disparaître toute trace de son passage ici. Je vais vous signer une décharge qui a été préparée. Nous emmènerons ce soir le prisonnier. Vous oublierez aussi les motifs de son arrestation...

L'appel à la tour ou à la section politique était considéré par l'ensemble des déportés de Mauthausen ou des autres camps de concentration comme l'épreuve la plus dangereuse à subir. Très peu en ressortaient vivants. Salomon Smolianoff, le droit commun taciturne, qui avait réussi à obtenir un poste de responsabilité dans cette hiérarchie subalterne et ne négligeait pas les brutalités pour se faire respecter, fut accueilli par un verre de vin blanc et cette phrase qui, pour lui, n'avait aucune signification :

— Asseyez-vous! Il y a trois mois que nous vous cherchons.

La « visite » était terminée. Les envoyés spéciaux demandèrent qu'on les laisse seuls dans un bureau où ils devaient téléphoner à Berlin, que l'on prépare soigneusement Smolianoff pour le transformer en voyageur convenable et surtout qu'il soit parfaitement isolé jusqu'à son départ.

— Pas le moindre contact avec un détenu ou un gardien. Il ne peut écrire aucun message. Il n'emportera que ses affaires personnelles qui l'ont certainement suivi depuis son arrestation.

Que de précautions! Que de mystères! Que de bienveillance pour un criminel. Schulz, Bachmayer et à plus forte raison Smolianoff ne posèrent pas la moindre question.

Chacun pour son compte s'en tirait — pour le moment — fort bien [1].

Chapeau, gants, souliers de ville, manteau à col de fourrure... rien ne manquait à l'équipement de Smolianoff. Avant de descendre vers les garages, Werner procéda à un dernier interrogatoire d'identité. Salomon Smolianoff était

---

1. Aussi surprenant que cela puisse paraître, tous les détails de cette « visite » à Mauthausen m'ont été révélés en mai 1965, à Saint-Domingue, par un jeune Haïtien qui se faisait appeler « Dominique » et qui rêvait de renverser le « président à vie » François Duvalier. Dominique, membre du kommando Rivière, ce Français commandant-mercenaire des hommes grenouilles de Monte Arrache, ministre de la Défense du gouvernement constitutionnaliste du colonel Caamano, avait mené différentes enquêtes pour un journaliste brésilien sur la piste de Joseph Mengele, le médecin d'Auschwitz. Ses recherches l'avaient conduit à Saint-Domingue quand éclata la révolution... (voir les *Médecins Maudits,* pages 113 à 117). Mais Dominique et Rivière, au cours de plusieurs soirées de bavardage, me parlèrent surtout de leurs espoirs d'hommes grenouilles : repêcher dans le ventre des galions espagnols qu'ils avaient repérés les doublons d'or... tripler l'effectif de leur commando, renverser Duvalier et... retrouver en Autriche le trésor des S.S. noyé dans quelque lac. C'est un immigré allemand au Brésil qui avait raconté à Dominique l'aventure des faux-monnayeurs du IIIe Reich et la disparition d'une partie des prises de guerre S.S. dans l'Autriche du Sud. Cet ancien S.S. s'appelait Beckman et il avait prélevé dans plusieurs camps de concentration les différents spécialistes nécessaires au projet « fausse monnaie ».

J'avoue que, en 1965, vivant à Saint-Domingue une révolution étonnante qui « passionnait » le monde entier, j'étais beaucoup plus curieux de ce qui se déroulait sous mes yeux que des rêves de Rivière ou Dominique, pour qui les combats du camp retranché de Caamano n'étaient qu'un épisode sans importance. Au cours de notre dernière rencontre — j'attendais avec mon équipe de télévision caché dans un fourré de jardin public, leur retour d'une expédition contre un bureau de poste tenu par les forces de droite (ils avaient refusé de nous emmener avec eux, jugeant l'opération trop dangereuse, le commando Rivière perdit deux hommes dans l'affaire), Dominique alla plus loin encore dans ses rêves : Beckman connaissait tous les grands spécialistes de fausse monnaie en liberté dans le monde... Il suffisait d'imprimer les billets des pays que l'on voulait libérer : leur économie ruinée, les dictateurs tomberaient comme des fruits pourris, etc., plutôt que de pêcher les doublons prisonniers du corail, il fallait retrouver ce « Tzigane » de Mauthausen et lui faire comprendre qu'il pouvait se racheter...

Une semaine après mon retour à Paris, j'apprenais que Rivière avait été abattu dans une tournée d'inspection du camp retranché. (La C.I.A. était rendue responsable, par certains observateurs, de ce « règlement de compte »). Je n'ai jamais plus entendu parler de Dominique. Quant à Helmut Beckman, en préparant ce livre, j'ai simplement découvert qu'il était passé à huis clos devant la chambre de dénazification de Regensbourg en 1947. Depuis, il s'est volatilisé.

bien Salomon Smolianoff. La Salmson démarra et s'arrêta dans le premier lacet du chemin tortueux qui rejoint la route du Danube, l'aile droite encastrée dans une congère. Accident sans gravité : un peu de tôle froissée.

La suite du voyage jusqu'à Berlin se déroula sans incident. Les repas furent pris dans des mess de garnison. Les « rendez-vous » avaient été organisés par téléphone et les voyageurs attendus. Smolianoff, hébété, étourdi, angoissé au fond de lui-même, se demandait si cette équipée n'allait pas se terminer devant un peloton d'exécution ou dans une chambre à gaz. Il fut presque soulagé en abandonnant ses vêtements d'emprunt pour retrouver une « tenue civile » de type concentrationnaire... sans toutefois trop de rapiéçages. Un capitaine S.S. suivait toute l'opération « d'incorporation » du nouveau venu. Pour la première fois, Krüger recevait un « client » isolé. Il feuilleta sa liste. Il pouvait mettre un visage derrière chaque matricule. Les plus anciens, ceux du début, les 46 000, puis les 61, 67, 75, 79. Il avait formé son équipe en cinq fournées. La « vedette », c'est logique, arrivait seule. Salomon Smolianoff reçut le numéro d'immatriculation 93 594. Il était le cent vingtième membre du « kommando Bernhard » qui, le mois suivant, devait être complété par quatorze déportés d'Auschwitz (les 102 000). Cent trente-quatre déportés qui allaient rapporter au IIIe Reich, et surtout à ses services secrets, la coquette somme de 163 millions de livres sterling [1], et quelques dizaines de millions de dollars. Assurément le groupe de déportés le plus rentable de toute l'histoire de la déportation... seuls peut-être les « détrousseurs » de cadavres d'Auschwitz ou Tréblinka firent mieux... mais ils étaient plus nombreux.

Le capitaine Krüger s'approcha du matricule 93 594.

— Bon voyage? Venez donc par ici, nous allons parler d'un sujet qui va vous passionner.

Les deux hommes s'enferment dans une pièce nue. Une table et deux tabourets.

---

1. D'après une lettre de Kaltenbrunner à Pohl. C'est le chiffre que nous retiendrons. Krüger parle de 18 millions, le déporté comptable du kommando Skola-Stein, 134 millions, et Beckmann, 200 millions.

Krüger ouvrit son portefeuille.

— Vous connaissez ça?

— C'est un billet de 20 livres!

— Regardez! Tournez et retournez, prenez votre temps.

— C'est un billet de 20 livres.

— C'est tout ce que vous trouvez à dire. Vrai ou faux?

Smolianoff hésita.

— S'il n'est pas vrai il est parfaitement imité. Mais je ne suis pas un spécialiste des « livres »... Il me faudrait comparer, avoir plus de lumière, une loupe, un microscope.

— Il est faux! Ne cherchez plus. Parfaitement, totalement faux, les plus grands experts, les Suisses et les Britanniques s'y sont laissés prendre.

Krüger tendit un billet de 10 dollars.

— Nous voici dans votre spécialité. Le « dollar », vous en avez fabriqué et écoulé pour un bon million si j'en crois votre dossier judiciaire et les articles de presse. Vous avez été recherché par les polices de dix-sept pays. Un record! Et c'est pour cela que vous êtes dans un camp. Vous avez été condamné?

— A Munich! En 1932!

— Pour?

— Pour trente ans.

— Alors, ce billet?

— C'est comme pour la livre... S'il n'est pas vrai il est parfaitement imité. Il me faudrait...

— Il est vrai! Nous avons mis plusieurs années pour réussir nos livres, vous n'aurez que quelques mois pour réussir vos dollars...

⁂

Juin 1938. Vienne.

Wilhem Höttl [1], étudiant sans fortune, prépare l'agrégation d'histoire à l'université de Vienne.

— J'avais [2] choisi pour ma thèse un sujet tiré de l'his-

1. Né le 19 mars 1915 à Vienne.

2. Mémoires de Wilhem Höttl, publiés sous le pseudonyme de Walter Hagen (éditions Mondiales, Paris, 1956), *J'étais le faussaire de Hitler*. L'édition originale parue à Vienne porte le titre *Opération Bernhard*.

toire des Balkans. Je reçus une lettre dans laquelle un certain M. Naumann me demandait d'aller le voir. Il se donnait le titre de « Führer du secteur Danube », institution qui m'était tout aussi peu connue que M. Naumann lui-même. D'autre part, je savais que le contre-espionnage allemand et le service secret politique, depuis leur installation à Vienne, en mars 1938, s'efforçaient de recruter des experts de ce qu'ils appelaient le « Sud-Est ». Ils avaient déjà approché quelques-uns de mes collègues de la faculté et il se pouvait qu'ils eussent, par leur intermédiaire, connu mon nom, celui d'un jeune historien spécialisé depuis quelque temps déjà dans les questions balkaniques. M. Naumann me reçut en civil, dans l'ancien bureau de travail du baron de Rothschild dont le S.D. occupait le palais.

Naumann, antenne du S.D. en Autriche, avait pour tâche première le recrutement d'agents « secrets ». Höttl ne semble pas s'être fait prier pour se laisser convaincre :

— Après [1] l'annexion de l'Autriche en 1938, j'entrais volontairement au S.D. Je sortais du mouvement national-catholique de la jeunesse et je me suis assigné le but de donner à mon pays une orientation politique modérée.

Un an après sa première entrevue avec Naumann, Höttl « grille » les étapes :

— Au [2] cours de l'été, je fus nommé délégué du Service pour le Sud. En cette qualité, j'avais autorité sur tous les postes de ce service en Autriche, en Bavière et dans le protectorat de Bohême et de Moravie.

10 août 1939. Berlin.

Cou de taureau, front de buffle, une musculature à couper le souffle à tous les lutteurs de la création, Helmut

1. Déclaration de Wilhem Höttl le 11 avril 1946 devant le Tribunal International de Nuremberg : « Heydrich organisa en 1932 ce qu'on a appelé le Sicherheidsdienst (S.D.). La tâche de ce dernier consistait à renseigner les autorités suprêmes allemandes et les ministères du Reich sur tous les événements qui se produisaient à l'intérieur et à l'étranger. Le S.D. était uniquement un service de renseignements et n'avait aucune fonction exécutive. Seuls des individus appartenant au S.D. furent envoyés dans les « Einzatzkommando », à l'est, ils assumèrent ainsi une fonction exécutive... »

2. Tribunal International de Nuremberg, 11 avril 1946.

Naujocks fait antichambre dans les bureaux de « son ami » Reinhard Heydrich. Tous deux se sont connus à Kiel... Heydrich commandait les S.S. et Naujocks lui servait de « gorille ». Naujocks, qui avait gagné une quinzaine de blessures sérieuses dans les combats de rue contre les « opposants » du Parti, ne se contentait pas de son effigie de « Monsieur Muscle »; il savait allier la « tête et les jambes ». Lorsque Heydrich quitta Kiel, il emporta Naujocks dans ses bagages : une précieuse acquisition qui débordait d'imagination et ne laissait à personne d'autre le soin de « passer aux actes »... ainsi :

— Le [1] 10 août 1939, Heydrich, le chef de la Sipo et du S.D., m'a ordonné personnellement de simuler une attaque contre la station d'émission de Gleiwitz, près de la frontière polonaise, et de lui donner l'apparence d'une attaque menée par les Polonais. Heydrich m'a dit : « Il nous faut pour la presse étrangère et la propagande allemande des preuves matérielles de ces attaques « polonaises ».

— Je reçus l'ordre d'aller à Gleiwitz avec cinq ou six hommes du S.D. et d'attendre là un ordre chiffré de Heydrich, concernant le déclenchement de l'attaque. Je devais m'emparer de la station d'émission radiophonique et la tenir assez longtemps pour permettre à un Allemand parlant polonais, qui serait mis à ma disposition, d'émettre un message en polonais. Ce message, me dit Heydrich, déclarait que l'heure de la guerre germano-polonaise avait sonné, et que les Polonais rassemblés allaient écraser toute résistance de la part des Allemands. Heydrich me dit aussi, à l'époque, qu'il s'attendait à ce que l'Allemagne déclenchât une attaque contre la Pologne dans peu de jours.

— Je me rendis à Gleiwitz et attendis là quinze jours. Je demandais alors à Heydrich l'autorisation de revenir à Berlin, mais je reçus l'ordre de rester à Gleiwitz. Entre le 25 et le 31 août, j'allai voir Heinrich Müller, chef de la

---

1. Témoignage Helmut Naujocks. Tribunal International de Nuremberg. 20 décembre 1945. Naujocks « minimise » son rôle. Dès le lendemain du 1er septembre 1939, les services secrets du monde entier savaient que l'affaire avait été « pensée, préparée et réalisée par l'homme de confiance d'Heydrich ». Il était plus prudent, à Nuremberg, de se retrancher derrière un ordre d'exécution.

Gestapo, qui se trouvait alors non loin de là, à Oppeln. En ma présence, Müller discuta avec un nommé Mehlhorn, un projet d'incident de frontière ayant l'apparence d'une attaque des troupes allemandes par les soldats polonais. On devait utiliser environ une compagnie de soldats allemands. Müller déclara qu'il avait douze ou treize criminels condamnés qui seraient habillés avec des uniformes polonais et qu'on laisserait morts sur la place pour montrer qu'ils avaient été tués au cours de l'attaque. Ils devaient, dans ce but, recevoir des injections mortelles d'un médecin au service de Heydrich. Par la suite, ils recevraient aussi des blessures d'armes à feu. Après l'incident, des membres de la presse et d'autres personnes devaient être amenées sur les lieux. Un rapport de police serait alors dressé. Müller me dit qu'il avait un ordre de Heydrich lui disant de mettre l'un de ces criminels à ma disposition pour l'action de Gleiwitz. Le mot-code par lequel ces criminels étaient désignés était « conserves ».

— L'incident de Gleiwitz auquel j'ai participé fut exécuté la veille au soir de l'attaque allemande contre la Pologne. Autant que je me souvienne, la guerre éclata le 1er septembre 1939. Le 31 août à midi, je reçus par téléphone, de Heydrich, le mot chiffré pour l'attaque qui devait avoir lieu à 8 heures, le soir même. Heydrich dit : « Afin d'exécuter cette attaque, demandez à Müller les « conserves ». » Je le fis et donnai à Müller des instructions pour amener l'homme auprès de la station de radio. Je reçus cet homme et le fis étendre à l'entrée de la station. Il était vivant, mais complètement inconscient. J'essayai d'ouvrir ses yeux, je ne pus reconnaître à son regard s'il était vivant mais seulement à son souffle. Je ne vis pas de blessures d'armes à feu, mais son visage était barbouillé de sang. Il était en civil.

— Conformément aux ordres, nous nous sommes emparés de la station de radio, avons transmis un message de trois à quatre minutes sur un émetteur de secours, lancé quelques coups de pistolet et sommes partis.

... Naujocks « instrument » de l'invasion de la Pologne et de la Seconde Guerre mondiale. Pour le « boxeur » de

Kiel, une fracassante victoire... Elle sera suivie de beaucoup d'autres : ainsi, en novembre 1939, il enlevait à Venco, aux Pays-Bas, les deux responsables de l'Intelligence Service, Best et Stevens, les livrait à Heydrich et devenait un héros national décoré de la Croix de Fer de première classe.

Dans les « faux papiers » de Best et Stevens, Naujocks découvrit, trois jours après son retour triomphal, des cartes d'alimentation allemandes parfaitement imitées. Cette « révélation » ne surprit pas Heydrich. Depuis deux semaines, des avions britanniques saupoudraient plusieurs régions de l'Allemagne du Nord de ces tickets inespérés. Et les « bons citoyens », dans quatre-vingts pour cent des cas, les utilisaient. C'était une véritable catastrophe. Naujocks fut chargé de limiter les dégâts : ne donner aucune publicité à l'affaire pour éviter l'affolement et les « provisions », prendre contact avec l'Economie et les Finances pour inventer des « cartes mensuelles » qui ne seraient distribuées qu'au dernier moment, et surtout découvrir une « contre-attaque ».

— ... L'idée [1] lui était venue d'inonder l'Angleterre de faux billets de banque en assez grandes quantités pour porter atteinte à la monnaie britannique. Il avait présenté son plan à Heydrich, en septembre 1939. Celui-ci, enthousiasmé, avait adressé à Hitler une note assez détaillée. Détail surprenant : le Führer avait donné sans hésitation son accord. Toutefois, il avait refusé de faire fabriquer et de mettre en circulation des dollars comme le proposait la note élargissant l'idée de Naujocks. En marge du projet de Heydrich, il avait écrit : « Pas de dollars. Ne sommes pas en guerre avec les U.S.A. »

***

Heydrich n'était pas homme à improviser. Le « projet » méritait une longue et sérieuse préparation : désorganiser l'économie britannique en effritant ce véritable « étalon » qu'était la livre sterling était une chose, rendre les services secrets indépendants financièrement, une autre. Ce second

1. Mémoires Wilhem Höttl (déjà cité).

point évidemment n'était pas abordé dans la note d'information soumise à Hitler.

Et le brave Naujocks, dépité de ne pas avoir, dans l'immédiat, à monter une imprimerie clandestine, se transforma en bibliographe... avec l'aide du professeur Hans Ubersberger et d'une dizaine d'universitaires. Heydrich voulait connaître, dans le détail, toutes les opérations politiques de faux-monnayage : « De l'antiquité à nos jours, procédés de fabrication, tentatives de mise en circulation, dessous politiques... et personnels. »

Hans Ubersberger recruta, dans son Ost Institut, des spécialistes chargés de préparer le dossier des « faux tchervonetz » (dix roubles) qui avaient été imprimés en 1928 pour abattre « les Rouges », et décida d'utiliser les compétences d'un agent du S.D. en poste à Vienne pour éclaircir les mystères des faux billets de 1 000 francs français, fabriqués en 1925 pour financer le mouvement irrédentiste hongrois. Dans les deux cas, le processus était identique : les faux billets imprimés pour « provoquer » l'inflation ont avant tout été utilisés par des « agents recruteurs de partisans ».

Wilhem Höttl, qui s'était rendu à Budapest pour découvrir les véritables raisons politiques du faussaire Ludwig Von Windischgraetz revint avec une explication « d'un style sec et technique » de trente-deux pages. Höttl, dans ses mémoires — « pour tenir compte des engagements pris » — ne révèle pas la teneur de son rapport [1].

Décembre 1940. Berlin.

— Alors que pensez-vous de tout cela? C'est dérisoire.

Apparemment, le général S.S. Heinz Jost, directeur de la Section VI, ne croyait pas aux « suites » à donner à cette étude préparatoire de quelques rêveurs universitaires.

---

1. Heydrich, en bon technicien du renseignement, fit vérifier par une équipe de spécialistes de la Section de Sécurité AMT VI, les révélations de Höttl. Ces agents réussirent même à ramener des faux billets de 1 000 F qui provenaient certainement des coffres de la Banque de France.

— D'ailleurs, ajouta-t-il, en s'adressant à Höttl, toutes ces tentatives passées ont lamentablement échoué.

Naujocks tournait en rond dans le bureau. Pourquoi donc Heydrich avait-il mis au courant ce pachyderme borné? Pourquoi surtout lui confier de gérer « administrativement », et seulement administrativement, l'opération? Parce qu'il abrite dans son service les meilleurs contrefacteurs de passeports et de papiers d'identité? Ridicule. Heydrich n'avait qu'à les changer d'affectation.

— Entreprenant [1] et résolu, Naujocks supportait avec peine les exhortations au calme que lui prodiguait Jost. Pour finir, incapable de se contenir plus longtemps, et à l'encontre des règles les plus élémentaires de la discipline, il prit la parole et, sur un ton assez rogue, déclara qu'il n'avait pas l'intention avec ces faux billets de financer quelque obscure entreprise, comme les Hongrois. Son but, à lui, était de ruiner la monnaie de l'ennemi. Pourquoi, ajouta-t-il, ne pas parler franchement et dire sans ambages de quoi il retourne? Terrifié, Jost lui fit remarquer qu'il venait de commettre une faute de service grave en parlant devant un tiers qui n'avait pas pris l'engagement de se taire... Sur quoi Naujocks, très calme, s'était contenté de me tendre la main et de me dire : « Eh bien! vous voilà assermenté. »

Naujocks, « l'inventeur » chargé de réaliser son projet, Höttl, « le penseur politique » qui contrôlerait l'utilisation des coupures... il ne manquait qu'à découvrir « le fabricant ». Il était à cinq bureaux du général Jost, tout au fond du couloir.

Bernhardt Krüger dirigeait les ateliers de « faux papiers » des services secrets. Et ce jeune capitaine avait réussi l'exploit de sortir une série parfaite de passeports suisses, seul document considéré par l'Intelligence Service comme impossible à imiter.

Krüger et Naujocks se donnèrent un an pour réussir.

*
**

1. Mémoires Wilhem Höttl (déjà cité).

— Dans[1] les instructions secrètes de Heydrich à Naujocks, après que Hitler eut accepté le plan de falsification, il était dit notamment :

« Il ne s'agit pas à proprement parler de fausse monnaie au sens habituel du mot, mais bien plus d'une émission complémentaire non autorisée. Les billets de banque doivent donc être en tout point rigoureusement identiques aux vrais, en sorte que les experts britanniques les plus habiles et les plus qualifiés soient dans l'incapacité d'y relever la plus petite différence. »

— Le problème ainsi posé n'était pas facile à résoudre. Trois questions essentielles se posaient :

1. obtention d'un papier de même qualité;
2. fabrication de clichés exactement semblables pour le dessin et la couleur;
3. observance rigoureuse du système de numérotage des billets.

— Les difficultés étaient, on le voit, énormes et seul un homme d'un optimisme et d'une énergie imperturbables tel que Naujocks pouvait prétendre au succès.

— Pour établir la composition exacte du papier employé par la Banque d'Angleterre, on découpa un grand nombre de billets. Les morceaux ne portant aucune trace d'une impression visible, ou sensible au toucher, furent confiés à divers laboratoires, aux fins d'analyse. Les résultats furent décevants. Les six rapports qui nous parvinrent au bout de quelques semaines présentaient entre eux de notables différences. Il fallait recommencer sur une base plus large et ce fut au bout d'un temps assez long que nous connûmes exactement la composition du papier. Nous avions cru tout d'abord que les Anglais avaient mêlé à leur pâte des plantes ou des bois exotiques. Il s'agissait en fait d'un papier de chiffon d'une nature particulière. Le papier de chiffon est obtenu, on le sait, en déchiquetant à l'aide de machines spéciales des déchets de toile. La structure du papier dépend donc de la nature du matériau utilisé.

— Les recherches des laboratoires des écoles techniques

1. Mémoires Wilhem Höttl (déjà cité).

allemandes avaient établi que la Banque d'Angleterre avait probablement employé des chiffons de toile pure, sans adjonction de cellulose. Le papier et le type des billets anglais de 5 livres et au-dessus n'avaient subi depuis longtemps aucune modification. Ils dataient du temps où l'addition de cellulose aux pâtes à papier ne se pratiquait pas encore.

— Naujocks dut reconnaître qu'on ne pouvait fabriquer le papier des billets autrement qu'à la main. Ce procédé n'est employé aujourd'hui que très exceptionnellement, et seulement pour la fabrication des papiers de luxe, dits à la cuve. L'Allemagne de 1940 ne comptait qu'un nombre très réduit d'ouvriers au courant de ce mode de fabrication et Naujocks n'avait pas prévu cette autre difficulté. Un nouvel essai de fabrication à la machine ne donna rien. Il était impossible ainsi d'obtenir le filigrane des billets anglais, sa netteté et ses ombres riches. Des faux-monnayeurs professionnels se fussent sans aucun doute contentés des papiers fabriqués par Naujocks. A titre d'expérience, on avait imprimé quelques billets sur ce papier et, à première vue, on ne pouvait pas les distinguer des vrais. Il fallait employer le microscope pour en relever les faiblesses.

— Naujocks se trouvait donc, bon gré mal gré, contraint de recourir à la fabrication à la main. Il fit rechercher dans toute l'Allemagne les ouvriers papetiers spécialisés. On s'imagine les difficultés qu'il rencontra. Il fallait des hommes de confiance, tous nazis éprouvés, même en admettant qu'on ne les mît pas au courant de l'emploi ultérieur des papiers qu'on les chargeait de fabriquer. Il était donc nécessaire de les réquisitionner, ce qui n'était pas facile et, parfois même, de les libérer du service militaire. Pour finir, on installa l'atelier dans un bâtiment isolé de la papeterie de Spechthausen, à Eberswalde, près de Berlin. On parvint à obtenir un papier qui, même sous le microscope, était exactement semblable à celui des billets anglais. Mais la lampe de quartz permettait de les différencier encore : les deux papiers donnaient la même teinte lilas, mais celle de l'original était plus brillante, vivante, tandis que celle de l'imitation était mate et terne. Naujocks chercha à corriger ce défaut. Il y parvint après des mois d'efforts et ses collaborateurs obtinrent le ton brillant voulu par addition de produits chimiques. Mais ces efforts nouveaux modifiaient la structure foncière du papier au point qu'on distinguait presque aisément la copie du modèle. En corrigeant un défaut, on en avait provoqué un autre, plus grave.

— Ces multiples expériences ne furent cependant pas inutiles : elles permirent de remarquer que la toile prétendument pure fournie par les filatures allemandes ne l'était pas absolument : c'était la raison de cette différence de ton sous la lampe de quartz. Il était impossible de se procurer en Allemagne la qualité voulue de chiffon. Naujocks en fit venir quelques tonnes de Turquie et reprit ses expériences.

— Cette fois, on parvint à obtenir la couleur de l'original mais pas absolument encore. Il subsistait une différence, très faible à la vérité, mais Naujocks n'était pas satisfait. L'idée lui vint enfin que la papeterie anglaise qui fabriquait le papier employé par la Monnaie utilisait des chiffons qui avaient déjà servi et qu'on avait nettoyés. La toile de Turquie venait directement des filatures. Naujocks en fit des chiffons qu'on employa au nettoyage, dans les usines. Ces chiffons, soigneusement recueillis, furent lavés, remis en service, puis lavés encore une fois, avant de servir à la fabrication de la pâte à papier. Le résultat ne se fit pas attendre. Le papier ainsi fabriqué ne se distinguait en rien du papier anglais quels que fussent les essais auxquels on le soumettait.

— Quelques jours après mon passage aux bureaux de la Delbrückstrasse, je visitai les ateliers de Spechthausen. Naujocks m'y mena lui-même dans sa grosse voiture anglaise. Elle attirait l'attention générale : pour des raisons d'économie de carburant, on n'utilisait plus que les voitures de petite cylindrée. Mais Naujocks tenait à la sienne qui avait été celle de ses victimes, Stevens et Best. Il était très fier de piloter cette « prise de guerre ». Pour ma part, j'aurais préféré une voiture moins rapide. Naujocks était le chauffeur le plus casse-cou que j'eusse jamais connu.

— A Spechthausen, il nous fallut passer par tout un

système compliqué de barrages dont on avait entouré la petite fabrique. A ma surprise, j'y trouvai un personnel très réduit, guère plus d'une douzaine d'ouvriers et à peu près le même nombre d'agents du service secret qui travaillaient plus ou moins comme apprentis sous la direction des spécialistes. C'était tout le personnel que Naujocks avait pu trouver qui répondît à toutes les conditions fixées par son chef.

— La pâte à papier dont la fabrication était suivie par de fréquentes analyses, était dans des cuves de 2 à 3 mètres de diamètre et constamment mélangée jusqu'à ce qu'elle atteignît le degré de consistance voulu. L'humidité de l'air et la température étaient mesurées presque toutes les heures. Les ouvriers puisaient dans la masse, en retiraient leurs cadres dont chacun était muni de deux matrices. Ces matrices qui servaient à donner au papier son filigrane avaient demandé beaucoup de peine. Elles étaient un chef-d'œuvre de précision car le filigrane du papier allemand devait être exactement celui du papier anglais à une très faible fraction de millimètre près. Naujocks avait tiré de sa prison un faux-monnayeur professionnel qui avait dû employer toute son habileté à la construction de ces matrices. Lors de ma visite à Spechthausen, il en existait trois : deux d'emploi courant, la troisième en réserve. Lorsqu'on sortait le cadre de la masse, et que cette masse avait la consistance voulue, il restait entre les deux matrices la quantité de pâte qu'il fallait pour obtenir un papier de la même épaisseur que celui des billets anglais. La pâte pouvait s'écouler au bord des matrices ce qui, après séchage, donnait le « bord de cuve ». La masse qui restait collée aux matrices était déroulée sur des plaques de feutre d'environ un mètre carré de surface. Le dessin des matrices s'imprimait dans le papier, d'où le filigrane. On empilait les plaques de feutre de façon qu'une feuille de pâte fût toujours entre deux feutres. Puis on les portait par piles de vingt sous une grande presse. Une pression constante chassait lentement l'eau des feutres. Pour finir, on introduisait les feuilles de papier encore humides mais présentant déjà une certaine résistance dans un séchoir construit à cet effet. Le papier repassait à la presse à main. Il était prêt pour l'impression...

— Naujocks me montra aussi les planches et m'exposa les incroyables difficultés auxquelles il s'était heurté. Il avait fallu reproduire avec une précision absolue les caractères très enjolivés. Mais l'obstacle le plus grave avait été la gravure de l'image ovale dans le coin supérieur gauche des billets et que Naujocks avait baptisée « Britannia ». Il avait dû mettre au travail les cinq meilleurs graveurs d'Allemagne. On contrôlait chaque jour le travail par comparaison avec l'original d'images agrandies dix fois, projetées sur écran et étudiées point par point. Puis on procédait aux corrections. Rien d'étonnant à ce qu'il eût fallu sept mois pour obtenir une reproduction exacte de « Britannia ». Mais le travail avait été si bien fait qu'agrandis vingt fois on ne pouvait voir aucune différence entre l'original et la copie. Le graveur, un artiste, avait été largement récompensé.

— Les signes secrets de reconnaissance des billets originaux ne posèrent à Naujocks et à ses collaborateurs aucun problème spécial; ils avaient été relevés dès le début et on les reproduisait sans difficultés particulières. C'est à leur absence que les experts reconnaissent, en général, le plus aisément les billets faux.

— Avant de passer à l'impression, il fallait encore étudier le système de numérotage des billets de la Banque d'Angleterre. A cet effet, il était nécessaire de connaître le nombre des séries émises et leurs dates. Tout billet faux devait avoir son correspondant dans les émissions anglaises. Tout devait correspondre : désignation des séries, numéros, dates d'émission, signatures. Toute fantaisie eût été aussitôt découverte par l'expert.

— Les dates d'émission s'étendaient sur une période de plus de vingt ans et à chaque date correspondaient plusieurs numéros de série. On ne pouvait naturellement pas graver une planche pour chaque date d'émission. Il fallait prévoir des corps de rechange pour les signatures et les numéros de série; leur fabrication prit des mois. Il y avait cent cinquante séries et chacune d'elles comprenait les numéros de 0 à 100 000. Cela seul donne une idée de l'importance du travail. On ne fabriquait que des billets de 5 livres et plus, jusqu'à 1 000 livres. Toutefois, par prudence, les billets de 500 et de 1 000 livres ne furent pas mis en circulation. On n'utilisa qu'exceptionnellement ceux de 100 livres.

— A la fin de 1940, tous les problèmes techniques étaient résolus. Dès lors, on ne fit plus que perfectionner et rationaliser. Une seule question laissait encore à désirer : on ne parvenait pas à donner aux billets fabriqués l'aspect du « vieux ». Il ne suffisait pas, à cet effet, de soumettre les billets à quelque procédé mécanique. Les billets de banque « portent leur âge » que seul le temps leur confère. L'huile de lin que contient l'encre finit par sécher quelle que soit l'excellence du papier. Le « trait » devient moins net; les contours se brouillent. Il fallut de longues expériences pour trouver la solution du problème. On ajouta à l'encre certains produits chimiques qui provoquaient une pénétration plus rapide du papier, en sorte qu'il était désormais impossible de déceler sous la lampe de quartz la « jeunesse » du billet.

1er mars 1941. Zurich.

M. le directeur D..., propriétaire d'une usine d'accessoires ménagers et « honorable correspondant » pour sa ville, de Reinhard Heydrich demande un rendez-vous à son banquier dont il est l'un des meilleurs clients.

M. D... est embarrassé : un de ses acheteurs hambourgeois qui a l'habitude de régler en francs suisses vient de lui faire parvenir une somme importante en billets de 5 livres... Le banquier examine la liasse :

— Nous allons vérifier.

Deux jours plus tard, M. D... est rassuré.

— Les billets sont authentiques. Mais M. D... entre-temps, s'est informé : son acheteur hambourgeois a mauvaise réputation, la Banque d'Etat allemande a ouvert une enquête :

— Et si les billets étaient parfaitement imités?

— Très bien, dit le banquier suisse, nous allons télexer à Londres les numéros de série et les dates d'émission.

Deux nouveaux jours d'attente; le dernier verdict.

— Nous créditons votre compte de cette somme. Les livres sont authentiques.

Le soir même Naujocks et Krüger sablaient le champagne.

Dans les semaines qui suivirent cette « victoire », Himmler et Heydrich se rencontrèrent longuement en tête à tête. La décision de passer du stade artisanal à l'industrialisation s'accompagna de la liquidation de tous ceux qui, de près ou de loin, avaient eu connaissance du projet. Naujocks se retrouva simple soldat dans une unité combattante, Naumann (premier führer de Vienne) dans l'intendance, Höttl (qui n'avait pas fait son service militaire) jeune recrue à la caserne de la Leibstandarte, le général Jost dans une direction d'archives du S.D. Bernhard Krüger qui s'était contenté de « réaliser » sans poser de questions devint directeur du projet baptisé « Entreprise Bernhard »... domiciliée au camp de concentration d'Oranienburg, blocks 18 et 19. Krüger ne devait passer ses commandes de fournitures qu'à trois industriels [1], composer son état-major de cinq membres de l'ancienne équipe « faux papiers », recruter quatorze gardiens qui dormiraient dans les bâtiments de « l'entreprise », et écumer les camps de concentration pour découvrir les « oiseaux rares » qui composeraient son équipe.

Krüger commença par examiner les registres d'Oranienburg, repéra une douzaine de « professionnels » qui pourraient lui servir et fit lancer un appel par haut-parleur :

— Le [2] matin où l'on annonça que l'on recherchait des graveurs, des dessinateurs, des imprimeurs pour un travail qui leur vaudrait d'être bien traités... deux cent quarante

---

1. L'imprimerie Ullstein pour les presses; les papeteries Hahnemühle de Dassel : les rames de papier; les établissements Kast et Ehinger : les encres et produits chimiques.

2. Témoignage Edouard Calic. Déporté à Oranienburg. Secrétaire général du Comité européen pour la Recherche scientifique des origines et des conséquences de la Deuxième Guerre mondiale. Edouard Calic a publié *Himmler et son Empire*, Stock, 1965.

volontaires se firent inscrire. Bernhard Krüger procéda au tri. Il en retint trente-neuf...

— Je passe l'effectif en revue. En principe, on a besoin de graveurs et de typographes, mais on trouve aussi parmi le personnel de Krüger un médecin et un cocher. L'Allemand Georg Koln est un ex-commerçant en bois, donc spécialiste pour la fabrication des papiers, suivant la logique des pénitenciers : « Ah ! tu as été dans le bois ! Du bois on fait du papier, or la monnaie actuelle, c'est du papier. A la fausse monnaie !... » Il y a encore Norbert Leonhard, également Allemand, un photographe de talent; Kurt Lewinsky, dessinateur d'affiches, Allemand aussi, le Tchèque Oskar Skala, comptable, qui tient les livres du kommando Schnapper, Moritz Nachstern, Arthur Lewin, typographes. Le Hollandais Jacobsen, fabricant de papier, supervise comme contremaître, l'imprimerie où se distingue comme animateur de la Résistance le jeune Allemand, Peter Edel, benjamin de l'équipe. Le graveur Zitron et le dessinateur Haas sont deux vedettes de la maison. Le docteur Kaufmann, Tchèque, est le médecin de ce kommando. On trouve encore parmi les hommes du « Groupe T », le Polonais Ehrlich, le Croate Drechsler, le Danois Hoffgard, le Parisien Paul Lenthal, les Tchèques Victor Hahn et l'ingénieur Luka. Dans les mois qui suivirent, le kommando fut complété par des spécialistes venus d'autres camps. En particulier d'Auschwitz, comme le Tchèque Adolf Burger.

⁂

— Ta [1] déclaration porte que tu es typographe de ton état. Est-ce exact?

— Oui...

— Où étais-tu employé?

— A l'imprimerie Horvat et Cie de Bratislava.

— Tu sais l'allemand?

— Oui...

— Alors, écoute... poursuivit le scribe en prenant un air

1. Témoignage Adolf Burger publié dans plusieurs quotidiens de Prague (1947).

mystérieux. Tu vas être prochainement transféré avec quelques-uns de tes camarades à l'imprimerie d'Etat de Berlin pour y accomplir un travail de spécialiste.

— En entendant ces paroles, Adolf Burger ne pouvait s'empêcher d'être assez sceptique. Ce n'était pas la première fois qu'« ils » se jouaient ainsi de lui en faisant miroiter à ses yeux la perspective d'une affectation conforme à sa formation professionnelle. Deux jours après cette visite, il quittait cependant le « kommando » pour être dirigé sur le camp central d'Auschwitz où il partagea le sort de neuf autres prisonniers enfermés comme lui dans le block II en exécution d'une mesure de quarantaine. Donc, de toute évidence, il se tramait quelque chose d'extraordinaire. En attendant, les détenus se livraient à toutes sortes de suppositions dominées par l'espoir en une amélioration de leur condition, en un transfert hors de ce « camp de la mort ». Ils ne pouvaient évidemment pas deviner ce qu'on allait exiger d'eux.

— A la fin de la quarantaine, sept S.S. arrivèrent de Berlin pour les prendre en charge. Après un nouvel examen du dossier de chacun d'entre eux, on les amena à la gare pour les embarquer dans un train ralliant directement la capitale du Reich. Inutile d'ajouter que ces malheureux croyaient rêver en se voyant installés dans un rapide composé de wagons de voyageurs. Mais, ainsi qu'ils devaient l'apprendre en cours de route, Berlin ne représentait qu'une étape dans un voyage dont le terme se situait à Oranienburg. Oranienburg? Il ne pouvait s'agir que d'un autre camp de concentration... Le passage du « seuil de l'espérance » n'était pas encore pour cette fois!

— Parvenus à destination, on commence par leur imposer un nouvel isolement, réduit toutefois à une semaine. Et c'est pendant cette retraite que se renforça leur conviction d'avoir été choisis pour servir des objectifs vraiment sensationnels.

— Les gardiens S.S. les appelaient « ceux d'Auschwitz » et observaient à leur égard un comportement très correct. Les blocks 18 et 19 furent désignés aux nouveaux arrivants comme devant être leur lieu de travail; en apercevant ces baraques, ceux-ci sentirent s'évanouir leurs derniers espoirs. Réaction bien naturelle de la part de captifs qui avaient pourtant déjà atteint les limites de la déchéance humaine. Imaginez plutôt des constructions entourées d'un épais réseau de fils de fer barbelés en défendant, du sol jusqu'au faîte, l'entrée ou la sortie. La seule porte donnant accès aux blocks se trouvait constamment verrouillée, de nuit comme de jour, et il fallait sonner pour se faire ouvrir. Le portier était un S.S. appartenant au S.D.; les autres membres S.S. n'avaient pas le droit de pénétrer à l'intérieur de ces bâtisses. C'était là tout ce que les transférés avaient tout d'abord pu réunir en fait de renseignements. Personne parmi les détenus du camp n'avait jamais réussi à communiquer avec les occupants.

— Le lendemain de leur arrivée, les prisonniers furent témoins d'une scène qui confirma pleinement les déclarations faisant état de cette ignorance : la porte des blocks 18 et 19 s'ouvrit pour permettre au personnel de se rendre aux lavabos en suivant un itinéraire qui passait devant la cellule des hommes en quarantaine et aussitôt des sentinelles S.S., munies de mitrailleuses et d'armes automatiques, se précipitèrent pour former une double haie au milieu de laquelle défila la colonne de détenus. Celle-ci refit en sens inverse le même chemin après quoi la porte se referma et les soldats se dispersèrent.

— Les prisonniers originaires d'Auschwitz ayant été reconnus aptes physiquement, ils reçurent à l'expiration de leur claustration, la visite d'un S.S. — Hauptscharführer — adjudant S.S.; son nom était Werner. Ils prirent en sa compagnie la direction des blocks 18 et 19, à l'intérieur desquels ils s'engagèrent à la suite de l'officier. C'est alors que parvint à leurs oreilles un ronronnement de machines qui les reporta en pensée au temps lointain où ils exerçaient en hommes libres leur métier. Mais ils ne tardèrent pas à se retrouver plongés dans la réalité de l'heure, car déjà l'Allemand entreprenait de leur expliquer qu'ils n'auraient pas intérêt à se soustraire à leurs nouvelles obligations.

— Ici, leur dit-il, on fabrique des billets de banque anglais. Vous allez vous employer à faire de votre mieux pour vous associer à cette activité. Et n'essayez pas de vous livrer à du sabotage ou de contacter les autres prisonniers du camp. Sans quoi c'est le poteau qui vous attend...

— L'exploitation était axée en premier lieu sur la fabrication de livres anglaises, imprimées en différentes valeurs (5, 10, 20 et 50 livres). Mais les ateliers étaient également outillés en vue de la confection des documents énumérés ci-dessous :

— Cartes d'identité en usage dans les formations militaires britanniques, certificats justificatifs de la citoyenneté américaine, cartes de membre de la police d'Alger, lettres de service opposables aux commandants de navires américains, contrats d'achat au Brésil, extrait des registres de l'état-civil hollandais, de même qu'une foule d'autres pièces officielles recevables dans tous les Etats du globe. C'est ainsi en particulier que le matériel en service avait permis la reproduction de vingt-cinq millions de bons émis en Yougoslavie à la suite de l'emprunt de guerre lancé par le gouvernement Tito. Le tirage de ces « valeurs » s'était fait en trois couleurs différentes. Tout cela parallèlement à l'édition portant sur des milliers d'unités, de vignettes de propagande à l'effigie de Staline et du roi George de Grande-Bretagne...

Le block de « travail » était divisé en plusieurs sections :

- une imprimerie équipée de machines extrêmement perfectionnées;
- un atelier de photocopie;
- un atelier de photographie;
- un atelier de retouches;
- un atelier de reliure;
- un atelier de composition et de gravure;
- un atelier spécialisé dans le triage des billets de banque.

Le numéro des séries et la nature des signes secrets figurant sur la monnaie fiduciaire anglaise faisaient l'objet d'une attention soutenue avant d'être indiqués au S.S. Sturmbannführer Krüger, principal gérant de la production. Ces points de repère devaient être également soigneusement étudiés par les artisans chargés du travail d'imitation, car la finition des opérations était soumise à un contrôle minutieux de la part des techniciens du S.D. Cette surveillance continue et sans défaut excluait toute velléité de malfaçon volontaire. En désespoir de cause, les responsables s'ingéniaient à provoquer, à tout le moins, un ralentissement au débit. Pour ce faire, ils faisaient croire, par exemple à leurs geôliers, que par suite de circonstances atmosphériques défavorables (chaleur excessive ou froid trop sec), les machines ne pouvaient pas tourner aussi longtemps sans risquer de compromettre la qualité des tirages. Et comme les gardiens n'entendaient rien à la chose, ils donnaient régulièrement dans le panneau.

— A mon arrivée [1] je fus affecté au service du triage-épinglage des billets; équipe de jour (deux équipes travaillant jour et nuit). Mon travail consistait avec d'autres camarades à trier les billets ayant des défauts d'impression, faire des trous d'épingles et les plier en quatre. De là, ils passaient à la table voisine où on les froissait, les repliait, les salissait avec de l'huile, de la suie, de la poussière; puis à une autre table, mise en paquets d'un nombre déterminé pour ensuite être mis dans des caisses spéciales, à pans amovibles. Autrement la vie était celle du camp. En général, les représailles et punitions un peu moins dures. En cas de mauvais travail ou de non-satisfaction de nos gardes, on faisait du sport jusqu'à exténuation, jusqu'à en être malade. Confinés dans notre petit camp, on en sortait rarement, deux fois par mois, pour aller aux douches et, de temps en temps, à la visite médicale. Mais, pour ces sorties, visites et fouilles systématiques, aucun bout de papier, ni crayon étaient tolérés. Différence avec d'autres « kommandos », on portait les cheveux en brosse, vêtements civils et nous avions droit à la ration « travailleurs de force », c'est-à-dire une tranche de pain, deux rondelles de saucisson ou un peu

1. Manuscrit inédit volontairement anonyme d'un déporté français arrêté à Saint-Quentin en 1943, transféré à Auschwitz et « retenu » pour « l'entreprise Bernhard ».

de margarine par jour, en supplément de notre pitance. De temps en temps, pour égayer ces messieurs S.S. de garde, on avait le droit de se réunir à l'atelier pour leur offrir une soirée récréative, exécutée par nous : chants, danses, musique sur des instruments, notamment violons (ayant des Roumains et des Hongrois avec nous).

— Le travail [1] que les autorités de ce « kommando spécial » du R.S.H.A. exigeaient des déportés n'était pas, en lui-même, extrêmement débilitant. Les méthodes d'extermination en vigueur dans les autres « kommandos » n'y avaient pas cours et les gardiens se conduisaient en général de façon tout à fait acceptable. La nourriture, si elle n'était pas tellement plus abondante que dans les autres formations du camp d'Oranienburg, était par contre mieux préparée et entourée d'un souci d'hygiène. En outre, les imprimeurs bénéficiaient de plusieurs avantages dont la seule évocation aurait à coup sûr confiné à l'irréel aux yeux de la masse des concentrationnaires. Ils pouvaient, par exemple, consulter tous les jours le « Volkischer Beobachter », entendre sans quitter leur machine les nouvelles diffusées à chaque instant par l'Agence de presse allemande grâce à la présence d'amplificateurs installés dans les ateliers, jouer aux échecs, aux cartes ou au ping-pong. A tel point qu'il n'était pas rare de voir l'un d'entre eux rivaliser d'adresse dans une partie de tennis de table avec le Hauptscharführer Werner. Et Burger, lui-même, qui excellait dans la pratique de ce sport, ne se fait pas faute de s'étendre aujourd'hui sur certains matches disputés avec ce porte-férule... qu'il battait régulièrement à plate-couture! Ce n'étaient d'ailleurs pas là les seules marques de faveur auxquelles ces dépositaires de la magnanimité germanique consentaient envers certaines catégories de leurs esclaves. Dans le cadre de cette section du R.S.H.A., on alla même jusqu'à autoriser le montage de spectacles de cabaret, de représentations théâtrales! Et les hommes du S.D. ne dédaignaient pas d'honorer de leur présence des divertissements d'où une haute tenue artistique n'était pas toujours

1. Témoignage Adolf Burger (déjà cité).

absente... Un jour, à l'issue d'une séance particulièrement réussie, Krüger se crut obligé de monter sur la scène improvisée pour adresser à son auditoire le petit discours suivant:

— Il m'est agréable de constater l'excellence de vos dispositions. Je puis donc vous assurer qu'il n'arrivera rien tant que vous continuerez à vous montrer raisonnables. La guerre se terminera bien un jour. Ce jour-là, vous pourrez quitter ces baraquements. Mais il faut que vous compreniez que nous ne pouvons pas vous garantir la liberté pleine et entière. Le travail que vous accomplissez ici doit rester à tout jamais un secret pour tout le monde. Cependant, je le répète : vous n'avez rien à craindre. On s'occupera de vous. Vous aurez à votre disposition de belles villas pourvues de jardins; tout ce qui est nécessaire au bonheur de l'homme — y compris les femmes, vous l'aurez. Evidemment, vous ne serez pas autorisés à vous mêler au reste du monde. Mais d'un autre côté n'oubliez pas que j'ai sauvé la plupart d'entre vous d'une mort certaine et reconnaissez que votre sort pourrait être pire. Continuez à travailler et vous aussi vous partagerez les fruits de notre victoire!

27 mai 1942.

La Mercédès aux ailes enrubannées de fanions S.S. et du drapeau de la régence du Reich ralentit en abordant le dernier virage avant les faubourgs de Prague. Les deux ouvriers en bleu de chauffe attendaient à la sortie de la courbe. Ils rejetèrent leur musette en arrière et probablement sourirent. Une chance inespérée! La voiture était décapotée. Heydrich fixait la route. Il en connaissait chaque nid de poule. Moins de 10 kilomètres séparaient sa « résidence provinciale » du château impérial de Prague qui abritait ses services et ses fichiers.

L'ouvrier tchécoslovaque, Josef Gabeik lâcha sa bicyclette et bondit vers la voiture, revolver au poing. Dès le premier coup de feu, le chauffeur lâcha l'accélérateur. Heydrich hurla et se leva.

Dans la main de Jan Kubis, tapi un peu plus loin, dans le fossé, une lourde grenade-bombe, dont l'explosion était réglée à sept secondes. Kubis ne la lança pas mais la fit rouler comme une boule de pétanque. Heydrich tirait. Il blessa légèrement Gabeik. La charge quadrillée arrivait à la rencontre du cochonnet. Kubis et Gabeik se plaquèrent au sol. Avant d'être parachutés en Tchécoslovaquie ils avaient répété cent fois peut-être l'attentat dans une école spéciale des commandos en Grande-Bretagne... Tout se déroulait ici trop parfaitement. La bombe roulait, elle allait dépasser la voiture... Non ! elle explosa sous le châssis. Les deux hommes enfourchèrent leur bicyclette et disparurent dans un nuage de fumée. Kubis, à la seconde même de l'explosion, avait décapsulé deux pots fumigènes.

Heydrich eut les plus dignes funérailles nationales de toute l'histoire du IIIe Reich. Evidemment, cette disparition brutale fut suivie, dans tous les services de sécurité et de renseignements, de règlements de compte et de réhabilitations. Ernst Kaltenbrunner, successeur d'Heydrich et Autrichien, ne pouvait que réintégrer « son ami » Höttl, Autrichien également, et en faire rapidement le second de Walter Schellenberg, le jeune chef du contre-espionnage.

Depuis longtemps le rêve des fausses livres, « arme économique absolue », s'était évanoui. On puisa quelques liasses dans la première caisse livrée pour gonfler les portefeuilles d'espions envoyés en mission. Himmler, Kaltenbrunner, Funk et surtout Schellenberg étaient opposés à ce que ces « faux », remis à des intermédiaires, soient transformés en devises fortes et authentiques par des opérations de change.

Et les services secrets, comme tous les services secrets, se trouvant toujours trop pauvres, Wilhem Höttl, sur ce terrain difficile, manœuvra à merveille. Par l'intermédiaire d'un commerçant allemand, Friedrich Schwend, établi à Rome, et correspondant du S.D., il acheta de nouvelles et nombreuses amitiés qui se révélèrent loquaces et, par leurs indiscrétions, permirent l'élimination du gouvernement du gendre de Mussolini, le comte Galeazzo Ciano, ministre des Affaires étrangères. Hitler, voyant dans ce remaniement un renforcement du fascisme en Italie, demanda des explications.

— Tous les indicateurs ont été payés à l'aide de fausses livres... Si nous pouvions...

Hitler, en éclatant de rire, donna son accord au véritable démarrage de l'« Entreprise Bernhard ».

Schwend et ses différents réseaux de change allaient ainsi mettre sur le marché plus de cent millions de livres, et les services secrets financer leurs meilleurs agents occasionnels comme « Ciceron » qui reçut 300 000 fausses livres pour ses vrais renseignements que von Ribbentrop jugeait faux.

Londres s'inquiéta rapidement :

— Au [1] cours de l'année 1943, une quantité alarmante de faux billets de banque anglais était parvenue à Londres, en provenance de Zurich, Lisbonne, Stockholm et autres villes de pays neutres. Ils arrivaient par paquets de un million de livres sterling, ou davantage, et la qualité de l'imitation allait en s'améliorant. Bientôt les experts anglais durent reconnaître que ces billets étaient fabriqués par des spécialistes d'une rare habileté et mis en circulation par une bande remarquablement bien organisée.

— Sur ces entrefaites, on arrêta à Edimbourg un espion allemand. Déposé par un hydravion au large de la côte d'Ecosse, il avait gagné le rivage dans un canot pneumatique. Sa valise était bourrée de billets. C'était la fausse monnaie la plus parfaite que la Banque d'Angleterre ait jamais vue.

— On comprit alors, en haut-lieu, que le faux-monnayeur recherché était le gouvernement allemand lui-même et que le crédit même de la Grande-Bretagne risquait fort d'être compromis. Depuis de longues années, d'un bout à l'autre

1. Enquête du major George McNally (collaboration de Frederic Sondern). Nous retrouverons McNally dans la suite de ce chapitre. Avant d'être mobilisé en 1942, George McNally, agent du service secret américain, était spécialisé dans le dépistage des faux-monnayeurs. En 1945, il fut appelé par l'autorité militaire pour protéger les troupes américaines stationnées en Europe contre le danger de fausse monnaie qui apparaît toujours en période d'invasion et d'occupation (*Selection du Reader's Digest*, août 1952).

du monde, les billets émis par la Banque d'Angleterre jouaient sur le marché monétaire un rôle presque analogue à celui de l'or. En Europe et en Asie, les gens craintifs les thésaurisaient pour se prémunir contre une dépréciation possible de leur propre monnaie. Et maintenant, des centaines de milliers de fausses livres sterling circulaient sur le marché, hors de Grande-Bretagne. Le moindre doute émis, dans les pays neutres et alliés, sur leur authenticité, pouvait avoir, surtout en pleine guerre, les conséquences les plus graves, non seulement pour la Grande-Bretagne mais pour la cause alliée. La Banque d'Angleterre dut, en fin de compte, se résigner à l'inévitable.

— Aussi la stupéfaction fut-elle grande dans le monde de la finance lorsque la Banque d'Angleterre fit savoir [1] qu'elle procédait au retrait des billets anglais de toutes valeurs pour les échanger contre des billets de 5 livres, d'un type nouveau! Passé une certaine date, tous les anciens billets cesseraient d'avoir cours!

— Devant un parlement abasourdi, le chancelier de l'Echiquier expliqua, avec réserve, que le gouvernement avait été amené à prendre cette décision pour plusieurs raisons, en particulier parce qu'on s'était aperçu que des quantités de billets en circulation étaient faux. Il ne donna aucune autre précision, et la presse anglaise dut renoncer à en savoir plus long.

— Le fait est qu'en trois ans, les Allemands avaient imprimé un nombre incalculable de faux billets anglais qui étaient en train de ruiner des fortunes, d'embrouiller des affaires bancaires et industrielles et de coûter au Trésor anglais des millions de livres.

Quant aux services secrets américains, alertés par leurs « collègues » britanniques, ils épluchèrent des dizaines de milliers de coupures, vérifièrent la « qualité » des liasses de leurs réserves nationales, firent des sondages dans la plupart des marchés de change pour en arriver à la conclusion que « le dollar » n'intéressait pas les faussaires allemands. Ils en furent, paraît-il, déçus.

---

1. En 1947.

Nous étions fin 1943 et Salomon Smolianoff quittait Mauthausen.

Bernhard Krüger avait simplement dit à Kaltenbrunner :

— Le Führer ne veut pas que nous fabriquions des dollars car l'Amérique n'est pas en guerre... Aujourd'hui c'est, je crois, différent... J'ai d'ailleurs déniché le meilleur spécialiste possible.

— « La grande heure de Smolianoff sonne alors [1]. »

— « Nous connûmes une forte tension, dit le détenu Adolf Burger, typographe qualifié, aujourd'hui directeur d'un service des ventes de voitures automobiles à Prague. Chacun de nous désirait être parmi les élus parce que nous savions que la fabrication des dollars présenterait de grosses difficultés. Y participer signifiait donc : être employé pendant longtemps, donc vivre plus longtemps.

— « Quels seraient les heureux? Nous attendions la décision avec une impatience fiévreuse. Werner, le commandant du block, la fit enfin connaître. »

— Le premier nommé est Salomon Smolianoff qui jouera le rôle le plus important. Viennent ensuite Norman Lévy, chef de la section de photographie, Abraham Jacobson, directeur de celle de la photocopie, et Adolf Burger.

— On installe ce « Groupe du dollar » dans un local nouveau. De Berlin arrivent des machines, du papier et aussi des billets de 100 dollars authentiques.

— « Un jour, raconte Jacobson, arriva un camion fortement gardé avec une caisse gardée encore plus fortement. Des vrais dollars que Krüger s'était procurés comme modèles. J'en prélevai cent cinquante que je cousis entre les semelles de mes souliers — viatique qui me fut ultérieurement d'un grand secours au cours de la fuite, après l'effondrement. »

— A la première nouvelle visite de Krüger à Sachsenhausen, Jacobson lui signale que la production des dollars sera exceptionnellement difficile.

— « Ça ne fait rien, s'entendit-il répondre. Ne vous pressez pas, nous avons le temps. »

1. Enquête Bernd Ruland. *Attention aux faussaires*. Presses de la Cité, 1969.

— Jacobson pense que Krüger désire aussi retarder le moment où il deviendra lui-même inutile.

— « A cause des difficultés, rapporte-t-il, je recourus à la photogravure. Cette méthode qui permet de reproduire le dessin avec une très grande précision, me parut être la meilleure parce qu'elle se prête tout particulièrement à une restitution des demi-teintes.

— Une couche de gélatine bichromatée s'étend sur une plaque de verre mat; on la sèche à 50 °C, et on obtient ainsi un « grain pointillé » très régulier. Après éclairage à travers un négatif et chauffage au bain-marie, les diverses parties de la plaque gonflent de façon différente et absorbent inégalement les encres. La planche qu'on en tire restitue toutes les nuances. Ce procédé dont il serait difficile d'expliquer les détails aux profanes, ne présente qu'un désavantage : une planche ne permet tout au plus qu'un millier d'impressions. Tant pis... On fabriquera une énorme quantité de ces planches à Sachsenhausen.

— « Les quatre élus travaillèrent à l'écart des autres, dit Adolf Burger. L'accès des trois pièces aménagées à la partie arrière du block fut formellement interdit. Un spécialiste de la photogravure vint de Berlin pour nous instruire. Nous apprîmes tout d'abord à reproduire des cartes à jouer et des cartes postales. Très progressivement, nous passâmes à la reproduction des dollars. L'adaptation de la plaque de verre à l'image du billet constitua la principale difficulté. »

— Inutile de chercher à gagner artificiellement du temps : il faut des mois d'expériences. Smolianoff est dans son élément. Cent essais échouent. Krüger, à en croire Burger, rassure ses spécialistes :

— « Ne craignez pas d'être « liquidés » si tout ne se passe pas comme nous l'espérions. Si nous parvenons à reproduire les coupures de 50 et 100 dollars, il restera à reproduire celles de 500. Vous aurez toujours suffisamment de travail. Entre-temps, nos spécialistes ont parfaitement résolu le problème du papier. Vous résoudrez aussi j'en suis convaincu, celui de l'impression. Nous servirons les Américains aussi bien que les Anglais. »

Le débarquement de Normandie impressionne considérablement les détenus des blocks 18-19. Pour la première fois, ils croient qu'ils pourront tout de même retrouver la liberté. Cent nouveaux essais aboutissent au même échec. Smolianoff, porte-parole du groupe, déclare à Werner :

— « Reproduire les dollars par la photogravure est impossible. »

— Il doit parler en connaissance de cause. A moins que... Werner devient méfiant. S'agirait-il d'un sabotage? Aussitôt il menace...

— « Werner, dit Burger, regarda Smolianoff d'un air significatif et lui déclara de son ton sec habituel : « Si vous ne réussissez pas, vous m'obligerez à vous faire couper la tête. »

— La menace ne pouvait être prise à la légère. Werner la tiendrait, nous n'en avions pas le moindre doute. Smolianoff se remit à l'ouvrage. Jour après jour, il expérimente des méthodes nouvelles, prenant sur son sommeil, travaillant parfois jusqu'au petit matin. »

— Après le deux cent vingtième essai, les détenus reçoivent un ultimatum encore plus sérieux que la menace de Werner. Il vient de Heinrich Himmler lui-même :

« Si, dans quatre semaines, je n'ai pas sur mon bureau des dollars utilisables, vous serez pendus tous les quatre. »

— Une course contre la mort s'engage. Chacun travaille comme un possédé pour sauver non seulement sa vie mais aussi celle de ses camarades. « Nous ne fîmes plus de différence entre le jour et la nuit, rapporte Burger. Chacun de nous ne cessa plus d'imaginer, de chercher, d'essayer pour présenter à Smolianoff de nouvelles propositions. » La nervosité se fait intolérable. Smolianoff, infatigable, étudie les plus minuscules détails des dessins pour les reproduire.

— « Nous nous battions pour notre vie. Smolianoff faisait photographier sans cesse les dollars. Enfin, un jour, il se déclara satisfait. Il retoucha le négatif que Jacobson copia sur une plaque de verre recouverte de gélatine. On en tira une planche... Mais... ce n'était pas encore ça! »

— Il faut imaginer l'angoisse de ces hommes qui sentent sur leur nuque le souffle de la mort, qui sont à bout de forces, dont les yeux sont gonflés, rougis par la forte lumière sous laquelle ils opèrent.

— Enfin un jour le miracle se produit.

— « Après le deux cent cinquante-cinquième essai, une planche fut enfin réalisée. La machine fut mise en marche, les tambours tournèrent. Nous les regardâmes dans un silence profond, plein d'attente; on aurait entendu une épingle tomber. Nous examinâmes la première épreuve d'un œil critique, n'osant plus espérer, puis nous poussâmes un soupir de soulagement. Nous venions de réussir quatre jours avant l'expiration du délai. Nous étions sauvés.. »

Werner prévient Krüger. En cette première nuit sont imprimées cent coupures de 50 dollars et cent coupures de 100.

— Krüger paraît au matin, Smolianoff savoure la situation. Sur une table recouverte d'un tapis vert, il dépose quinze vrais billets qui ont servi de modèles et quinze faux qui ont été « vieillis » entre-temps.

— « Krüger et Werner examinèrent longuement les billets, un par un, des deux côtés, les firent glisser entre les doigts et, finalement, désignèrent les faux comme étant les vrais. Nous avions gagné notre course contre la mort.

— « Le soir même, Krüger téléphona à Himmler pour lui annoncer que tout était prêt pour la fabrication des faux dollars. »

— Quelques jours plus tard, Werner fait connaître aux quatre détenus les instructions données par Himmler et Schellenberg :

— « Produire un million de dollars en travaillant vingt heures par jour en deux équipes. »

— Mais avant de pouvoir commencer, les prisonniers de Sachsenhausen entendent le tonnerre des canons soviétiques. Le 23 février 1945, Berlin ordonne télégraphiquement de cesser le travail.

⁂

Dans ces derniers mois de guerre, Himmler et Kaltenbrunner, envisageant une possibilité de négociation séparée avec les Américains et les Britanniques, décidaient de transformer les Alpes autrichiennes en « forteresse de la dernière chance ». Camp retranché militaire et économique (l'industrie de guerre est enterrée au plus profond de galeries creusées par les déportés) mais également « réduit politique » regroupant tous les atouts pouvant peser dans une reddition (cinq mille déportés choisis pour leur représentativité rassemblés dans les camps existants; archives, armes secrètes et leurs inventeurs; mais surtout — pour prendre date — contacts établis, le plus rapidement possible, avec la Croix-Rouge, les organisations juives nationales ou internationales reconnues, les gouvernements et les états-majors). Quant à la « planche à billets » de l'« Entreprise Bernhard », il était insensé de courir le risque de la voir tomber aux mains des Soviétiques qui, cela ne faisait plus de doute, arriveraient les premiers à Berlin et à Oranienburg. Alors, repli sur les Alpes? Mais Mauthausen, probablement « encombré », pourrait-il accueillir hommes et machines et « protéger » le secret?

— Aux [1] termes des instructions reçues, il y avait lieu de procéder avec rapidité à l'emballage dans des caisses des stocks de papier, des clichés et de l'outillage courant. Mais il n'était pas du tout fait allusion au sort des machines. Aussi la nervosité était-elle croissante parmi les prisonniers et les commentaires allaient-ils leur train. Le sang-froid dont ils n'avaient cessé jusqu'alors de se départir avait fait place à une morne résignation, à l'inévitable.

— « Les machines resteront sur place! » En apprenant cette nouvelle, Burger et ses camarades se sentirent définitivement perdus. Mais, que se passe-t-il donc? Un contrordre? Oui, c'est bien cela... « Emballez les machines! » L'espérance renaît au cœur de ces condamnés perpétuellement sursitaires.

— On leur donna trente-six heures pour effectuer l'opération. C'était là un délai presque dérisoire mais qui reculait d'autant l'échéance fatale. Le chargement se fit dans onze wagons au total. Les prisonniers s'entassèrent dans le restant des voitures, chacune fut placée sous la surveillance de deux S.S., eux-mêmes flanqués d'un agent du S.D.

1. Adolf Burger (Prague) (déjà cité).

qui avait pour mission de maintenir une zone étanche entre les uns et les autres.

— Mauthausen! Accablés, les malheureux baissèrent la tête; ils avaient tous entendu parler de cet autre « camp de la mort ». Pour deux d'entre eux, c'était même l'endroit d'où ils avaient été extraits pour être expédiés vers le « kommando spécial ». Leur démoralisation atteignit son comble lorsqu'ils se virent amenés devant le block 20 lequel passait pour servir d'antichambre à l'au-delà. D'autant plus qu'ils se trouvaient en même temps en présence de quatre S.S. qui semblaient préposés à la garde de ce baraquement et dont les mitrailleuses laissaient deviner un chargeur garni. Et le tableau qui s'offrit à leurs regards, quand ils pénétrèrent à l'intérieur, n'était certes pas fait non plus pour dissiper ce sentiment de malaise. Aux murs, de nombreuses traces de coups de feu alternant avec des taches de sang séché. Ils vécurent ainsi angoissés pendant une semaine, tandis que le Sturmbannführer Krüger s'employait à découvrir un local utilisable à des fins qu'il était seul à connaître.

— Au bout de ces huit jours, les imprimeurs reçurent l'ordre de déballer les machines. Manipulation épuisante — chaque machine pesait 3 000 kg — qu'il fallait assurer avec, dans le corps, pour tout supplément aux rations habituelles, une soupe claire. Et pourtant le besoin de manger était si horriblement pressant que ce menu hors programme suffit à décider Burger à demander à figurer au nombre des débardeurs.

— Mais à peine les machines et le papier avaient-ils été transportés dans le camp — ce qui avait représenté un travail de quatorze jours — que l'ordre vint de se tenir prêt à quitter immédiatement Mauthausen. Ce chassé-croisé d'ordres et de contrordres constituait, à n'en pas douter, le signe précurseur d'une pagaille qui n'allait que grandir. On procéda donc à l'opération inverse, cette fois au milieu des vociférations et des horions émanant des membres du S.D. qui abandonnèrent toute retenue pour donner libre cours à leurs impulsions pathologiques. Et de nouveau, ce fut le départ. Toutefois, le terminus n'était pas éloigné. Il s'appelait Schlier (Reld-Zipf) et c'était un camp de travail S.S. qui ne se composait guère que de quatre baraques et d'une cuisine. Deux d'entre elles furent immédiatement mises à la disposition des arrivants auxquels on enjoignit d'être prêts à passer à l'exploitation dans un délai de trois semaines. La durée des journées de travail varia alors entre quatorze et seize heures. C'est au beau milieu de ces préparatifs que le Sturmbannführer fit un jour son apparition pour jeter cette phrase en guise d'adieu :

— « Dans trois semaines, c'est moi qui porterai votre uniforme et vous le mien... Souvenez-vous de cela ! »

— Il se sépara des S.S. à peu près de la même manière en leur disant :

— « Rendez-vous dans trois semaines ! Vous savez où. »

— Les déportés ne réagirent pas autrement tellement grande était leur crainte d'être déçus au moment où ils reprenaient espoir. Krüger fut remplacé dans ses fonctions par le S.S. Untersturmbannführer Hansch qui assuma la direction des travaux d'implantation. Sur ces entrefaites, on atteignit le 1er mai. Le drapeau du camp fut mis en berne en signe de deuil, à la suite de l'annonce du décès d'Hitler. A partir de cette date, les événements se précipitèrent. De jour en jour, presque d'heure en heure, les prisonniers volèrent de surprise en surprise. De sources non contrôlables, la nouvelle se répandit que les Américains n'étaient plus qu'à 30 kilomètres du camp. Une agitation confinant bientôt à la panique s'empara des S.S. ; seul le Untersturmbannführer Hansch conserva, du moins apparemment, son calme. Finalement, cependant, il se rendit compte qu'il n'y avait plus rien à tenter. Il donna l'ordre de détruire tous les billets qui ne présentaient pas un caractère irréprochable. C'est dans ces conditions que, sous l'œil attentif des S.S., les billets de banque et les vignettes furent brûlés. Quant au matériel proprement dit, il fut empaqueté dans des caisses que l'on répartit dans des camions qui s'ébranlèrent sous le commandement de Hansch. Après quoi, le Hauptscharführer Werner s'avança vers les prisonniers à qui il fit cette déclaration :

— « La situation nous oblige à abandonner le camp. Les

machines ne bougeront pas. Pour nous, il n'y aura rien de changé car nous allons gagner les montagnes pour y travailler jusqu'à la victoire qui ne saurait manquer de venir. »

— Ces paroles tombèrent dans un silence d'épouvante, prévoyant sa fin, l'assistance sentait ses forces se vider complètement.

— Cette nuit-là, personne ne put trouver le sommeil. Au petit jour, une première colonne comprenant soixante-dix prisonniers se tint prête à partir. Burger faisait partie de ce contingent qui fut embarqué dans des camions. Il était muni, comme ses camarades, d'un balluchon contenant du linge de rechange et quelques objets provenant du camp de concentration. Mais comme la place était très mesurée, le Hauptscharführer Werner ordonna finalement de laisser les paquets à demeure.

— Devant le refus opposé par les déportés, il les fit descendre à coups de matraque et les obligea à disperser leur viatique. Après quoi, ils remontèrent à bord des véhicules, suivis d'une volée de bourrades. Le convoi se mit alors en marche. Tous les passagers avaient nettement l'impression d'effectuer leur dernier voyage. Malgré tout, ils conservaient encore chevillé au corps un semblant d'espoir. Ils ne voulaient pas s'avouer totalement vaincus, et ils appréhendaient au milieu d'une tension extrême le moment où les camions aborderaient un carrefour, pour essayer de deviner le lieu de leur destination... Serait-ce... Mauthausen? Alors c'était à coup sûr la chambre à gaz!

— Les minutes s'écoulaient avec une lenteur désespérante. Brusquement, le croisement attendu surgit; les voitures le dépassèrent pour s'engager ensuite dans une route donnant sur la gauche. Les transportés se sentirent soulagés d'un grand poids. Mais ils ignoraient toujours le but de leur déplacement. Au bout de quelque temps, ils aperçurent dans le lointain les portes d'un autre camp de concentration : Ebensee.

— Comme leur qualité de membre d'un « kommando spécial » leur interdisait de se mêler à la masse de déportés, on les parqua dans un local abritant les lavabos réservés aux S.S. et situé sur une hauteur, à quelque distance du camp proprement dit. Là, on leur distribua en fait de nourriture pour toute la journée, une méchante boule de pain à partager en huit et environ 75 centilitres d'une eau chaude dans laquelle nageaient des épluchures de pommes de terre. Ils n'avaient plus qu'à attendre l'arrivée des soixante-dix autres prisonniers relevant de leur groupe. Ceux-ci se présentèrent le soir même au nombre de trente seulement, car on manquait de moyens de transport.

— La surveillance de ces cent hommes, parmi lesquels se trouvait Burger, était exercée par le S.S. Oberscharnnführer Jansen qui manifestait des signes d'impatience en raison du retard constaté dans la venue du dernier contingent. Or, celui-ci se faisait de plus en plus attendre et l'Allemand avait toutes les peines du monde à se dominer. Au cours d'une déclaration prononcée devant son effectif, il prit soin de mettre en garde les prisonniers contre toute tentative d'évasion et d'annoncer que deux d'entre eux avaient déjà été fusillés à la suite d'une telle initiative. « Le reste du kommando est en route », ajouta-t-il en terminant.

— La nuit qui suivit fut extrêmement pénible, car le local qui leur avait été affecté était trop étroit pour permettre aux occupants de dormir autrement qu'accroupis. Au demeurant, nul ne songeait à se laisser aller au sommeil, tous se rendaient compte avec acuité que leur fin était proche...

— On [1] nous proposa de nous retirer dans les casemates où nous serions plus à l'abri des bombardements que les Américains préparaient contre les concentrations de troupe dans cette région. Nous avons refusé d'y entrer, il était trop facile pour les S.S. de provoquer l'effondrement de la roche pour nous ensevelir vivants. Les bouches closes ne peuvent plus parler. Nous ne recevions aucune nourriture. Nous avons mangé l'herbe et les rares escargots que nous avons pu trouver à proximité de la baraque. Nous avions compris que les S.S. voulaient monter l'imprimerie quelque part dans la montagne mais les routes étaient bloquées.

1. Témoignage Léo Hass, recueilli par Edouard Calic. *Himmler et son Empire* (déjà cité).

— Le[1] 5 mai au matin, les prisonniers du « kommando spécial » observèrent de leurs fenêtres un spectacle inhabituel qui se déroulait en bas dans le camp. Aucune trace des équipes se rendant au travail, mais seulement la vue de silhouettes décharnées errant sans but. Puis, le signal de rassemblement général. On allait peut-être évacuer? Non, car au bout de quelques minutes les prisonniers rompirent leurs rangs tandis qu'un vent de panique s'abattait sur les S.S. qui, abandonnant leur poste, se débarrassaient de leurs armes et s'enfuyaient en courant. Ceux du « kommando spécial » se regardèrent en silence, ne sachant pas comment interpréter cette animation. A ce moment, l'Oberscharführer Jansen fit son entrée dans leur block. Lui, toujours si maître de ses réactions, présentait maintenant un visage défait. Ses mains étaient secouées de tremblements et sa voix était à peine perceptible.

— « Vous n'avez pas à vous en faire, leur dit-il. Je vais vous faire prendre en charge par la Croix-Rouge. Mais il faut que vous me donniez votre parole de ne jamais rien révéler de ce que vous avez vu et de ce à quoi vous avez travaillé. Si vous me trahissez, j'y laisserai ma peau. »

— La peur lui suait par tous les pores. L'auditoire se tenait immobile, incapable de réaliser ce qui venait de lui être annoncé. Puis, sa joie éclate et, pendant toute la durée du trajet jusqu'au camp, tout le monde ne cessa d'exhaler ses sentiments de bonheur. Certes, une rafale de mitrailleuse pouvait encore les faucher, mais chaque pas accompli s'accompagnait d'un regain de vitalité intérieure qui faisait presque oublier ce danger.

— Arrivés devant le camp, la première chose qui les frappa ce fut l'absence de S.S., remplacés par un détachement commandé par un colonel de la Wehrmacht. Ce dernier engagea avec Jansen un bref dialogue.

— « Je suis chargé de vous confier ces prisonniers...

— « D'où sont-ils?

— « Kommando spécial du R.S.H.A.

— « Où étaient-ils jusqu'à présent?

— « Dans un camp S.S.

1. Suite du récit d'Adolf Burger (déjà cité).

— « Qu'y faisaient-ils?

— « Je n'en sais pas plus. On m'a donné l'ordre de vous les remettre. »

— Et les portes du camp s'ouvrirent pour laisser passer les déportés de ce « kommando » à l'existence duquel le point final venait d'être mis.

Après la libération d'Ebensee, les membres de l'« Entreprise Bernhard », redevenus des déportés ordinaires, se dispersent le plus rapidement possible dans les convois du retour. Ils avaient estimé plus prudent de cacher aux autres déportés, mais aussi à leurs libérateurs, le rôle qu'ils avaient joué pendant leur incarcération. Il ne semble pas que ces hommes aient eu une direction clandestine de Résistance. Aussi est-il surprenant de constater cette unanimité dans la conspiration du silence. Désir de se retrouver immédiatement chez soi en évitant les tracasseries des interrogatoires et des enquêtes conduites par les services spéciaux, américains ou britanniques? Habitude du silence et de la clandestinité? Complexe de culpabilité? Trente ans après il est difficile de répondre; mais trente ans après on peut constater que seulement une vingtaine de membres ont été retrouvés dans le monde, que la plupart ont changé de nom et que rares sont ceux qui aiment « raconter » cette période de leur vie. Il est également certain qu'au lendemain de la victoire, les « chasseurs de primes » alliés lancèrent d'immenses opérations de récupérations qui visaient les archives, les armes secrètes, les chercheurs, les spécialistes, les savants, en un mot « tout ce qui pouvait apprendre ou rapporter quelque chose ». Ces spécialistes en « faux » (il ne faut pas oublier la fabrication de passeports, papiers d'identité, etc. qui servirent aux responsables allemands de l'opération Bernhard pour disparaître) étaient-ils d'une grande utilité pour les vainqueurs? Probablement et sans posséder la moindre preuve on peut affirmer que plusieurs déportés — librement ou forcés — reprirent du service dans le pays qui avait su les « retourner ».

Cette « conspiration du silence », le fait est plus incompréhensible, frappa le Tribunal International de Nuremberg et cependant les différents ministères publics possédaient des rapports détaillés sur l'Entreprise Bernhard (Wilhem Höttl notamment, avait été interrogé plusieurs fois, longuement, sur la genèse et le développement de l'affaire au cours de « séances de préparation »). Faut-il voir dans ce mutisme une simple requête du gouvernement britannique qui, au début de la guerre, avait imprimé des fausses cartes d'alimentation et désirait cacher cette « action aussi déloyale que l'impression de fausses livres sterling » à l'opinion publique, ou bien une volonté des Quatre Grands de ne pas entraver les recherches menées par leurs services secrets dans leurs actions de récupération ou de retournement?

Tous ces « mystères » autour des « faux-monnayeurs » d'Oranienburg et de Mauthausen allaient donner naissance à une légende abondamment exploitée par différents organes de presse et qui, trente ans après, reste toujours aussi vivace. Curieusement, c'est Wilhem Höttl, décidément toujours présent aux carrefours importants traversés par les hommes de l'« Entreprise Bernhard », qui fut, bien involontairement, à l'origine de la découverte des faux billets par les Alliés.

— Le [1] 3 mai 1945, j'avais passé la nuit au volant de ma voiture pour éviter, de justesse, entre Innsbruck et Salzbourg, les pointes d'avant-garde de l'armée américaine. Peu auparavant, j'avais eu un dernier entretien, sur le sol du Lichtenstein, avec le chef de la police suisse du canton de Saint-Gall, mon homme de liaison avec ces diplomates britanniques et américains qui, à l'instar du groupe de hauts fonctionnaires et hommes politiques allemands que je représentais, s'efforçaient de mettre fin à une guerre dépourvue de sens... J'avais gagné Altauss, petite station estivale très prisée du Salzkammergut qui allait bientôt connaître une célébrité foudroyante. J'y attendais le docteur Kaltenbrunner, chef de la police de sécurité et du S.D.

1. Mémoires Wilhem Höttl (déjà cité).

qui, en qualité de représentant de Himmler dans ladite « région sud », s'y trouvait être l'homme le plus puissant. J'avais décidé, en accord avec mes partenaires américains et britanniques, qu'avec l'aide de Kaltenbrunner tout serait tenté pour la remise sans frictions du pouvoir aux mains d'hommes nouveaux avant même l'entrée des troupes anglo-américaines en Autriche occidentale afin de prévenir, avant tout, la destruction, dans la dernière phase de la guerre, des services et des usines essentiels à la vie du pays. Déjà, des résistants d'obédience communiste, dont certains étaient en relations directes, par courriers, avec les états-majors de l'Armée Rouge, prenaient les « leviers de commande » au départ des unités allemandes. Il fallait, à tout prix, empêcher ces actions locales qui mettraient la population en présence du fait accompli et prépareraient la bolchevisation de l'Autriche.

— Kaltenbrunner était en retard de plusieurs heures. Il avait dû se heurter aux colonnes de la Wehrmacht qui encombraient alors les routes en longues théories. On lui avait préparé un bureau provisoire dans une maisonnette, une ancienne étable. Je m'y installai et occupai mon attente à répondre aux appels téléphoniques. Les transmissions de l'armée tenaient mieux que le reste et parfois on recevait des communications émanant de localités déjà occupées par les troupes alliées. Chefs d'unités et de services demandaient tous, ou presque tous, la même chose : des ordres. Jamais la faiblesse foncière du régime autoritaire ne m'était apparue plus clairement que dans ces dernières heures de son agonie. Pas un officier, par un fonctionnaire, si haut placé qu'il fût, n'osait prendre une décision, une initiative. Jusqu'à la dernière minute, tous voulaient « se couvrir » : Je me servis sans hésiter de cette dépendance devant le pouvoir « central ». Je donnai les ordres requis et constatai avec satisfaction qu'on les acceptait sans discuter, bien que, en fait, ils ne vinssent nullement de Kaltenbrunner. Ce qui prouve, une fois de plus, que dans certains cas, quand règnent l'incertitude et le désordre, la seule possession du bon numéro de téléphone peut conférer une force surprenante. J'usai toujours de la même formule : le

« chef » — sous-entendu Kaltenbrunner — a ordonné la passation des pouvoirs à des personnalités autrichiennes ayant occupé en 1938, les postes-clés, à l'effet d'éviter toute friction. Parfois, je pouvais recommander — fortement — la libération des prisonniers politiques. Pas une seule fois, je ne rencontrai de résistance, encore moins d'opposition. Le redouté chef de la police d'Etat de Linz, lui-même, parut très heureux de me voir assumer toute la responsabilité.

— Soudain, une interruption se produisit dans cette série de demandes d'instructions : un lieutenant S.S. (dont le nom m'échappe) m'appela et, se déclarant chef d'un transport « d'importance majeure », me pria de lui envoyer sans délai deux camions en parfait état de marche. Peu après son départ de Redl-Zipf, un petit trou entre Salzbourg et Linz, connu surtout pour sa bière, il avait abandonné un camion dont le moyeu s'était brisé et il se trouvait en panne près d'Ebensee. Un autre de ses camions avait quitté la route et s'était jeté dans la Traun dont il ne pouvait le sortir. Je refusai catégoriquement, ne fût-ce que d'essayer de donner satisfaction à la demande du lieutenant. L'importance d'un transport quelconque me semblait, en ces heures décisives, ridiculement faible. Je pensais qu'il s'agissait tout simplement des biens privés de quelque haut fonctionnaire des S.S. ou du Parti : l'officier refusait de me fixer sur la nature du transport, se disant lié par serment spécial prêté devant qui de droit. Et il insistait! Ne pouvant obtenir de moi des camions, il me demanda l'autorisation de confier le camion en panne à la sortie de Redl-Zipf à une unité de la Wehrmacht stationnée dans la région, contre reçu, tandis qu'il tenterait de faire passer sur sa propre voiture le chargement de celui qui était tombé dans la rivière. Il commençait à m'ennuyer et je lui criai : « Fichez donc tranquillement le chargement à l'eau et renvoyez vos hommes chez eux! »

— C'était, je le reconnais, un ordre donné un peu à la légère, mais le lieutenant ne se troubla pas pour si peu. Il savait depuis longtemps qu'un subordonné ne discute pas l'ordre d'un supérieur et obéit, conformément au dressage auquel il a été soumis, c'est-à-dire au pied de la lettre. Il confia le chargement du premier camion, celui de Redl-Zipf, à un capitaine, sans toutefois le renseigner sur sa nature et fit jeter les caisses chargeant le second dans la Traun grossie par la fonte des neiges. Avec le reste du convoi, il se mit en route vers Aussee. Il y rencontra Kalterbrunner qui, entre-temps, était rentré et qui lui donna l'ordre de livrer sa cargaison au lieutenant-colonel de S.S. Skorzeny, ce chef de groupe du VIe bureau du service central de la sécurité de l'Etat, bien connu du public pour avoir libéré Mussolini. Skorzeny avait établi son quartier général dans le voisinage de Radstadt, dans le pays de Salzbourg, où il entendait organiser l'ultime résistance, dans la montagne.

— Mais le consciencieux lieutenant ne parvint pas à joindre Skorzeny. Le convoi ne put franchir la passe étroite au pied du Grimming, à près de 2 500 mètres d'altitude. Son chef ne pouvait plus en référer à l'autorité supérieure : il lui fallait agir sous sa propre responsabilité et mettre en « sûreté » le chargement qui lui avait été confié. A Toplitzsee, dans une vallée voisine de Aussee, il trouva une formation militaire intacte qui montra de la compréhension. C'était une unité spéciale chargée de la marche d'une station d'essais de la marine allemande. On avait probablement choisi le lac de Toplitz parce qu'il est dans une région peu fréquentée au pied de Totengebirge. Ses rives sont rocheuses et abruptes au point qu'il est impossible d'en atteindre les bords même à pied. On y pouvait, en toute tranquillité, procéder à des essais d'armes nouvelles. On ne connaît pas encore aujourd'hui leur nature; il s'agissait sans doute de torpilles « pensantes », de celles qui, lancées, trouvent automatiquement leur but — une arme qui devait connaître certains développements, après la guerre, dans bon nombre de pays.

— J'appris tout cela beaucoup plus tard, mais je n'ai jamais pu savoir ce qu'il était advenu du transport. Il n'a pas laissé de traces et on ne peut qu'échafauder des hypothèses. Il est sûr, en tout cas, que le convoi n'est pas parvenu à sortir de la vallée qui descend à Toplitzsee. Elle était complètement embouteillée et ce n'est qu'après l'arrivée des troupes américaines, le 9 mai, qu'on put rendre la route à la circulation.

— Les autos de la station d'essais de la Marine sur le Toplitzsee — un camion et trois voitures dont les marques (elles portaient les lettres W.M. : Wehrmacht Marine) et les numéros S.S. attiraient l'attention — avaient été aussitôt envoyées par les Américains au grand dépôt automobile qu'ils avaient établi en Haute-Autriche. Non sans les avoir consciencieusement fouillées. La section américaine de renseignements qui s'était installée à Altaussee avait appris de la population l'existence de la mystérieuse station d'essais établie sur les bords du Toplitzsee. S'il s'était trouvé sur les voitures S.S. des restes du chargement, le fait n'aurait pas échappé à la curiosité des gens du C.I.C. Il faut donc que le chargement ait été soit détruit, soit caché.

— Personne ne s'occupa du camion demeuré en panne près de Redl-Zipf. Le capitaine de la Wehrmacht qui l'avait, « par ordre », reçu en dépôt du lieutenant S.S. se contenta de le passer aux Américains. Il ne s'était pas donné la peine d'établir la nature du chargement et son collègue américain qui se trouvait maître de l'affaire et habitant temporaire de Redl-Zipf, avait sans doute d'autres soucis que celui de s'occuper de la cargaison de l'un des innombrables camions allemands demeurés en panne dans la région. Mais un nouvel incident allait attirer l'attention sur le véhicule dédaigné.

— Les caisses jetées par mon « ordre » dans la Traun ne tinrent pas. Elles durent s'ouvrir après avoir passé une dizaine de jours au fond de la rivière, que ce fût sous l'action du courant, violent, ou encore que le contenu prenant l'eau eût, en gonflant, fait éclater les caisses. Et des centaines de milliers de billets de banque anglais vinrent en surface et gagnèrent le lac de Traun dans lequel la rivière du même nom se jette près d'Ebensee. Les habitants — et les soldats américains — se mirent à les repêcher, ce que les états-majors locaux de la puissance occupante apprirent. Les recherches entreprises firent découvrir le camion abandonné de Redl-Zipf. La chasse aux billets repêchés dut être également fructueuse : ils avaient été étalés sur le sol pour qu'ils pussent sécher et les patrouilles américaines les retrouvèrent assez facilement mais non en totalité : plusieurs centaines de milliers de livres échappèrent aux recherches. Elles allaient reparaître plus tard sur divers marchés noirs d'Europe.

Cette « pêche miraculeuse » ne laisse pas indifférents les agents des services secrets qui naviguent toujours dans les avant-gardes armées :

— Un[1] agent du contre-espionnage américain en Autriche m'appela au téléphone à l'état-major du S.H.A.E.F., à Francfort, pour me signaler qu'un capitaine de l'armée allemande venait de se constituer prisonnier, livrant un camion chargé de millions de billets de banque anglais, et qu'en outre, l'Enns charriait des quantités de billets que riverains et soldats alliés s'employaient diligemment à repêcher. Surpris et intrigué, je me rendis immédiatement sur place. Là, on me montra vingt-trois coffres, de la dimension d'un cercueil, remplis de liasses de billets de la Banque d'Angleterre. Une rapide évaluation de ce trésor permit de constater qu'il représentait la coquette somme de deux millions de livres sterling! Je fus incapable, même à l'aide d'une forte loupe, de déterminer si ces billets étaient vrais ou faux. J'appelai mon collègue anglais de Francfort et, un moment après, je recevais un coup de téléphone du siège même de la Banque d'Angleterre. Lorsque j'eus fait part de la découverte à mon interlocuteur, il fut certainement abasourdi car j'entendis qu'il mettait du temps à reprendre son souffle. Bientôt nous arrivait de Londres un émissaire de la banque, un grand gentleman, anguleux et réservé qui se nommait Reeves.

— On l'introduisit dans la salle bien gardée où le trésor était entreposé. Il passa les coffres en revue, puisant et palpant les billets. Il s'arrêta enfin et resta un moment silencieux, les yeux dans le vague. Puis il se mit à jurer pendant quelques instants, lentement, méthodiquement, d'une voix distinguée, mais non sans véhémence.

— « Veuillez m'excuser, dit-il enfin. Mais les gens qui

1. Témoignage major George McNally (déjà cité).

ont fabriqué cette camelote nous ont coûté tellement cher!... »

— Nous entreprîmes alors, Reeves et moi, avec l'aide de trois détectives de Scotland Yard, de reconstituer l'invraisemblable histoire de l'opération Bernhard, la plus vaste entreprise de mystification qu'aucun gouvernement ait jamais tentée pour en berner un autre...

— Par un effet du hasard, la découverte de l'outillage se fit sans difficulté. Le capitaine allemand qui avait livré les coffres de billets nous déclara les tenir d'un officier des S.S. dont le camion était tombé en panne près du village de Redl-Zipf. Il avait reçu l'ordre de les décharger dans un lac voisin. Le capitaine n'en savait pas plus long. Nous nous rendîmes donc à Redl-Zipf où nous découvrîmes un de ces réseaux souterrains de galeries transformées en entrepôts et en ateliers, qui truffaient le fameux réduit alpin, où les Allemands avaient l'intention de livrer leurs derniers combats. Là, dans la galerie 16, — long tunnel de 60 mètres, partant d'un puits profond creusé au flanc de la montagne — nous tombâmes sur un stock de presses à billets et autres équipements. Mais ni planches, ni papier, ni archives...

Le « matériel » indispensable à l'impression et des caisses de fausses livres — les plus parfaitement réussies — avaient été immergés dans le lac Toplitz... Dès les premières heures de la Libération, « la course au trésor » était ouverte dans un rayon de 100 kilomètres autour de la station expérimentale de la Marine : certains savaient ce qu'ils cherchaient, d'autres n'avaient que de vagues espoirs et c'est dans l'esprit de ces derniers, les plus nombreux, que naquit la confusion. « Trésor » pour eux voulait dire : or, diamants, œuvres d'art. Il est vrai, pour ne prendre que les « trésors » connus, que leur « masse » est impressionnante : trésor provenant de l'administration centrale des S.S. : 750 barres d'or, d'un poids total de 3 650 kilos; 25 caissettes de pierres précieuses et de perles; 15 caisses de « vrais » billets et de titres. Trésor « mis sous la protection de la S.S. », 56 heures avant l'entrée des troupes soviétiques à Berlin : 500 kilos d'or provenant de la Banque d'Etat; 5 caisses de pierres précieuses; 12 caisses de bijoux; 225 kilos de stupéfiants (opium, morphine, peyolt); timbres postes, titres pour plusieurs milliards. Quant aux autres « trésors » repliés sur les Alpes autrichiennes, baptisés « Roumanie » et « Albanie », « Tchécoslovaquie », « Yougoslavie », etc... nul n'en connaît officiellement le détail. si ce n'est le service de contre-espionnage américain qui ne leva le voile que sur la découverte des œuvres d'art pillées (près de 12 000 tableaux, 25 000 dessins et estampes, et des milliers de tapis, de tapisseries, de sculptures, de pièces archéologiques, etc.) qui attendaient la victoire dans les galeries sèches de la mine de sel de Salzkammergut. Une fois cependant, les services secrets furent obligés de parler de « trésor de guerre » lorsqu'ils arrêtèrent dans la salle d'attente de la gare de Salzbourg deux anciens officiers allemands qui « évacuaient » dans deux cantines, les ciboires et croix pastorales de l'abbaye cistercienne de Zwettl, déterrés dans une caverne. Il est probable que les services secrets et les anciens S.S. (en particulier les commandos de Skorzeny) se livrèrent une course de vitesse pour retrouver ces « trésors » enfouis. Qui a gagné? Peut-être un jour le Département d'Etat américain lèvera le voile sur ce chapitre à peu près inconnu de l'histoire du IIIe Reich, dont chaque page est marquée par un meurtre ou une disparition (autour du lac Toplitz, de 1945 à 1963, la police autrichienne ouvrit vingt-deux enquêtes sur vingt-deux assassinats connus. Une douzaine de morts étaient d'anciens S.S. ou des « démobilisés » de la base d'expérience de la Marine allemande. La vingt-troisième victime était un plongeur amateur de Munich, Alfred Egner, qui ne remonta jamais du fond du lac...). En 1963, le gouvernement autrichien décida de « démythifier » Toplitz en faisant fouiller chaque millimètre de terre immergée. Plongeurs, scaphandriers, caméras de télévision, sonars passèrent au peigne fin cet immense « piège » qui a la particularité de posséder un double fond : à 35 mètres de la surface, un gigantesque plancher, constitué de troncs d'arbres arrachés aux rives des torrents qui se déversent dans le lac, forme une muraille horizontale pratiquement infranchissable. Le plongeur de Munich était resté prisonnier de ce chaos immergé qu'il voulait franchir. Les membres de l'expédition « 1963 » firent sauter à la dynamite ce « plancher » pour pouvoir explorer le fond. Le 6 décembre 1963, le représentant du ministère de l'Intérieur autrichien décidait de stopper l'expédition :

— « Les recherches ont duré six semaines. Nous avons pu repêcher les dix-huit dernières caisses qui restaient dans le lac. Elles contenaient des fausses livres sterling et différents documents d'archives, les planches à billets, les caractères d'imprimerie. Ces découvertes dissipent le mystère du lac et prouvent qu'il n'y avait rien au fond qui ressemble à un trésor [1]. »

Les communiqués du gouvernement autrichien n'y feront rien... Les expéditions clandestines se poursuivent à Toplitz et autour de Toplitz. Le 26 janvier 1972, le porte-parole de l'« Association de recherches du lac de Toplitz », Heinz Riegel, réunissait les journalistes pour leur annoncer que « quatorze caisses restaient au fond du lac, et qu'il venait de demander l'autorisation d'effectuer des plongées ». En octobre 1973, le gouvernement autrichien répondit à Riegel : « Il n'y a plus rien au fond du lac. Nous avons dépensé pour le prouver deux millions de schillings (deux cent vingt mille francs français). Six plongeurs ont passé, en 1962, 302 heures sous l'eau... Aucune caisse n'a pu leur échapper. »

A Toplitz peut-être...

---

1. Les documents qui, à l'exception de notes de service générales ou de règlements comme celui d'Oranienburg, n'ont jamais été publiés par le gouvernement autrichien, auraient beaucoup plus d'intérêt qu'on a bien voulu le laisser croire après l'exploration du lac. Un dossier, en particulier, aurait été communiqué à différents services secrets « amis » : il s'agirait du répertoire de tous les agents qui avaient été chargés de changer les fausses livres dans le monde et d'investir dans des industries ou des sociétés privées (en particulier en Amérique latine). Ce serait, en fait, là, le véritable trésor du IIIe Reich : celui qui a permis la « réinsertion » des fuyards.

V

MELK

Un monde différent. Melk est différent.

Et non seulement différent des autres kommandos du « Neuvième Cercle » de Mauthausen, mais encore de l'ensemble des camps de concentration. Car, ne nous y trompons pas, Melk est un véritable camp (bien que dépendant de Mauthausen) qui essaime déjà, quelques jours seulement après sa fondation, d'autres kommandos. Différent, parce qu'il est le seul exemple d'une métropole concentrationnaire dont la hiérarchie prisonnière — postes-clés administratifs ou de « sous-surveillance », et pourquoi pas également : « planqués » — est presque exclusivement française. Cette « réalisation » est peut-être la plus belle victoire remportée par les comités nationaux et internationaux clandestins de Mauthausen qui ont décidé, puisque les premiers groupes d'affectés au nouveau kommando étaient français, qu'il était normal qu'ils soient dirigés — et donc protégés — par d'autres Français. Et les « secrétaires » de Mauthausen n'ont pas oublié les consignes en rédigeant les listes de déportés.

— Le [1] bruit circule avec insistance d'un départ en kommando. Manifestement, à part les descentes à la carrière et les immanquables corvées de blocks, nous sommes des

1. Manuscrit inédit René Gille.

inutiles, et quelle que soit l'infâme nourriture qu'on nous donne chaque jour, nous ne la méritons pas. Les chefs de blocks et autres « fonctionnaires » laissent entendre que nous allons construire une usine souterraine, et que pour cela nous allons nous installer dans une ville appelée Melk, et c'est tout ce que nous apprenons. Mais nos anges gardiens nous disent encore avec un sourire qui en dit long — sourire sinistre et satisfait : « Dans six mois, la moitié d'entre vous sera morte. » N'empêche que nous attendons avec impatience un départ. Il n'est pas possible que nous puissions être plus malheureux ailleurs. Le travail est une forme de la dignité, même peut-être, les travaux forcés et cette oisiveté nous pèse, nous opprime avec ses multiples occupations sans nécessité qui deviennent chaque jour de plus en plus insupportables. Les coups deviennent aussi de plus en plus nombreux, les raisons de frapper de plus en plus fréquentes : expulsions massives et sans raison des blocks, et des chambrées, création d'une peur panique qui engendre d'indescriptibles désordres, dans lesquels nos gardes-chiourmes voient de supplémentaires occasions de schlague, et ils n'en font pas faute.

— Les crânes sont bosselés, les yeux et les lèvres tuméfiés et puis la fatigue des couches en « sardines » devient de plus en plus lourde. Nous ne parvenons pas pendant nos promenades dans la cour inégale des blocks, à faire disparaître l'ankylose de nos muscles et le blocage de nos articulations.

— Nous avons touché depuis quelques jours quelques hardes supplémentaires : vieux costumes civils, rebuts d'uniformes d'origine indéfinissable, de ce fait nous avons ainsi un peu plus chaud. Un beau jour, vers le 18 avril, une corvée extérieure apporte à proximité des barbelés qui nous isolent du camp libre, des charges de vêtements neufs, pas des vêtements comme les autres, mais ces fameux costumes rayés gris clair et bleu, verticalement, et qui font penser à des pyjamas. Costumes en toile légère de fibre de bois, ressemblant à de la toile de matelas, pantalons à poches, vestes, béret rappelant par sa forme celui de nos marins, mais en tissu rayé. Tout est entré dans la cour du block et nous en défaisons les paquets. Il y a aussi des galoches neuves, semelles de bois, empeigne de toile et cuir, montantes pour certains, simples claquettes pour la plupart, où le pied tient mal, chaussettes de laine, pull-over, chemises et caleçons sont aussi à l'état neuf.

— Il y a deux ou trois jours, nous avons été immatriculés et nous avons touché notre plaque, morceaux de fer bruni découpés dans des boîtes de conserves, sur lesquels le numéro est gravé au burin. Nous sommes la série des 61 900 à 63 900 environ. Nous nous appellerons, pour faire la moyenne, « les 62 000 », 62 451 pour moi. Je me trouve au block 16 avec des camarades dont j'ai été isolé. Survient un incompréhensible classement en « spécialistes » et « non-spécialistes » établi selon la fantaisie la plus ahurissante.

— L'on voit des intellectuels aux mains blanches rejoindre d'authentiques métallos, les officiers — même s'ils ne sortent pas de Polytechnique — sont classés comme ingénieurs, les spécialistes véritables rejoignent la foule des manœuvres. Je suis de ces derniers. La nuit, une nuée de tailleurs envahit le block avec des machines à coudre : nos matricules ont été imprimés au composteur à l'encre de Chine, sur des bandes de toile de douze centimètres sur trois environ, portant en plus le triangle rouge, la pointe en bas, marqué du F en noir, indiquant notre qualité de Français. La pose de ces bandes commence, une à gauche horizontale, à hauteur du cœur, sur la veste, l'autre verticale sur le pantalon, sur la cuisse droite. Puis tout est classé en attendant la distribution. Branle-bas dans la journée pour cette opération. Bien entendu, rien n'a été essayé à l'avance et si la veste me va, le pantalon qui m'a été octroyé est bien trop grand pour moi. Je touche un habillement complet, comprenant aussi un manteau de tissu de la même couleur, mais un peu plus épais, un pull à col roulé, chaussettes et galoches. Nous sommes cette fois individualisés, uniformisés, comme il est peu admis de le voir, sous la livrée la plus grotesque et la plus infamante. Et si à l'arrivée à Melk, dans quelques jours, nous rendrons pull-over et manteau, c'est le « complet », veste et pantalon, non lavé, non réparé, déchiré, mille fois trempé de pluie et jamais séché, que je porterai jusqu'à l'entrée de l'hiver, au travail comme au repos.

— C'est le départ. Le 23 avril, au petit matin, dans le silence du camp non encore éveillé, sous la lumière aveuglante des éternels projecteurs. Un convoi de six cents de nos camarades nous a précédés à Melk, le 21. Il est bien sûr maintenant que nous allons fonder un nouveau kommando qui deviendra bientôt, avec ses dix mille hommes, l'un des plus importants camps dépendant de Mauthausen.

— La dernière soupe, je réussis à passer trois ou quatre fois. Nous touchons aussi pain et saucisson. Quand nous sortons du block et que nous passons sur la place d'appel, un radieux lever de soleil rosit déjà les montagnes alentour. La grande porte « mongole » va s'ouvrir une dernière fois devant nous, une dernière fois sauf pour ceux qui, malades, reviendront au « camp russe » dans les mois à venir, certains pour y mourir

— Je suis au premier rang, le premier à droite. Un officier S.S. s'approche de moi et me confie, pour la porter à Melk, une grande boîte en carton, légère d'ailleurs, puisque ne contenant qu'une lampe de bureau. Au moins, par respect pour le colis, je ne risque pas d'être frappé. Tête nue, au pas cadencé, toujours comptés par les S.S., nous sortons du camp. Au sommet d'une des tours de la porte, flotte, lumineux, le drapeau noir des seigneurs, frappé du double S.S. stylisé en blanc.

— La campagne autrichienne est réveillée, la neige a disparu et partout les arbres bourgeonnent ou sont en fleur. Les oiseaux chantent, eux que nous n'avons pas entendus depuis des semaines. Dès que nous quittons les abords du camp, laissant à droite le « Revier » où tout semble mort, dès que la muraille a disparu derrière nous, nous sommes en pleine verdure. Les prés sont de véritables champs de pissenlits, partout à perte de vue. Ces plantes y font ainsi que sur les talus un tapis vert, uniforme : que de salades perdues pour nos estomacs affamés.

— Nous quittons le chemin, embouchons la route, et refaisons en sens inverse le trajet parcouru il y a quinze jours. Nos sabots sonnent clair sur le pavé de la route. La cadence est rompue, nous pouvons parler. Nous chanterions presque si les cinq cents uniformes rayés ne nous rappelaient que nous ne sommes pas des touristes en promenade... La fonte des neiges a encore grossi le Danube qui roule des flots tumultueux à notre droite. Et je me rappellerai toujours cette route jonchée de bouts de cuir, résidus de milliers de paires de chaussures démontées pour de quelconques transformations, nos chaussures peut-être, volées à notre arrivée. Un kommando a dû passer par là, transportant des détritus dans des charrettes et en perdant en route.

— Traversée de Mauthausen, encore endormie. Se peut-il qu'une ville aussi coquette, aussi calme, aussi bourgeoise, passe ainsi à la postérité et se fasse connaître du monde entier en donnant son nom à l'effroyable usine de mort, bâtie de toutes pièces, à proximité? La gare de Mauthausen : notre arrivée ne suscite aucune curiosité parmi le personnel — cela vaut peut-être mieux pour lui! Ils en ont vu d'autres ces employés qui vaquent de la façon la plus naturelle à leurs occupations.

— Le soleil est haut sur l'horizon lorsque nous grimpons dans les wagons, de confortables wagons de voyageurs où, pour la première fois depuis des semaines, et des mois pour beaucoup, nous connaissons une illusion de bien-être, puisque nous voyagerons comme des gens normaux... Le père Leleu, le vieux Nantais est assis près de moi. En voyant le Danube, il me parle de son bateau-lavoir « dont il est propriétaire », ancré en Loire ou sur l'Erdre, et que la mère Leleu doit exploiter! Nous parlons de la Bretagne, de tout ce que nous aimons; brave père Leleu, qui reviendra à Mauthausen quelques mois plus tard pour y mourir.

— Nous traversons, sur une centaine de kilomètres peut-être une belle campagne, riche de verdure, toute neuve, sous un ciel bleu de printemps tardif : Saint-Valentin, Amstetten, Melk où nous arrivons vers midi, après avoir longé le Danube sur une grande distance, et avoir pu admirer, avec mélancolie, de coquettes bourgades avec leurs guinguettes et leurs tonnelles au bord du fleuve.

— Melk nous fait recevoir par sa magnifique abbaye baroque, construite du temps des Habsbourg, sur un éperon rocheux surplombant le fleuve. Rassemblement sur le quai : je ne sais pas encore que bientôt, tous les jours pendant neuf mois, j'y passerai matin et soir ! On ne traîne pas et, rapidement, nous prenons le chemin montant qui mène au camp, entre les prés et les villas, si propres et si gaies, avec leurs vergers en fleurs.

— Le camp : une grande caserne ocre, à quatre corps de bâtiments à étages, presque accueillante. A gauche, un immense garage. Les camarades qui nous ont précédés ici, il y a deux jours, sont déjà au travail, installant des barbelés. Ne sommes-nous pas désormais les « Häftlings » (détenus), concentrés dans un « Schulbäftlager » (camp de détenus protégés). L'ironie est un peu forte, mais c'est pourtant cela; l'expression plus commune de « Konzentration lager » est moins hypocrite.

— Les premiers renseignements fusent : ici, on couche chacun dans un lit, on vous a déjà aménagé les vôtres. La nourriture est aussi mauvaise, mais chacun a sa gamelle et sa cuillère. Au moins, un peu de confort et un peu plus de propreté. Rassemblement dans la cour : on nous enlève déjà nos manteaux. Coup d'œil sur le camp : pour l'instant, seul le grand garage sera la résidence des concentrationnaires. Plus tard, lorsque les travaux de l'usine solliciteront un plus grand nombre d'hommes, nous nous étendrons. Alors que divisé en deux, le garage formera les blocks 1 et 2. le camp comptera dans quelques mois jusqu'à vingt et un blocks, les casernes étant elles-mêmes occupées par les détenus, tandis que dans l'immense cour, des baraquements nombreux sont édifiés jusques et y compris le crématorium, installation sans laquelle on ne peut concevoir un camp bien organisé. Des barbelés isolent pour l'instant le garage de la cour de la caserne, limitant uniquement une place d'appel suffisante pour mille cinq cents hommes. Construit pour des chars et des véhicules lourds, le garage proprement dit est en étage au-dessus des ateliers de réparation et d'entretien. On accède à l'étage par deux rampes larges et massives. L'ensemble fait certainement plus de 150 mètres de long, plus de 20 mètres de large. Nous constatons, en y arrivant, que des lits à étage, abritant chacun deux hommes, quatre au total, nous ont été aménagés. Même avec un compagnon, nous serons mieux qu'à Mauthausen et nous dormirons effectivement. Pas de soupe pour le premier jour, nous ne sommes pas encore intégrés dans l'effectif du camp, semble-t-il. Au moins ici, il y a de l'eau à profusion et nous pourrons boire à notre soif. De l'eau, nous n'en manquerons jamais, sauf lors des bombardements.

— Première nuit à Melk, sur une paillasse toute neuve, dans un lit tout neuf, avec deux couvertures neuves; nuit relativement bonne, bien qu'écourtée avant 4 heures du matin, alors que l'aube ne pointe pas encore.

— Pas de départ en kommando le premier jour. Seules les corvées au camp nous attendent, ce qui nous réserve déjà de multiples et fatigantes occupations. A midi, on nous sert une soupe déshydratée, choux et oignons, seule nourriture qui nous sera parcimonieusement distribuée jusqu'à l'amélioration de juillet, alternant avec des fanes de carottes ou des feuilles de betteraves bouillies. Une fois ou deux, nous recevons un litre épais de soupe aux haricots. Depuis quelques jours déjà, le régime met les reins à rude épreuve, nous obligeant à interrompre sept ou huit fois notre repos nocturne.

— Deuxième jour : départ en kommando. Avant d'être affecté pour neuf mois à Amstetten, j'en ferai quatre ou cinq, très durs mais à coup sûr pas les pires. Tout d'abord, pendant deux jours, je roule du sable dans des brouettes, ou je déchargerai des camions de briques. Nous sommes à Roggensdorf, 5 ou 6 kilomètres du camp. Nous sommes en quelque sorte des prisonniers, chargés de déblayer le terrain, pour préparer le creusement de l'usine souterraine, projetée, et la construction des bâtiments annexes extérieurs.

— Il y avait quelques jours que nous étions à Melk lorsque, rutilant dans un « uniforme » tout neuf à sa mesure, arriva Michel Hacq. J'étais au block, cet après-midi-là, et je me souviens que, venant de Mauthausen où il était resté après nous, il me montra son dos en sang, suite des coups qu'il avait reçus pour je ne sais quel crime, lors de la réception à Melk. La chemise lui collait à la peau et il souffrait manifestement. C'est aussi, peu après notre arrivée, qu'eurent lieu les premiers décès et tout d'abord celui de Hablot, architecte départemental de la Dordogne, arrêté comme moi, à Périgueux, le 18 février précédent.

— Nous sommes au milieu d'une vallée verdoyante, de seigles tout nouveaux en bordure d'un village aux vergers fleuris de pommiers, cerisiers et poiriers. Cette usine sera creusée dans une colline de sable gréseux, compact, et quand elle sera terminée, elle comprendra sept grandes galeries principales perpendiculaires à la vallée, toutes reliées entre elles par des galeries secondaires constituant l'usine elle-même, le tout bétonné, électrifié, aménagé, équipé, rempli de machines bourdonnantes dès l'hiver, moins d'un an de travail, mais au prix de plus de six mille vies d'« Häftlings ». Pendant tout l'hiver 44-45, des équipes d'ouvriers spécialisés seront employées à la rectification de roulements à billes qui sortiront par tonnes de cette usine. Des trains entiers y entrent ou en sortent.

— Pour l'instant, notre kommando, très réduit, n'a pas d'autre tâche que le déchargement de matériel de chantier, à la gare de Loosdorf, à 4 kilomètres plus loin de Roggensdorf. Travail très pénible, irrationnel, qui exige vingt ouvriers solides où cinq « Häftlings » s'essoufflent vainement, mais où quinze se pressent et se gênent là où huit suffiraient.

— Déchargement, roulage, chargement dans les camions de matériel tel que dynamos ou alternateurs, pesant jusqu'à 8 tonnes : sans grue, sans levier, sans aucun appareil intermédiaire autre que des rondins de bois. Travail harassant, à la seule force de nos pauvres muscles, sous une pluie continuelle qui nous glace et nous colle les vêtements sur la peau, sous les coups continuels aussi, et longtemps après l'heure d'arrêt de travail, ce qui nous oblige à rentrer, tout trempés, à pied, tout le long des 8 ou 10 kilomètres de route, les camions étant partis. Ce n'est rien encore lorsque le matériel est si lourd qu'il défonce les plateaux des camions et brise les essieux; avec nos seuls bras, avec nos seules mains, nous devons alors l'en extraire et le remonter sur le quai. Comment? Je l'ai oublié. Que de fois sommes-nous arrivés au camp, grelottants de froid, pour toucher notre maigre casse-croûte, le « café » froid, avec deux ou trois heures de retard, ne trouvant plus nos couvertures que l'on nous avait prises, n'ayant même pas un coin où étendre nos hardes trempées que nous devions remettre, à peine égouttées, le lendemain, c'est-à-dire dans quelques heures.

— A 4 heures, le réveil, la toilette rapide, le tout ponctué de coups de poing pour les retardataires, les kapos guettent derrière les lits le malheureux qui ne descend pas du sien à la première sonnerie de la cloche (avons-nous seulement dormi? En plus des envies fréquentes d'uriner, il arrivait, un long couloir étant ménagé à l'intérieur du garage, qu'un S.S. s'amuse, en plein nuit, à faire un circuit de plusieurs tours à l'intérieur, avec son auto de course pétaradante au maximum!).

— Distribution de « café », un liquide noir, chaud, vaguement sucré. Avec quelques camarades j'ai pu, plusieurs jours de suite, dérober quelques pommes de terre, dans le tas qui tente de sécher dehors, après un hiver en silo. Je me suis fait une râpe en perçant des trous dans un couvercle de boîte de conserves. Et, de nombreuses fois, j'ai ainsi épaissi le café ou la soupe du mercredi, en y incorporant des pommes de terre râpées. Mélange gluant et de goût douteux, mais qui, ayant à peu près la consistance du tapioca, tient un peu à l'estomac. C'est que nous devons travailler jusqu'à midi — il est 4 heures — sans rien dans le ventre, le pain de la veille au soir étant depuis longtemps absorbé et digéré. La soupe du midi — et quelle soupe! — n'est pas encore là (quelquefois aussi, j'ai rapporté au camp quelques douzaines de gros escargots de Bourgogne, que je trouvais à foison sur le ballast; enfermés dans un broc recouvert d'herbe pour la journée, je les rentrais au camp en tenant le broc ficelé entre mes jambes, attaché à la ceinture, ce qui me causait des problèmes pour la cadence!).

— Vite lavés au « waschraum », une poignée de gros sel, un oignon obtenu d'un planqué — le même qui me permettra de m'approcher du feu pour la cuisson, et voilà pour demain matin un repas froid et consistant assuré. Tout cela m'a coûté la moitié de mon broc — que je remporte vide — vingt-cinq ou trente gros escargots, cela tient l'estomac, surtout lorsqu'ils ne sont qu'à moitié cuits!

— A 5 heures, appel, rassemblement, formation des kommandos, départ au travail. Le transport se fait pour l'instant par camion, en attendant que nous ayons aménagé nos propres quais d'embarquement et de débarquement, à raison de quarante hommes par véhicule, alors qu'il y a place pour vingt-cinq au maximum. Nous nous accroupissons et nous encastrons les uns dans les autres, selon une technique vite au point. Encore faut-il laisser la place libre à trois ou quatre sentinelles en armes.

— Les camions servent à tout transport, terre, ciment, ferraille, et c'est toujours dans la boue que l'on s'assoit, sous une pluie qui commence immanquablement vers huit heures, pour ne cesser qu'au soir. Le travail commence dès le débarquement au chantier, ininterrompu toute la journée, c'est-à-dire à peu près de 7 heures à 19 heures, sauf pour la soupe du midi, prise dehors par n'importe quel temps. Le litre de fanes de betteraves, d'« épinards » (qu'appelait-on ainsi?) ou de rutabagas, est vite avalé. Après cela, on s'étend n'importe où pour dormir une petite demi-heure. Et le travail reprend, jusqu'au soir, harassant, pénible, sous une pluie qui glace les membres, sous les coups ininterrompus aussi, qui meurtrissent les corps, heureux encore si, pour rentrer, on arrivera à temps pour grimper dans un camion.

— Je ne reste que quelques jours dans cet abominable kommando. Un beau matin, je me glisse à tout hasard dans un autre. J'y resterai sept mois : d'un certain point de vue, tout relatif, j'ai alors tiré un bon numéro.

— L'usine souterraine de Roggensdorf, en pleine construction, nécessite de plus en plus de main-d'œuvre. Bientôt sept mille hommes au moins se succéderont de zéro à vingt-quatre heures, en quatre équipes de mille cinq cents à deux mille hommes chacune. Amener les forçats sur le chantier par camion exige trop de matériel. Les faire venir à pied présente au moins l'inconvénient de faire perdre du temps, la question de la fatigue n'entrant pas en ligne de compte. Or, Roggensdorf se trouve sur la grande ligne des « Métropa » et le transport par chemin de fer se présentant comme la plus pratique, nos maîtres en viendront à construire des quais d'embarquement et de débarquement de la chiourme, l'un à proximité de la gare de Melk, l'autre à Roggensdorf même, à proximité de l'usine.

— Un train de « quarante hommes — huit chevaux » circulera sur cette portion de ligne de mai 1944 à avril 1945, toujours le même qui, entre les services, est stoppé sur une voie de garage à Loosdorf. Les forçats feront donc le trajet en quelques minutes, debout et au moins pendant ce temps à l'abri des intempéries. Le ballast étant en remblai et haut de quelques 5 ou 6 mètres, par rapport à la plaine, il s'agira de construire de chaque côté de la voie un quai d'embarquement, soit deux près de Melk et deux à Roggensdorf. Ils auront 230 mètres de long chacun, sur 6 ou 7 mètres de large, construits entièrement en bois. Travail qui nous semble gigantesque et, cependant, nous achèverons plus de 900 mètres de quais en moins d'un mois, alors que nous ne serons jamais plus de trente en équipe, en travaillant seulement le jour. Le travail consiste à enfoncer des pieux sur les flancs du ballast, les plus longs à la base (le ballast a une coupe trapézoïdale, comme tous les ballasts en remblai) les plus courts à proximité de la voie, les sommets étant tous à même hauteur. Là-dessus, nous clouons des planches, des « plateaux » épais de 4 ou 5 centimètres, et uniformément serrés. Je suis employé au sciage, en compagnie de mon camarade Jolivet, « T'tit Louis », de Gallois, et de l'abbé Ecole qui font équipe et qui sont comiques par leur inexpérience et leur inadaptation! Enfoncement des pieux au « mouton », sciage ou clouage des plateaux sont les occupations journalières qui alternent les unes avec les autres, avec comme variante le déchargement des camions de bois. Travail relativement agréable avec des ouvriers civils dont j'ai gardé le meilleur souvenir, surtout le brave charpentier Karl Dodelinger. Le meilleur souvenir, toutes proportions gardées!... Même un jour où j'avais fait ma moisson d'escargots, ce qui m'avait valu des coups du Kommandoführer, je fus appelé brutalement le soir par un « post » violemment agressif et hurlant, ne sachant ce qui m'attendait. Je me mis au garde-à-vous, prêt à recevoir des coups, mais après avoir regardé à droite et à gauche vers le Kommandoführer, le « post » se radoucit et me montra mon broc qu'il m'avait rempli d'escargots dans la journée!

— Le kapo est un vieux policier alsacien, le brave Victor Jaeger, qui nous rend la vie aussi agréable que possible. A midi il me désigne pour la vaisselle des gamelles, ce qui me vaut de rester près d'une heure à flâner sur le bord d'un joli petit ruisseau où les goujons viennent fouiller dans le sable que je remue au fond de l'eau. Régulièrement aussi, il nous envoie, en rampant, prendre un peu de bon temps dans le champ de haut seigle qui nous cache aux vues indiscrètes, en bordure de la voie. Je me rappelle y avoir fait plusieurs pauses reposantes, et d'y avoir mangé pas mal de salsifis sauvages qui se trouvaient en quantité dans les seigles.

— Karl Dodelinger me donne, de temps en temps, une tranche de pain. Les sentinelles — soldats de la Luftwaffe — sont moins féroces, moins exigeantes. L'une d'elles même, jeune Alsacien enrôlé de force (dit-il), engage la conversation avec moi pendant près d'une heure, un jour, au bord du ruisseau. Je me souviens aussi d'un Tchèque qui me donnait régulièrement un biscuit, ô bien petit! chaque fois qu'il était de service et gardait mon kommando.

— Fin mai, les quais sont terminés et il ne reste plus qu'à poser les escaliers, assez larges pour permettre l'écoulement rapide de mille cinq cents à deux mille hommes. Puis, nous les entourons de barbelés. Pourquoi? Je me le suis toujours demandé étant donné qu'ils ne servaient qu'à nous seuls et que toute évasion était impossible. Ensuite, nous les camouflons pour les rendre le plus possible semblables à la forêt et aux seigles.

— De tous les aménagements et installations accessoires

de l'usine souterraine, ces quais seront peut-être les plus utiles, en tout cas les plus utilisés. Pendant près de onze mois, sept mille hommes y embarqueront et débarqueront chaque jour, ce qui fait au total, si l'on compte le retour, quatorze mille hommes que le soleil brûle, dont la pluie courbe les dos ou la neige et le vent dur d'Autriche fouettent les corps amaigris et mal vêtus. Plus de quatre millions et demi de passages s'y feront, mais aussi quelquefois les stationnements s'y éterniseront, sans aucune protection possible contre les intempéries. Pour beaucoup, les attentes prolongées parfois sur plusieurs heures, lorsque le trafic sera désorganisé, debout dans le froid sur ces plates-formes surélevées, seront le début d'une pneumonie mortelle. L'attente sur le quai aura achevé les malades du travail, et peut-être fourni autant de morts que le travail lui-même. Lorsque j'ai travaillé à nouveau à Roggensdorf, en février 1945, j'ai emprunté moi aussi les quais, « mes » quais. Je me souviens des tourbillons de neige glaciale, dans un vent violent, que soulevait le passage, à 140 à l'heure, des grands rapides en route encore pour Stuttgart, Cologne ou Aix-la-Chapelle, les « Metropa » pour Strasbourg et Paris n'y passant plus depuis plusieurs mois!

— Le 3 juin, le travail est terminé et tout le kommando de trente hommes est destiné à Amstetten. Là, nous allons travailler directement à la firme Hopferwieser, qui nous a déjà employés à la construction des quais. « L'Hopferwieser-Holtz banwerke » a, en effet, son siège à Amstetten, 41 kilomètres en amont de Melk, sur le Danube. Tous les jours, sauf le dimanche, du 5 juin 1944 au 6 mars 1945, je ferai le trajet aller et retour.

*
**

— Un [1] matin, suivi de quelques camarades, nous nous faufilons pour éviter d'être retenus pour un kommando lorsque, au tournant d'une baraque, nous tombons pile, nez à nez avec un kapo, épanoui de nous découvrir. C'était un

1. Manuscrit inédit lieutenant-colonel Robert Monin.

gigantesque gaillard maniant une redoutable trique. Surpris, nous faisons face, l'air aussi innocent et calme que possible, et le dialogue suivant s'engage en charabia du camp, dont je vous fais grâce :

— Le kapo : « Ah! Franzose, venez ici.

— Moi (l'air étonné) : « Nous pas Franzose.

— Le kapo (pointant son doigt sur le F inscrit dans notre triangle rouge) : « Et alors, qu'est-ce que c'est que ça? (Et il devient menaçant.)

— Moi : « Je ne sais pas, et je te dis que nous ne sommes pas Français. Nous sommes Auvergnats.

— Le kapo (l'air complètement ahuri) : « Auvergnats! Auvergnats! qu'est-ce que c'est?

— Moi (de plus en plus assuré, mais prêt à détaler au cas où ça tournerait mal) : « Tu ne sais pas ce que c'est que les Auvergnats? Qu'as-tu appris à l'école? Retournes-y! »

— Et le kapo, avec l'air de quelqu'un qui n'y comprend rien, ne sachant trop à qui il s'adressait (prudent aussi peut-être, car s'il avait une trique, nous étions sept ou huit contre lui seul et bien dissimulés à toutes vues) fait demi-tour et nous laisse tranquilles. Devant la lourdeur et la balourdise de ces messieurs, l'assurance, l'audace avaient souvent le dernier mot. Notre union, notre organisation, le prestige que les Français acquirent lentement mais sûrement, quelques règlements de compte clandestins, où des kapos laissèrent leur peau, la tournure des événements, notre masse, incita de jour en jour la chiourme à la prudence.

— L'« anecdote » aurait pu tourner très mal pour moi, mais tout au début, je n'avais pas parfaitement compris le danger auquel nous étions soumis, et il faut encore préciser que, dans cette période d'organisation et de pagaille, l'on avait l'immense ressource de se perdre, sans être reconnu parmi la foule des mille cinq cents à deux mille détenus dans le camp. Par la suite, je fus beaucoup plus discret, méfiant et prudent.

— Continuant à éviter, par la suite, les kommandos redoutés, il fallait après y avoir réussi et être tranquille, éviter également d'être embauché aux travaux d'aménagement assez pénibles, consistant à creuser des trous profonds destinés aux poteaux devant supporter les barbelés, construire des miradors, s'exténuer au transport de lourds matériaux divers... Pour cela, une seule solution, mais efficace au maximum et qui a toujours été valable : avoir l'air d'être employé à un ouvrage quelconque, ne jamais paraître oisif...

— Toujours suivi de mon ami l'abbé Joseph Hervouet, et muni chacun d'un squelette de balai, nous passions nos journées dans le grand garage, bien tranquilles, en surveillant attentivement les environs. Dès qu'un danger se présentait, sous l'apparence d'un uniforme ou d'un kapo, nous nous mettions à balayer avec ardeur, soulevant des nuages de poussière qui faisaient fuir les indiscrets aux sens délicats, car ces brutes étaient extrêmement délicates! Je revois et entends encore un S.S. se présentant à la porte du garage et fuyant avec un « Pfui! » horrifié, sans insister. Le plus dur et le plus difficile pour nous était de ne pas nous laisser démunir de nos balais qu'il fallait soigneusement cacher pendant les appels et surtout la nuit, dormir avec. Cela dura quelques jours, jusqu'au moment où le relevé des matricules et les affectations personnelles nous obligèrent, en rendant notre planque inutile, à nous intégrer dans un kommando. Aussi un matin, à l'appel des kommandos de travail, l'abbé et moi nous nous sommes précipités vers le kapo appelant le « Sandkommando » (carrière de sable) où il lui manquait quelques hommes.

— Ce kommando où nous étions une douzaine, tous Français, avait bonne réputation. Il sortait du camp pour aller dans une carrière de sable située à environ 3 kilomètres aux abords de la petite ville de Melk. Parcours facile, genre promenade. Il était commandé par un kapo allemand, véritable abruti, ivrogne, gueulard mais pas méchant (d'autant plus que le « posten », S.S. chargé de notre garde, était antinazi, Autrichien, incorporé de force). Dans le civil, il était Kapellmeister (chef d'orchestre) à l'Opéra de Vienne. Il était avec nous, contre le kapo si c'était nécessaire.

— Le patron de la carrière, vieil Autrichien, ressemblant

à l'empereur François-Joseph, était également antinazi et s'opposait à ce que l'on sorte trop de sable. Tous les prétextes étaient bons pour stopper notre travail, d'ailleurs fort peu ardent : par exemple, à la moindre goutte de pluie, il interdisait toute extraction, prétextant, disait-il, les dangers d'éboulement. Une fois, il nous a même fait entrer dans une dépendance de sa maison, où nous étions bien à l'abri et au calme. Sa femme nous a apporté, à chacun, deux pommes de terre cuites et nous a donné un verre de bière [1]. J'ai conservé un souvenir inoubliable de ces deux cadeaux. Mais j'ai aussi terriblement souffert à cause des pommes de terre; voilà pourquoi : l'abbé Hervouet commençait à être malade, et très fatigué il était resté au camp où toute la journée il a confectionné des balais de bouleau. J'ai mangé aussitôt une de mes pommes de terre, mis l'autre dans ma poche, la réservant pour l'abbé. Aujourd'hui, je sais la souffrance que peuvent provoquer le besoin de calmer sa faim et le prix de la lutte contre cette envie. Cette petite pomme de terre à ma disposition, pendant des heures, j'ai donc mené une lutte terrible pour la conserver. J'ai tenu bon jusqu'au bout, et le soir j'ai été récompensé au centuple par le merci ému de mon ami lorsque je lui ai fait ce minuscule cadeau. Mais au cours de ma vie, déjà longue, je ne me souviens pas d'avoir jamais mené un combat aussi long et aussi pénible.

— Le kommando était vraiment idéal. Le kapo disparaissait des heures entières, allant dans les fermes des environs où il se livrait, pour le compte de S.S. complices et des autres kapos, à un trafic inouï d'alcool, de tabac, de viande, etc. Il nous obligeait à cacher ses acquisitions dans

1. J'ai revu en 1949 ces deux braves gens, à l'occasion d'un passage à Melk. Ils ont eu de très gros ennuis à notre sujet. Ils furent emprisonnés, horriblement battus selon les méthodes de la Gestapo, à tel point que la vieille dame dut être amputée d'une jambe. On leur reprochait d'avoir sympathisé avec de « crapuleux bandits terroristes, assassins, ennemis des Allemands ». L'escapade du kapo leur fut aussi imputée, grâce à leur coupable négligence, sinon à leur complicité. En me voyant et en me reconnaissant, ils sont tous les deux tombés en larmes dans mes bras, et m'ont demandé des nouvelles de tous; ils n'avaient oublié personne et furent très émus d'apprendre les morts tragiques de quelques-uns.

nos vêtements pour les entrer au camp. Cela dura quelque temps jusqu'au jour où, ivre mort, il oublia de revenir le soir. Rattrapé à quelques kilomètres du camp, il fut tué par le commandant du camp à coups de pied et de cravache. Son supplice dura des heures; il ne dénonça aucun de ses complices. Nous-mêmes avons subi le contrecoup de l'événement. Notre camarade Zamanski, qui faisait office d'interprète au kommando, fut puni. Il resta de longues heures (environ vingt-quatre heures) au garde-à-vous dans l'immobilité la plus absolue, à quelques centimètres des barbelés électrifiés sous la surveillance et la menace des armes d'un mirador le surplombant. Le kommando fut dissous et d'office nous avons été versés au Lagerkommando.

— Mais revenons au temps où fonctionnait la « Sandkommando ». Nous étions entre Français et, parmi nous, il y avait les personnalités suivantes : Marc Zamanski (devenu, depuis, pendant plusieurs années, doyen de la faculté des sciences de Paris), Traversat, inspecteur des finances et importante personnalité du mouvement scout (un de ses fils avait été tué en 1944 dans un maquis de l'Indre), Jacquet, représentant la Hollande à Lyon avec le titre de consul, l'abbé Jean Varnoux, de la Haute-Vienne, l'abbé Joseph Hervouet, boîte aux lettres de mon réseau, arrêté en même temps que moi à Saint-Julien-de-Vouvantes (Loire-Atlantique) où j'avais mon P.C., Robert Jude [1], poète et barde breton, du réseau du colonel Rémy, etc.

— Notre travail consistait à extraire du sable de la falaise, à le cribler et à charger quelquefois des camions quand il s'en présentait. A ce sujet, un jour arrive, tirée par deux chevaux, une charrette conduite par un jeune S.T.O. originaire de la région de Saint-Mars-la-Jaille, en Loire-Atlantique, à quelque 15 ou 20 kilomètres du lieu où j'avais été arrêté et où j'avais laissé ma famille dont

1. R. Jude très malade était, en avril 1945 au Revier de Mauthausen. Rapatrié par la Croix-Rouge comme grand malade, vers la Suisse, il fut assommé par un S.S. juste au moment où il franchissait la frontière, à l'entrée de la Suisse. Il mourut de ce coup quelques heures après.

j'étais absolument sans nouvelles. Je lui ai demandé de faire savoir à ma femme où j'étais et, par la même occasion, d'en faire autant pour les camarades de la région qui étaient à Mauthausen et à Melk, en lui communiquant la liste. Avec adresse, par son père, il a réussi à le faire en évitant la stricte censure postale allemande. Cela a tranquillisé ma femme à mon sujet, le bruit ayant couru que j'avais été fusillé à Angers. Cela se passait fin avril. Courant août, un camarade revenant du chantier de l'usine vient me dire qu'il avait rencontré un jeune Français qui me faisait savoir que tout allait bien chez moi, qu'après mon arrestation, ma famille n'avait pas été inquiétée. A la Libération, j'aurais aimé retrouver ce jeune pour le remercier. Hélas! je n'avais ni son nom ni son adresse et, malgré mes recherches, cela me fut impossible.

— Donc le travail au Sandkommando se faisait à toute petite allure... quand on travaillait, car la journée se passait de la manière suivante : le kapo en vadrouille, Jacquet, en haut de la falaise où il était supposé dégager la couche de terre végétale recouvrant le sable. Assis dans l'herbe ou appuyé sur sa pelle, il surveillait les environs et signalait toute visite dangereuse, car il voyait sur une très longue distance la seule route d'accès à la carrière. Les autres, en bas, allongés au soleil, nous attendions l'heure du retour au camp. Zamanski, Robert Jude, l'abbé Varnoux, musiciens confirmés, aidés et dirigés par le Posten-Kapellmeister, reconstituaient de mémoire des morceaux de grande musique : Bach, Beethoven, Mozart... Pour être plus à l'aise, pour battre la mesure, notre gardien se débarrassait de son fusil qu'il confiait à l'un de nous et, pendant des heures, tant qu'il n'y avait pas d'alerte déclenchée par Jacquet, et pas de camion à charger, nous assistions à un concert. Dans notre situation, c'était étonnant et amusant de voir nos musiciens imitant à la perfection les différents instruments de l'orchestre.

— Tous les jours vers 10 heures le matin, nous avions aussi une distraction : celle de voir passer, à quelque 50 mètres de nous, l'Orient-Express avec ses plaques sur lesquelles on lisait : Mulhouse-Belfort-Paris. Pour nous ce train filait vers notre patrie, soulevait avec des envies d'évasion, une profonde émotion. Heureusement, il y avait des spectacles beaucoup plus réjouissants pour nous; c'était le spectacle fréquent des trains militaires revenant du front de l'Est. A l'état du matériel sur les wagons plats, et des hommes abattus et tristes, ainsi qu'au nombre important de trains « Croix-Rouge », nous appréciions, avec satisfaction, la frottée que l'armée allemande subissait de la part des Russes. Le moral de ces troupes remontant du front était plutôt bas; où étaient l'enthousiasme et les chants et l'arrogance du temps de leurs victoires? Cette vision nous remontait sérieusement le moral et celui des camarades restés au camp, à qui nous en faisions le récit chaque soir. Il leur fallait beaucoup de détails : combien de trains? Beaucoup de blessés? Etat du matériel, etc.

— Une fois le Sandkommando dissous, nous avons été tous versés au Lagerkommando, dont le personnel était employé à l'installation définitive du camp. Commencé en avril 1944, ce travail était terminé en septembre-octobre. Au fur et à mesure de l'avancement des travaux, le volume des équipes fut réduit par tranches et les hommes, devenus disponibles furent employés ailleurs. Un des avantages d'être employé à l'intérieur du camp était évidemment celui de ne pas être obligé de parcourir, par tous les temps, des distancés importantes, à allure extrêmement rapide, mal chaussés, sur des chemins défoncés, d'avoir la possibilité de s'abriter un peu mieux des intempéries et aussi celui d'arriver avec beaucoup plus de facilité à se camoufler. Enfin, nous étions, du moins en ce qui concerne l'importante équipe de maçonnerie dont je faisais partie, sous les ordres d'un contremaître autrichien que nous désignions sous le nom de « Poliert ». C'était un brave homme, calme, ne criant jamais et surtout ne poussant absolument pas au travail. Il y avait aussi, travaillant avec nous, deux maçons civils autrichiens qui venaient le matin de chez eux et qui étaient aussi peu ardents au boulot que nous. Par eux, nous avions bien des renseignements sur les événements extérieurs. Cependant, devant la lenteur avec laquelle s'effectuaient les travaux, un ingénieur nazi s'est fâché et a fait des observations véhémentes au Poliert, sans que cela modifie l'indifférence de ce dernier. L'ingénieur parti, il se mit à rire, haussa les épaules et nous commanda « repos ». Mais l'on vit débarquer, un matin, une espèce de gnome, bête comme il n'est pas possible de l'être, méchant, hargneux et bon à rien. Il était habillé d'une culotte de cuir style tyrolien, portait un chapeau surmonté d'un gigantesque plumet en poils de blaireau et entouré d'un large ruban vert. Des bas blancs à revers agrémentés de pompons de laine de couleur entouraient ses mollets squelettiques; enfin, il était d'un comique et d'un ridicule extraordinaires. Il devint immédiatement pour nous : « le Chef de Gare ». Mais cet idiot avait reçu des consignes car il se mit à donner des ordres par-dessus le Poliert, à crier et même à cogner afin que nous augmentions le rythme [1].

— Notre travail consistait, pour le principal, à préparer dans un grand bac carré, en bois, d'environ 6 mètres carrés, le ciment destiné aux cloisons, cheminées, etc. que les deux maçons autrichiens et quelques autres maçons professionnels, déportés, construisaient. Les Autrichiens, toujours perchés au plus haut des échafaudages, dominaient les horizons et ne faisaient pratiquement rien, rouspétant si nous montions trop ou trop vite du ciment ou des briques. Bien placés pour voir venir un danger, en cas de besoin, ils nous avertissaient et eux-mêmes se mettaient à travail-

1. En 1949, j'ai eu l'explication de l'attitude du « Poliert » et de celle du « Chef de Gare ». Le premier avait sa fille, gradée, dans les « souris vertes ». Elle était secrétaire d'un grand manitou du régime et, par ce fait, le papa était intouchable. L'autre était le mouchard de la police nazie du coin craint et haï de tout le monde. J'ai vu la fille du Poliert, et je crois fermement, du moins c'est mon avis, qu'en raison de son calibre, elle devait être plus qu'une secrétaire auprès de son patron. Tant mieux pour nous! Au nom de mes camarades, qu'il me soit permis de la remercier ici. Pendant la période du camp, il était difficile et très dangereux de mettre au pas le « Chef de Gare » sauf que parfois une pile de briques tombait sans raison d'un échafaudage lorsqu'il passait dessous... mais malgré notre application et notre bonne volonté, il échappa à tous les « attentats », à croire que les dieux de la mythologie germanique étaient avec lui! Mais alors, il fallait l'entendre, d'autant plus qu'il n'y avait jamais personne à proximité lorsque l'incident se produisait. Mais la vengeance vint à son heure. Lors de mon passage à Melk, en 1949, j'étais avec Emile Valley et nous étions accompagnés dans notre voyage par un brave vieux colonel russe, et un petit salaud de commandant-

ler avec ardeur. Le Poliert, lui, passait de temps à autre, ne regardant rien, se désintéressant de tout. Nous ne faisions rien, mais ce qui était pénible c'était d'avoir toujours l'air de s'occuper et de rester ainsi des heures debout. Mais notre sort n'avait rien de comparable à celui de nos malheureux camarades de l'extérieur, obligés de coltiner douze à quinze heures par jour des rails ou des traverses de chemin de fer, de terrasser, sans pouvoir un seul instant lever la tête pour se reposer, cela sous la pluie, la neige, avec des kapos hurlant et cognant sans arrêt. Non, nous n'avions pas le droit de nous plaindre.

— La fabrication de la colle-ciment, le « touillage », se pratiquait en agitant le contenu du bac avec des raclettes au bout de longs manches. Ce ciment devait être constitué d'une proportion de « x » sacs de ciment pour « y » brouettes de sable et « z » seaux d'eau. En réalité, il n'y avait pas de sable car il fallait aller le chercher dans un trou, à l'extrémité du camp, l'extraire, le cribler, le charger et le ramener dans un vieux tombereau, roulant mal sur une piste caillouteuse, pleine de trous et d'ornières avec une forte rampe à escalader en tirant la guimbarde à bras d'hommes. Aussi, dès le premier voyage, on a abandonné le sable pour le remplacer par de la terre végétale ramassée autour du bac. Quant au ciment, plus de la moitié au moins des sacs était éparpillée dans le gros collecteur d'égout et

---

commissaire du peuple dont il fallait se méfier. A Melk, nous allons nous restaurer dans un petit hôtel. Je demande au patron s'il connaissait notre ex-Poliert. Il m'apprend qu'il vivait à proximité. Je l'envoie chercher ainsi que les deux maçons. Attablés avec les Russes, nous dégustions un petit vin régional en évoquant des souvenirs quand, stupéfait, je vois arriver, épanoui, le « Chef de Gare ». Il n'a pas eu le temps de pénétrer; bondissant, je l'ai mis dehors d'un gigantesque coup de pied aux fesses. Etonnement des Russes à qui j'ai expliqué les motifs de mon acte, en décrivant l'action et la méchanceté de l'individu. Alors, le commandant russe appelle les soldats de l'escorte et les lance aux trousses du type. Je doute qu'ils soient arrivés à le rattraper tellement il était parti vite. Il devait déjà être loin. Ennuyé de cet incident dont je ne prévoyais pas les conséquences, je fus réconforté par les Autrichiens présents : Poliert, maçons, personnel de l'hôtel qui se tordaient de rire et qui me dirent que la leçon était amplement méritée; l'individu en question, par son attitude sous l'occupation allemande, s'était attiré le mépris de toute la population. En sortant, le Poliert me montra de loin sa fille, « en quelque sorte notre ange gardien ».

entraînée vers le Danube par les énormes quantités d'eau qui dévalaient en trombe. Pour l'eau, par contre, il y en avait au moins le double de la quantité prévue : un tuyau en caoutchouc branché sur un robinet l'amenait directement dans le bac. Plus y il avait d'eau, moins la « colle » était pénible à « touiller », car ce n'était plus qu'une sorte de crème très liquide, dont le Poliert et les maçons se contentaient et ça collait suffisamment, au moins provisoirement pour que la maçonnerie paraisse correcte. Un des vieux maçons français, originaire de Saône-et-Loire, ne manquait jamais, lorsque nous lui livrions la marchandise, de nous dire : « Ben mes cochons, avec vous on n'est pas fauché! C'est pas une truelle qu'il nous faut, mais une louche! »

— Je ne peux passer sous silence un incident amusant, qui s'est déroulé autour du bac qui était installé à proximité du réseau de barbelés, juste sous un haut mirador dans lequel se tenait, en permanence, un Posten armé d'une mitrailleuse. Comme ce Posten, S.S. ou parfois simple soldat de l'armée, ne se manifestait jamais et en somme s'intéressait fort peu à notre travail, nous l'avions totalement oublié et ne lui portions aucune attention. Un jour, arrive un nouveau en renfort qui, pour s'incruster au kommando et se faire remarquer, faisait du zèle, cassant nos habitudes de tranquillité et de lenteur. Je l'engueule, en lui demandant de se calmer, de ne pas se fatiguer et se tuer au travail pour ces sales boches et de ne pas se gêner pour faire, comme nous tous, du sabotage à toutes occasions, etc. Tout à coup, j'entends, tombant du ciel, une voix française, gouailleuse, avec l'accent de Paris qui, dans le plus parfait argot me dit :

— « Espèce de c..., ferme un peu ta gueule; gamberge ce que tu veux, mais le clame pas si fort. Tu as du pot que ce soit moi qui ai entendu. Avec un autre ça aurait pu te coûter très cher. A l'avenir, boucle-la! »

— J'ai retenu et le discours et la leçon qui venaient du Posten du mirador. Eberlué, je lui demande où il avait si bien appris le français. Il m'apprend que pendant des années, jusqu'en 1939, il avait été garçon dans une brasserie, place Clichy, le Wepler je crois. « Maintenant, on ne se connaît pas. Il est interdit de vous parler et je ne veux pas me retrouver sur le front russe. » Après cette conclusion, il ne s'occupa plus de nous et retourna à ses rêveries sur son perchoir.

— Toutes les occasions pour ne rien faire, ou en faire le moins possible, étaient bonnes et il fallait savoir les saisir. D'ailleurs, l'on avait constaté que, pour ne pas être bousculé et avoir le maximum de tranquillité, il suffisait d'avoir l'air affairé à un travail quelconque. Dans ce cas, les kapos vous laissaient en paix. Cela était vrai partout, même dans les kommandos les plus mauvais. Il fallait vraiment être malchanceux ou manquer de la plus petite audace pour ne pas arriver, au bout d'un certain temps, à se caser et à améliorer sa position. Cela ne veut absolument pas dire que l'on avait une vie heureuse, que l'on était à l'abri d'un mauvais coup, de la faim, du froid, de la maladie, de l'épuisement et, pour finir, du crématoire. Dans cette jungle, même le mieux planqué, occupant un emploi de choix, n'était pas à l'abri du risque. On peut affirmer, au contraire, que celui-là, plus en vue que le camarade perdu et noyé dans la masse, risquait beaucoup plus. Les quelques exemples ci-après le montreront et il dut y en avoir bien d'autres que je n'ai pas connus. Le système « D » français faisait merveille.

— Donc, étant employé à faire du ciment, un jour le Poliert demande deux volontaires pour démolir une vaste fosse d'aisance depuis longtemps inutilisée, vide, propre, bien sèche, sans aucune odeur, afin de pouvoir faire passer sur son emplacement la canalisation de l'égout devant desservir les cuisines et les « pluches »[1]. Reconnaissance faite, avec Robert Jude, on se décide à y aller, nous disant que nous ne serions jamais aussi bien camouflés que là-dedans. Cette fosse profonde d'au moins 2,50 à 3 mètres, large de plus de 2 mètres et longue de 8 à 10, était située sous l'une des

1. Pluches : local où une quarantaine d'hommes épluchaient sans arrêt des tonnes de pommes de terre destinées à la cuisine des S.S. et de la troupe.

rampes d'accès du premier étage du garage, donc à l'abri des vues venant du haut. Très bien dissimulée aussi de tous côtés par une baraque contenant du ciment et de l'outillage, ainsi que par des tas de madriers, de sable et de briques. L'on descend dedans; on s'installe confortablement, à l'abri du vent froid; avec une tôle on fait un petit toit nous mettant à l'abri de la pluie; avec des briques et des planches, on se fabrique des sièges. On casse un peu de ciment, par prudence, pour donner l'impression d'avoir travaillé et, pendant une dizaine de jours, nous avons passé nos heures de « travail » dans notre trou, évoquant des souvenirs, Robert me parlant de sa Bretagne et des Bretons.

— L'endroit n'était peut-être pas idéal, mais tellement tranquille, au milieu de l'agitation qui nous entourait et dont nous avions les échos, que j'en garde un excellent souvenir. Ayant dérobé un seau plein de pommes de terre aux « pluches » — pommes de terre destinées à la cuisine des S.S. et de la troupe allemande qui nous gardait — on décide de profiter de notre cachette pour les faire cuire avant de les partager entre les camarades. Au fond de la fosse, on allume donc un feu de planches, on y pose le seau qui, déjà, commençait à bouillir lorsque les camarades affolés viennent nous prévenir qu'une colonne de fumée intempestive s'élevait de notre cachette et était visible de partout. Hélas! adieu repas tant attendu! Mais tout a une fin et des camarades, estimant que nous avions assez profité de notre farniente, ont postulé pour nous remplacer. la fosse fut démolie mais il fallut plus d'un bon mois pour y arriver. Normalement, pour des travailleurs corrects il aurait fallu au maximum quelques jours.

— Après l'épisode de la fosse, il me fut demandé de percer les fondations du garage pour faire passer la fameuse canalisation de l'égout. Intéressant, par le fait que cela me donnait accès aux cuisines, mais aussi, l'avenir le prouvera, cela devait modifier entièrement ma position parmi les déportés, où tout en restant dans le rang, je fus, par l'enchaînement des circonstances, beaucoup avantagé et mon sort a été, en quelque sorte, bien meilleur que celui de l'ensemble des camarades.

— Ces fondations avaient 2,50 mètres d'épaisseur. Elles étaient constituées d'un béton très dur. Tout le monde s'y essaya, même les kapos, sans résultat. C'est à peine, même en cognant avec la plus grande énergie, si l'on arrivait à les écailler. Les burins et barres à mine s'y émoussaient et rebondissaient sans pénétrer. C'est alors que je propose de faire appel à un spécialiste : mon camarade Quentin Miglioretti, de Châteaubriant, arrêté en même temps que moi. Sorti immédiatement d'un kommando de l'usine, il se joint à nous et, avec son expérience professionnelle, lentement mais sûrement, faisant l'admiration de tous les incapables qui s'y étaient essayés, il fait l'ouverture. A la suite de cet exploit, il fut incorporé au « kommando des cuisines » où il y avait encore beaucoup de travaux à faire.

— L'installation du camp avançant, les effectifs du Lagerkommando furent réduits. Quentin et moi fûmes, sans avoir rien sollicité, gardés aux cuisines; la plupart des anciens du Sandkommando constituèrent une nouvelle équipe avec l'abbé Varnoux, Traversat, Jude, « Le Consul », etc. dont Marc Zamanski fut le kapo désigné. Ce kommando, un des meilleurs de Melk, était chargé de construire sur les bords du Danube, à proximité du camp, dans un site bien abrité, une station de pompage. Mais en raison de l'ardeur au travail de nos camarades, elle resta à l'état d'ébauche. Sous la conduite d'un kapo, également français : Buffet, originaire d'Orléans, un autre kommando fut formé, excellent lui aussi, chargé de creuser sur une colline voisine, le château-d'eau correspondant à la station de pompage. Pas plus d'ardeur ici qu'ailleurs, et l'on peut penser que les terrassiers surent profiter de leur commencement de trou pour s'y cacher et y faire de belles siestes. Du camp l'on voyait, très distinctement, le lieu de leur travail; je puis témoigner que l'on y distinguait rarement une activité, ni que l'on y voyait un seul homme. Le chantier paraissait désert.

— Pour tous ceux-là, s'il n'y avait pas eu l'incertitude de l'avenir, les risques, les dangers, les maladies, la faim lancinante, le froid, les intempéries, le cafard, la vie aurait été acceptable. Mais déjà, il faut le reconnaître, ne pas être obligé de travailler sans arrêt, sous les coups, à des travaux exténuants, ne pas être astreint à des trajets interminables, cela était appréciable. Mais même dans les kommandos les plus redoutés et les plus meurtriers, il était possible, pour certains à la longue, de réussir à améliorer sa situation. Par exemple, un matin, à l'arrivée sur le chantier, un dégourdi, soit bénévolement, soit qu'il ait été désigné, distribue les outils et le soir les récupère. Au bout de quelques jours, il devient systématiquement le garde-magasin et, s'il a tant soit peu l'adresse d'avoir l'air d'y faire quelque chose d'utile, il ne quitte plus la baraque servant de resserre à outils. Là, à l'abri, il est tranquille. Un autre se mettra à bricoler l'outillage : pelles, pioches, à emmancher, brouettes à rafistoler, burins émoussés à battre, il devient ainsi « responsable de l'entreprise » et il y gagne en confort et en calme. Un autre encore comptera l'entrée et la sortie des sacs de ciment. Toutes les occasions étaient bonnes, il fallait savoir les saisir.

— Pendant notre séjour à Melk (soit un an), l'on vit déambuler à travers le camp un camarade, portant sur l'épaule une très courte échelle, très légère, et une boîte, genre boîte à outils. Son travail consistait dans l'entretien des chasses d'eau des w.-c. Il y en avait trois ou quatre comprenant chacun une bonne vingtaine de sièges et de chasses d'eau. Ces chasses n'ont jamais fonctionné. Ce camarade, haut fonctionnaire, passait son temps entre ces immenses lieux d'aisance utilisés par des milliers d'hommes, allant de l'un à l'autre avec lenteur, son matériel sur le dos. Entre-temps, il restait des heures invisible, camouflé dans quelque coin. Nous l'avions évidemment baptisé, excusez-moi, « le Garde-Chiasse » !

— Mais, à mon avis, le champion dans le genre fut un camarade auvergnat, originaire de Châtel-Guyon, où il vit toujours, propriétaire d'un petit hôtel et chauffeur de taxi. Il s'appelle Gironde; nous le connaissions sous le surnom de « La Goupille ». Son histoire est unique.

— En 1943, il exerçait à Châtel-Guyon le métier de correspondant des chemins de fer, avec une carriole et un cheval; sa femme celui de blanchisseuse. Ayant obtenu à grand-peine un bon pour l'achat d'une lessiveuse, il accompagne son épouse à Clermont où l'achat réalisé, la lessiveuse à leurs pieds, ils attendaient, place de Jaude, le moyen de transport devant les reconduire chez eux. Une rafle des Allemands embarque tout le monde, lessiveuse incluse. Lui se retrouvera à Mauthausen-Melk-Ebensee; Mme Gironde, incarcérée à la prison de Clermont, sera employée jusqu'à la fuite des Allemands au nettoyage des bureaux de la Kommandantur. Quelques années après la Libération, je revois à Châtel-Guyon l'ami Gironde; je lui demande des nouvelles de son retour et, textuellement, répondant à ma question, il me dit : « Oui, les boches m'ont rendu ma femme, mais ces salauds ils ont gardé la lessiveuse! » Bref, au camp, avec son bon sens d'Auvergnat, doublé d'astuces et de roublardise, il se débrouilla merveilleusement. Employé à l'usine, il se procure une plaque de fer lui servant d'enclume, une paire de pinces, un marteau, enfin une caissette lui servant de boîte à outils. Il récupérait en tous lieux, tous les fils de fer qu'il pouvait trouver. Ainsi, dès leur installation, les chasses d'eau des w.-c. étaient munies de chaînettes qui ont immédiatement disparu afin de servir de ceintures à nos pantalons. Remplacées aussitôt par des fils de fer, par les soins du « Garde-Chiasse », ceux-ci étaient rapidement subtilisés par « La Goupille ». Soigneusement, avec un chiffon, de la brique pilée ou du sable, il les astiquait, les rendant aussi brillants que de l'argenterie bien entretenue, puis les ayant impeccablement redressés, il les coupait en morceaux identiques d'une vingtaine de centimètres, qu'il liait en petits paquets. Lorsque la matière première lui faisait défaut, il recoupait les morceaux en deux, puis encore en deux, etc. Sa caissette contenant suffisamment de petits paquets, il était tranquille et béatement dans un coin retiré, ou bien caché, il opérait à l'abri du mauvais temps. Il attendait, patiemment, la fin du cauchemar. Il était occupé; pouvait au besoin montrer le résultat de son travail. Cela suffisait, on le laissait tranquille.

— Mais un jour qu'il était béat dans son coin, une inspection des chantiers de la future usine se déroulait avec toutes les huiles du camp et des personnalités venues de l'extérieur. Un de ces messieurs, choisit justement pour y satisfaire un petit besoin, le refuge de notre ami. Etonnement du personnage qui alerte les autres. Ils entourent le pauvre Gironde qui n'en menait pas large, examinent sous toutes leurs faces les petits paquets contenus dans la caissette, s'extasient sur la qualité du travail puis enfin, l'un d'eux, demande à quoi cela pouvait bien servir. Dans un garde-à-vous impeccable, très inquiet, Gironde répond : « Ce sont des goupilles. » Sans chercher plus loin à quel usage elles étaient destinées, La Goupille, puisque le surnom lui est resté, se vit à nouveau complimenté et gratifié d'un fond de paquet de cigarettes.

— L'on voyait beaucoup de camarades devant un petit trou qu'ils avaient commencé à creuser, attendre la fin de la journée appuyés sur leur outil, tout en surveillant les environs. Surtout, il ne fallait pas se risquer à s'asseoir car, vu dans cette position, l'on était certain de recevoir un matraquage sévère. Discutant de cela un jour, un de nous répondant aux lamentations découragées concernant notre situation et l'obligation idiote de ne pouvoir, ne serait-ce qu'un instant, se reposer pour reprendre des forces, fait cette remarque : « Oh! les gars, nous ne devrions pas nous plaindre, les Chleuhs ne sont pas aussi mauvais qu'on le dit; entre nous, s'ils ne nous donnaient pas de pelles ou de pioches, sur quoi pourrions-nous nous appuyer? » De telles plaisanteries amusaient, faisaient sourire et remontaient le moral. On voyait aussi certains qui promenaient, à toute petite allure, une brouette contenant quelques briques; les mêmes mises dans la brouette le matin y étaient encore le soir.

— J'insiste en répétant que ce que j'évoque ici c'est ce que j'ai vu, autour de moi, au Lagerkommando. L'ambiance n'était pas la même dans les kommandos extérieurs où les conditions étaient épouvantables. J'insiste encore sur le fait que seulement une toute petite minorité, peut-être deux cents ou trois cents d'entre nous, sur plusieurs milliers, ceux travaillant dans le camp et quelques débrouillards un peu partout, ont pu bénéficier d'une relative tranquillité.

Au Lagerkommando, les kapos eux-mêmes n'étaient pas, dans leur totalité, bien redoutables. Il en était de même dans quelques autres équipes quand elles étaient commandées par des gens intelligents et civilisés.

— Du temps où nous étions occupés à « touiller » le ciment dans le bac, l'ingénieur méchant et hargneux, dans l'espoir d'activer notre rendement et de voir les travaux en cours progresser à plus vive allure, eut la malencontreuse idée de faire venir une petite bétonneuse munie d'un moteur à essence. Ça ne faisait pas notre affaire, car cet engin était gourmand; il fallait sans arrêt, et très vite, le remplir de sable, de sacs de ciment, d'eau, et il devenait impossible d'utiliser la terre végétale à la place du sable. Obligation pour nous d'aller le chercher dans le fameux trou, en tirant ce diabolique tombereau. Entre deux tours, le sable déjà sur place était absorbé. Cela ne pouvait pas durer. La solution était simple, il fallait seulement y penser. En douce, je mets un fil du moteur à la masse et la bétonneuse devient muette. Amusés et réjouis, nous assistons aux efforts des kapos, des S.S., tournant la manivelle de mise en route avec fureur, sans résultat. L'ingénieur arrive sur ces entrefaites. Le voyant venir de loin, discrètement, je remets le fil en place, mais aussi, donnant quelques tours de vis, je règle l'avance au maximum. Après des palabres, des hurlements, nous avoir traités de « Dummensch, de Unbrauchbar » (idiots, incapables) et j'en passe, il se rue vers la bétonneuse et veut nous montrer ses capacités. Ça ne rate pas, un vigoureux tour de manivelle lui fait une entorse du poignet. Vexé, honteux, confus, il disparaît. A mon tour je me rapproche, fais celui qui examine le moteur, y tripote un peu et ayant tout remis en ordre, je lance le moteur qui démarre au quart de tour. Admiratifs, on me félicite en me demandant si j'étais « spézialist ». Je confirme et cela fut le premier des événements ayant contribué à me faire considérer et à établir ma future position dans le camp. Dès que le rythme du travail imposé par la bétonneuse devenait trop pénible, elle retombait immédiatement en panne et l'on me cherchait pour « aus-bessern » (réparer). Mais j'étais toujours dans ce cas-là difficile à trouver, étant « occupé » à un travail loin du chantier-ciment, ce qui donnait, avec la durée de la réparation, un bon moment aux camarades pour souffler.

— Au début. Melk fut constitué d'une majorité de Français (notre convoi partit le 6 avril 1944 de Compiègne), complété de beaucoup de Russes, de Polonais, d'Espagnols, de quelques Yougoslaves et encadré de kapos allemands. Au bout de deux ou trois semaines, arriva un convoi de Grecs, suivi rapidement de Juifs hongrois. Puis, à cadence fréquente, des convois de toutes nationalités ramassées à travers l'Europe par les nazis. Dès les premiers jours, j'ai fait connaissance d'un lieutenant yougoslave, officier de la garde du roi Pierre II. Cet officier parlait très bien français et, comme moi, n'avait qu'une idée : s'évader. Nous en étudions toutes les possibilités, ne voulant rien laisser au hasard. Réussir à quitter le camp ou un kommando travaillant dehors ne paraissait pas impossible. C'est ensuite que les difficultés les plus grandes commençaient. Le Yougoslave, connaissant la région, proposait de rejoindre un maquis en Slovénie. Nous n'en étions, à vol d'oiseau, qu'à environ 200 kilomètres, plein sud, en direction de Gratz et Maribor. Mais il nous fallait franchir toute une série de chaînes montagneuses, d'une altitude moyenne de 1 500 à 2 000 mètres. Après avoir bien réfléchi et étudié dans ses détails notre projet, notre conclusion fut qu'il nous était impossible de tenter l'aventure avant au plus tôt fin mai, courant juin, suivant les conditions météorologiques du moment. Dans ces montagnes, avec la neige, nos traces seraient visibles et suspectes, sans compter la difficulté de la marche. Puis, où trouver du ravitaillement en cette saison où rien ne poussait dans la nature; et il fallait éviter de se faire voir dans les zones habitées, mais vivre cachés dans les forêts. Autre inconvénient sérieux : aussi longtemps que les beaux jours ne seraient pas venus, la campagne serait vide et nous serions beaucoup plus facilement repérés. Enfin, pour le parcours sur le territoire du Reich (150 kilomètres au moins), l'absence presque totale d'hommes, tous mobilisés, nous rendrait encore plus suspects. Tandis qu'aux mois de mai-juin et le retour des beaux jours, une certaine transhumance se produisant, amenant pas mal de circulation, notre présence, si nous étions vus, malgré nos précautions, serait moins anormale; enfin, à cette saison, l'on trouverait facilement à nous alimenter.

— La décision prise, chacun de son côté l'on commence à se procurer le matériel indispensable, en particulier des vêtements, que je cache dans une canalisation souterraine hors de service. Mais un matin, les Yougoslaves avaient disparu du camp, sans laisser de traces. Je n'ai jamais su ce qu'ils étaient devenus. On me dit que, dans la nuit, les Allemands sont venus les chercher. Les ont-ils éliminés? Plus tard, j'ai compris que les maquis connus d'eux étaient ceux de Mihajlovic qui venait, par crainte des Russes, de prendre parti contre Tito. Peut-être les Allemands les ont-ils simplement libérés pour leur permettre de rejoindre ce nouvel allié?

— Les Grecs, dès leur arrivée, ont été comme tous les « entrants » soumis à un rude dressage. Nous avons admiré cette race, fière, ne cédant jamais et subissant tout sans fléchir. Parmi eux, il y avait un avocat d'Athènes, homme de très haute taille, parlant un français parfait; il était simplement vêtu de la robe de chambre violette qu'il portait lors de son arrestation. Nous étions autour de notre bac à ciment, regardant avec pitié le régime auquel ces malheureux étaient soumis, lorsque l'avocat sort de la ronde, se précipite sur nous et nous dit : « Vous êtes Français? Alors vous allez nous défendre. » Pauvre homme. Que pouvions-nous? Rapidement, le convoi de mille cinq cents Grecs qu'ils étaient à l'arrivée, fut réduit à quelques unités et à la Libération, il ne devait plus en rester un seul.

— Les Juifs hongrois, qui les remplacèrent une semaine ou deux plus tard, venaient du ghetto de Budapest. Pauvres gens de condition très modeste, qui disparurent également rapidement, car ils étaient les victimes de choix sur lesquelles s'exerçaient les sévices. Parmi eux, il y avait un jeune garçon, coiffeur de profession, qui me dit un jour dans un français de fantaisie :

— Moi je connais bien et j'aime la France.

— Où as-tu appris le français? Et que connais-tu de la France?

— J'ai appris à l'école et aussi tout seul. En France, je connais Victor Hugo, Notre-Dame de Paris, *Les Misérables*, la Tour Eiffel, Mistinguet et Maurice Chevalier...

— Ces deux manifestations, de l'avocat et du petit coiffeur juif, étaient peu de chose, cependant dans notre situation c'était formidable. Se rendre compte de cette manière de l'influence et du prestige de notre France, c'était un bel encouragement et une grande fierté.

— Merci monsieur l'avocat, merci mon petit coiffeur!

— Environ toutes les cinq ou six semaines, arrivait à Melk un convoi comptant souvent de mille à mille cinq cents hommes destinés à combler les vides. Mais après l'attentat contre Hitler, en juillet 1944, l'on vit arriver successivement plusieurs convois de quelques centaines d'individus : Allemands, Sarrois, soupçonnés d'avoir sympathisé avec les auteurs du complot. Ils étaient et restaient nazis; aucune tentative de rapprochement avec eux n'eut de succès. Pour eux, nous étions et restions ce que la propagande avait fait de nous : des bandits, des assassins, des terroristes. Rapidement, ils disparurent. Que sont-ils devenus?

— Parlons maintenant des Français. En principe, dans leur majorité, à l'exception évidemment de quelques loqueteux au moral et au physique, ils étaient respectés par les autres déportés; appréciés par les Allemands parce que travailleurs habiles, adroits et intelligents; pour leur honnêteté aussi, leur dignité et leur tenue (sauf pour se mettre en rang et marcher au pas). Les Russes et les Polonais nous appelaient des « Merde alors! » ou encore, avec admiration, des « Comme ci, comme ça », parce qu'ils admiraient, en concurrents avisés, notre dextérité à « piquer », souvent sous leur nez et à leur détriment, de la nourriture que nous et eux destinions aux camarades de l'extérieur. C'était, sans arrêt, la petite guerre entre nous tous Français, Russes, Polonais, Espagnols, à ce sujet. En outre, s'ils reconnaissaient nos qualités, les S.S. et les kapos se méfiaient de nous et manifestaient de la crainte et de la méfiance à notre égard. Leur expression à eux, nous concernant, était : « Franzosisch, filous. » Quant aux autres, Latins, Nordiques, Flamands, ils s'accrochaient à nous.

— Il y avait à Melk un kapo particulièrement redouté, c'était « le kapo 100 ». Son matricule 100 indiquait qu'il était là depuis les origines du camp. C'était un assassin tuant journellement pour le plaisir, un pédéraste notoire doublé d'un fou. Nous l'appelions la « Danseuse »; il était toujours en train de tourner autour de nous quand nous étions alignés, immobiles dans les rassemblements, en sautillant et en tortillant du postérieur. Il frappait sans raison, comme une brute, sur n'importe qui, au hasard. Il y avait quelques jours que nous étions à Melk, rassemblés, en train de subir une des inévitables séances de dressage au commandement. Il fallait se découvrir, se recoiffer, faire des « rechts um — links um — rechts herum »... etc., à droite, à gauche, demi-tour).

— J'avais, près de moi, l'abbé Hervouet, bien calme, appliqué, irréprochable. La Danseuse faisait son numéro habituel; il passe devant l'abbé et l'étend au sol d'un violent coup de poing au foie. J'ai failli bondir et régler sur-le-champ le compte de ce sinistre personnage. Heureusement la prudence et la raison m'ont retenu; ce n'était ni le lieu ni le moment.

— Le 8 juillet 1944, à 11 h 40, le camp subit un sévère bombardement. Il y a plusieurs centaines de morts dont pas mal d'Allemands, les bombes ayant fait mouche sur leur casernement. Le bombardement terminé, je me relève indemne, de l'abri où je m'étais jeté en entendant le sifflement caractéristique de la chute des bombes. Emergeant d'entre mes deux tas de sable, je me vois entouré de cadavres déchiquetés et tout à coup dans la fumée et la poussière intenses, je me trouve nez à nez avec le fameux kapo 100, complètement terrorisé. Il était visible que, dans son épouvante, il cherchait une compagnie, une protection. Je tenais encore la pelle de terrassier qui, depuis le matin, me servait de contenance. En une fraction de seconde, j'ai revu toutes les méchancetés de ce cinglé : Hervouet, un petit vieux juif assommé à coups de bâton, le crâne éclaté...

etc. Dans un réflexe, ma pelle est partie et, de son tranchant, a à moitié décapité le salopard. J'ai vu sa tête qui basculait sur son épaule droite, retenue par des lambeaux de chair. Il s'est écroulé sur place... « tué par le bombardement »! Je ne me suis évidemment pas vanté d'avoir fait le coup. J'étais à la fois satisfait d'avoir détruit ce fou dangereux, mais j'ai eu aussi, et aussitôt, des remords d'avoir ainsi tué cet homme venant vers moi en demandant de l'aide. Ce cas de conscience me tracassait et me rendait malheureux. Aussi peu après, retrouvant le chanoine Sigala, toujours avec sa canne, je lui raconte mon exploit et lui expose mon trouble. Jamais, et par personne, je n'avais été « engueulé » (c'est le mot) de cette façon. Avec son accent savoureux du Périgord, le brave homme me dit que ce ne serait pas une absolution qu'il me donnerait mais une bénédiction; pas un blâme non plus mais des félicitations avec le conseil de ne pas hésiter à la première occasion à recommencer. Que là était mon devoir; que nous étions en guerre et même en première ligne et que nous devions éliminer l'ennemi partout où on le trouvait. « En tuant les bêtes venimeuses qui nous entourent, tu sauves la vie à des camarades, à de braves gars, me dit-il. Alors vas-y, n'hésite pas. »

— Il est évident que la disparition de cette terreur a certainement évité bien des souffrances à des camarades et c'est plus que probable, aussi sauvé des vies. Pour ma tranquillité, je me dis également que mon acte n'a pas été prémédité, ma pelle est partie dans un réflexe comme j'aurais eu le réflexe de détruire, à la première occasion, une bête dangereuse. Le coup est parti tout seul, seulement j'y ai mis toute ma force et toute ma haine.

— La [1] réputation du kommando d'Amstetten est bonne. Tous les Häftlings en rêvent, c'est le seul kommando dans lequel une soupe supplémentaire est servie à midi : soupe

1. Manuscrit inédit René Gille (déjà cité).

d'ailleurs enviable puisque, chaque jour, pendant au moins quatre ou cinq mois — après ce sera moins bien — nous toucherons un litre de potage épais, avec quelques pommes de terre, quelquefois une douzaine, et le soir, en rentrant à Melk, nous toucherons la soupe de midi que l'on nous aura gardée, plus le casse-croûte. Mais Georg le kapo, grand maître du kommando et distributeur de la soupe, le fameux matricule 1 816, n'aime pas les Français en général et quelques-uns en particulier, dont moi : et bien souvent, avec son sourire en coin, en me servant, il renversera volontairement une partie de la louchée dans la marmite, après avoir soigneusement évité de me servir du « fond »...

— Mon travail à Amstetten sera très varié, presque toujours pénible, à part quelques rares périodes de tranquillité : terrassement surtout, déchargement de wagons de pierres, de billes de bois, rechargement de la route, réfection des voies ferrées, transport de rails, réparations de wagons, etc. Tous travaux menés assez rudement et presque toujours sous la pluie et dans le froid, dans cette vaste plaine du Danube, toujours battue par les vents d'est ou d'ouest, été comme hiver. Tout d'abord, je suis de l'équipe qui construit une route autour du chantier. Nous devons déblayer la terre, creuser le « lit » du chemin avec des pelles qui ne sont pas propres à ce genre de travail. P'tit Louis est avec moi. Il est faible, ne sait pas travailler, n'a aucune méthode. Il faut que je travaille dur pour lui éviter les coups. Il n'empêche que le premier jour, étant un peu en retard, nous recevons tous deux une correction. Mauvais début! Grande consolation, le 6 juin : les prisonniers de guerre français, passant sur la route, étirent leur colonne et, pour être bien entendus de nous tous, les derniers interpellent les premiers et, grosse émotion, ils échangent entre eux les dernières informations. Et elles concernent le débarquement qui a eu lieu le matin même. Désormais un nouvel espoir naîtra en nous, et nous sommes sûrs de rentrer chez nous avant l'hiver! Espoir solide au début, vite transformé en cruelle désillusion et refroidi par les nouvelles contradictoires qui circulent sans arrêt par des bobards dus à ceux qui veulent, à tout prix, prendre leurs désirs pour des réalités, ou tout simplement à la perfide propagande ennemie. Douche écossaise sans cesse renouvelée, qui sape le moral, abat les volontés et tue les hommes plus sûrement que la maladie.

— Notre chantier s'étend et prend de l'ampleur. La route est tracée tout autour du chantier et elle permettra bientôt la circulation de lourds camions de grumes. Pour l'instant, nous procédons à la mise en place de l'assise de grosses pierres. Puis nous remplissons tant bien que mal les interstices avec des pierres plus petites, puis des petites, du gravier et enfin du sable. Et avant d'y passer le rouleau, nous arrosons la future route avec une « tonne » que nous traînons à six ou huit. Tout le matériau doit être amené par nous, à pied d'œuvre. Nous utilisons brouettes, pelles, fourches ou nous transportons les pierres à l'épaule. Nous devons, auparavant, les décharger des wagons. Je me souviens de ce que, le 2 juillet — un dimanche, jour où nous avons écrit pour la première et dernière fois à nos familles, je reçus une des plus magistrales corrections qu'il m'ait été permis de voir donner ! Devant travailler au block, je refusai au kapo espagnol de travailler avec lui au « Lagerbrau » (aménagement du camp). Blanc de colère, il me frappa si violemment que même « la Danseuse », la jeune brute polonaise qui ne cédait à personne en cette matière, me retira de ses mains. Le lendemain, je ne pouvais marcher qu'en m'appuyant sur deux camarades et j'étais couvert de bleus et de meurtrissures. Au travail Georg m'aperçut et je fus l'objet de sa sollicitude particulière : « Kom hier, mesch ! Kom hier, sheisehund ! » Et il me confia le déchargement de la moitié d'un wagon de pierres, l'autre moitié étant confiée à deux camarades valides. A 16 heures, j'avais fini en même temps qu'eux et j'étais « dérouillé », leste et souple et je ne sentais plus aucune douleur. C'est à peu près à cette date que Georg le 1 816, reçut de nous le surnom de « Sheise hund » (chien merdeux), son insulte favorite. Plus simplement, nous l'appelions aussi « le chien ».

— La pluie revient comme un leitmotiv dans ce récit. C'est que le travail se faisait sous une pluie incessante et il est difficile d'évoquer telle période sans y ajouter le souvenir de la pluie. Un rayon de soleil arrive rarement à nous dégourdir, jamais à nous donner la vigueur nécessaire. Nous travaillons dans une boue gluante où nous laissons nos galoches. Et les invectives, les coups, les injures ne cessent de s'abattre sur nous. Nous maudissons les hommes et le ciel hostile, nous sommes les bagnards à qui est fait le sort le plus dur que l'on puisse imaginer, nous sommes traités de façon plus terrible qu'aucun galérien ne le fut jamais. Tout est contre nous, même l'espoir, et il nous faut une dose de patience et de courage inépuisables pour ne pas désespérer, et qu'à la dégradation physique de nos corps amaigris ne vienne s'ajouter aucune défaillance morale ni cérébrale.

— Juillet-août. La construction de la route alterne avec des travaux de terrassement d'un autre genre : creusement de longues et profondes tranchées destinées, paraît-il, aux conduites qui viendront de la centrale, pour l'installation du chauffage dans les divers ateliers de l'entreprise. Nous aurons, ensuite, à bétonner ces tranchées. J'aurai à y revenir.

— Dans cette plaine danubienne, faite d'alluvions, de dépôts sédimentaires, le sol est sans cesse miné, sapé par les eaux d'infiltration; telle la tapisserie de Pénélope, notre travail ne sera jamais terminé. Chaque matin, à l'arrivée sur le chantier, nous constaterons les effets de la pluie de la nuit, des éboulis continuels, des comblements dix fois répétés malgré un étayage savant et solide. La tranchée s'élargit chaque jour. Peu importe, nous arrivons quand même à un résultat : celui d'avoir un travail qui n'est plus contrôlable, ce qui nous permet de nous camoufler à tour de rôle dans le fond des tranchées, pendant qu'un camarade, juché sur le tas de gravier qu'il épand, fait le guet. Condition indispensable de notre sauvegarde, obligation vitale : ne jamais se fatiguer au-delà de nos possibilités, ne jamais tenter d'en faire plus qu'on ne peut, par peur ou pour toute autre raison, jamais dépasser, ni même atteindre notre réserve de forces. Combien n'ont pas su s'économiser ne l'ont pas compris, qui croyant encore à la force de leurs muscles d'antan, simplement entretenus par la maigre pitance journalière, se sont littéralement crevés au travail, s'en allant chaque jour un peu plus vers la mort, sous ce ciel pourri, dans cette boue dont on ne peut décoller la pelle.

— Je me souviens avoir eu une bonne journée, le 15 août, bonne par la nouvelle dose d'espoir qu'elle nous apporta. Je grattais la terre au pied d'un mirador lorsque j'entendis un léger sifflement. J'étais seul à 50 mètres à la ronde. Le sifflement continuant, je levai les yeux et aperçus le « post » dans le mirador, un Autrichien, de cinquante ans environ, aux clairs yeux bleus et à la moustache blonde, sans bouger, à voix presque basse il me dit : « Arbeit, Arbeit. Radio invasion Toulon. Amerikanische, Gut! Gut! » Ce jargon était suffisamment explicite pour que je m'en contente. Je le remerciai, chargeai ma brouette et fis le tour du kommando en propageant la bonne nouvelle!

— La journée de travail est courte à Amstetten, car nous sommes tributaires du train. C'est encore un des avantages de ce kommando. On n'arrive qu'à 8 heures sur le chantier, le travail commence un quart d'heure plus tard. A midi, le travail est interrompu pour la soupe, jusqu'à une heure. A 4 heures et demie on débraye, à 5 heures nous sommes à la gare. Le train du matin nous reprend, le train régulier qui doit aller, je suppose, au moins de Linz à Vienne, s'il ne vient pas d'au-delà. Au début, nous ne sommes que soixante-quinze en kommando, et un wagon de deuxième classe nous est réservé. Nous y sommes un peu serrés car il n'est prévu que pour soixante places, mais on s'y case quand même. Une heure de voyage le matin, autant le soir, permet au corps de se reposer un peu dans cette activité, jamais ralentie, dans cette vie où le forçat, presque toujours à la verticale, est sans cesse harcelé, jamais tranquille, même quand il dort. Et c'est le retour le long du Danube, beau, large, majestueux, aux berges riantes : Blindenmarkt, Hubertendorf, Ibbs-Kemelbach, Krunnusbaumm, Pöchlarn, Melk. Je me souviens du nom de toutes les stations, coquettes avec leurs auberges accueillantes, aux charmilles désertes alors, mais que l'on imaginait volontiers pleines de musique et de gaieté, calme et doux mirage de la vie que nous ne connaissons plus mais qui nous donne encore une raison d'espérer.

— Je me souviens, juste avant la dernière courbe de la voie, à l'arrivée à Melk, de cette petite chapelle, minuscule, avec sa peinture murale extérieure représentant l'image universellement connue de saint Christophe, et que nous regardions chaque jour avec tendresse. Melk apparaissait ensuite, avec son admirable abbaye accrochée sur son éperon rocheux comme en équilibre au-dessus du fleuve où elle se reflète.

— Mais à droite, là-haut sur la colline, la caserne entourée de ses barbelés et de ses miradors, brillant de mille feux dans les soirées d'hiver. Le camp, avec ses nouvelles misères qui nous y attendent. Il nous faut encore l'atteindre. Le train nous laisse, emportant ses voyageurs, ces Autrichiens et Autrichiennes qui nous regardent, en général, avec compassion. Les habitués nous font quelquefois de discrets signes de sympathie. Ceux qui nous voient pour la première fois dans nos carnavalesques uniformes ont, manifestement, un mouvement de commisération. Il est un fait que, à part quelques rares éléments, les Autrichiens ne furent pas hostiles, simple et maigre compensation, à nos misères et aux brutalités que d'autres nous infligent, certains civils compris, pendant les heures de travail.

— La montée au camp est dure, chaque jour un véritable Golgotha. Les routes autrichiennes sont de simples chemins empierrés, où les ornières et les « nids de poules » sont profonds. Par temps sec, nos pieds lourds de fatigue et d'œdème déplacent des nuages de poussière. Par mauvais temps, nous pataugeons dans une boue épaisse où nos misérables chaussures laissent, de temps en temps, une semelle. En hiver, la neige battue et tassée par les sept mille hommes qui empruntent la route deux fois par jour devient vite une glace épaisse, une patinoire, un verglas sur lequel nous glissons parfois, entraînant avec nous tous les camarades de la rangée, jouant aux quilles éventuellement avec d'autres rangées. Car la marche à l'extérieur du camp se fait par cinq « fünf Zu fünf », et les hommes de chaque rangée doivent se donner le bras, comme à la noce. Impossible alors de marcher correctement, mais cette mesure est prise, paraît-il, pour faciliter la surveillance et empêcher les évasions. Et comment s'évader lorsque l'on est littéralement encerclé par une chaîne de sentinelles à 2 mètres les unes des autres?

— Quand nous sera-t-il donné de marcher à nouveau sur un trottoir?

— Une côte à fort coefficient conduit au camp. Supplice supplémentaire que de la gravir après une harassante journée de travail dans la chaleur ou le froid, le ventre creux, alors que le camp nous accueille déjà de loin par l'âpre odeur de pourriture brûlée qui s'échappe du crématoire avec le vent qui rabat la fumée sur la ville. Combien de fois, les soirs d'hiver, quand nous rentrions au camp, pataugeant dans la boue glaciale, courbant l'échine sous la neige et le vent, harcelés par les coups de crosse et les aboiements des « Posten » alors que nous rapportions sur le dos des camarades moribonds, ne nous sommes-nous pas demandé malgré tout, et en dépit de notre moral non attaqué — si notre tour ne viendrait pas bientôt?

— Un soir, sous une tempête de neige de l'hiver finissant, je remontais, de la gare jusqu'au camp, sur le dos, le grand Mathias, paysan de l'Aisne qui, présumant de ses forces, dépérissait chaque jour. Il avait commencé par travailler dur et n'avait pu s'adapter à un rythme d'économie. Où ai-je trouvé la force de le porter ainsi, sans m'arrêter, sans me faire relayer, de la gare à l'infirmerie? Une sentinelle, qui avait marché à côté de moi, ce soir-là, de service à nouveau quelques jours après, m'expliqua que, de garde dans un mirador près de l'infirmerie, elle avait vu la veille le cadavre de Mathias, déposé provisoirement dehors à côté de quelques autres, que la neige recouvrait doucement. Et ce « Post » me dit alors : « Deine grosse Kamarade kaput », un de plus! un de moins!

— A l'approche du camp, le pas cadencé devient obligatoire, dans le silence imposé, troublé seulement par le martèlement de nos semelles de bois sur le pavé de la cour extérieure ou sur la place. La porte de la caserne s'ouvre, tête nue, raides comme à la parade, nous passons devant les S.S. qui nous comptent tandis que notre kapo annonce : « Kommando Amstetten! Hrudertund fünfzig Häftling. »

— Et là une autre vie commence. Notre premier regard est pour l'intérieur de la cour d'appel. Ce que nous redoutons, c'est l'attente du chef de block qui, périodiquement, parce que dans une chambre il a trouvé, par exemple, un lit mal fait, décide de nous faire faire une heure de gymnastique : pas cadencé, pas de gymnastique, debout, couché, debout, couché, reptation, saut de grenouilles, marche à quatre pattes, debout, couché, debout, couché! Voilà les exercices variés auxquels nous devons collectivement nous livrer sous la schlague. Et il est inutile de rappeler que la boue est fréquente dans ce pays vomi des dieux! Et les retardataires, vieillards malades, blessés sont, bien entendu, les plus durement maltraités, car ils ne peuvent esquiver les coups et, je crois que nos bourreaux, sans doute pour nous réchauffer, affectionnaient particulièrement les plus mauvais jours pour nous gratifier de ces attentions affectueuses de leur part. Et c'est exténués, sales et boueux, souvent meurtris de coups, que l'on rentre ensuite au block pour toucher la soupe de midi et le casse-croûte. C'est aussi à l'heure du retour qu'a lieu la séance des douches, « Baden », à laquelle même les plus soigneux de leur personne cherchent à échapper. Il faut attendre son tour, après un piétinement dehors, s'entasser dans une salle de douches faite pour quatre-vingts hommes et où l'on se retrouve trois cents, en sortir avant que le jet d'eau glacée ne nous chasse. Pas de serviette pour s'essuyer. On remet tels quels les vêtements quand on les retrouve, car, bien souvent, un Russe ou un Polonais (ces renards des camps) s'est emparé de la paire de chaussures ou du pull-over d'un privilégié.

— Quelquefois aussi, c'est l'heure de la désinfection. Jusqu'en décembre, à Melk, le déshabillage se fait dans la cour d'appel. Les paquets de vêtements auxquels il a fallu attacher solidement une étiquette de bois que l'on s'est débrouillé à confectionner, sont portés à l'étuve et ce n'est que lorsque le dernier retardataire aura réussi à confectionner son paquet que le kommando rentre au block; c'est-à-dire cent cinquante hommes entièrement nus qui sont restés aux intempéries près d'une demi-heure. Ces nuits-là, on ne dort pas. Les vêtements ne reviendront pas avant trois ou quatre heures du matin, souvent juste à l'heure du réveil du camp, et il faut être là pour les recevoir et retrouver son paquet sinon on peut être sûr de la disparition d'une pièce essentielle, pantalon ou pull-over! Intelligente et utile institution que cette désinfection dont le grand maître est le « commandant » Renault qui a trouvé, là, ce que beaucoup considèrent comme une planque. Il est gentil Renault! Passant un jour à proximité de la désinfection, je l'aperçois parlant avec un camarade. Je l'interpelle. Il ne répond pas. Je l'interpelle à nouveau et il me fait cette désarmante et inattendue déclaration : « Attends mon vieux! Tu vois bien que je suis en conférence! » J'en reste éberlué. Donc cette désinfection est utile. Oui! à condition qu'elle soit bien faite et que tout y passe simultanément. Mais les hommes, les vêtements, les couvertures, les paillasses sont pleins de poux et seul l'un de ces quatre éléments passe à la douche ou à l'autoclave, les paillasses, en tout cas, n'étant jamais épouillées, si bien que, quelques heures après, on est à nouveau envahi par les poux et tout est à refaire... dans quelques semaines. En attendant, on tue chaque jour ses poux!

— Une fois par semaine, le mercredi en général, visite des coiffeurs, un ou deux qui s'installent dans les couloirs du block et doivent raser les quatre cents hommes du block en deux nuits, assistés de deux ou trois friseurs bénévoles. La difficulté consiste à passer de bonne heure, avant l'heure du coucher, pour ne pas être obligé de se relever, pour faire la queue en pleine nuit. Combien de fois, à l'heure du départ au travail, vers 5 heures, le coiffeur n'est-il pas venu sur la place d'appel, avec son blaireau et son rasoir, pour gratter la peau de quelques récalcitrants ou de quelques retardataires, dont la barbe de quatre jours est suffisante pour provoquer la colère de l'adjudant S.S. avec toutes les conséquences pour le coiffeur et le coupable. La deuxième séance de rasage aura lieu le dimanche suivant. Ah! on sait ne pas s'ennuyer dans les blocks!

— Autre distraction, le soir : la corvée de lavage de la

chambre, deux fois par semaine, après le coucher des camarades jusqu'à 11 heures ou minuit. Franz Walknuscher — il le paiera cher! le kapo, est particulièrement friand de cette corvée — pour les autres, et il en charge volontiers les Français. Cela leur fera toujours trois heures de sommeil en moins! Ce même Franz, Autrichien naturalisé Français, qui nous pille notre nourriture (et il est aidé en cela par trois Français : n'est-ce pas A... Georges, Tr..., Marcel P...?) nous interdit de rentrer dans la chambre avant que lui et ses petits copains aient fini d'aménager les portions en rognant dessus, en prélevant la margarine flottant sur la soupe, etc.

— Et les Français (nous ne sommes que des Français dans les chambres 4 et 5) sont ensuite admis à entrer, chaussures à la main et gratifiés, au passage, par Franz que ne désavouent point ses amis de : « Français, race pourrie, race dégénérée. » Volontiers, il nous frappe.

— Il y a aussi les séances supplémentaires imprévues de dressage des concentrationnaires non encore au point. Y a-t-il eu dans un kommando une évasion ou une simple tentative d'évasion? La punition collective, dure, brutale, injuste vient frapper tous les camarades de kommando coupables d'avoir laissé échapper l'un des leurs. C'est le sort fréquent des kommandos de Russes ou de Polonais, plus rares celui des kommandos mixtes, où ils sont en minorité. Le Russe surtout a la hantise perpétuelle de l'évasion, rarement préparée, sans aucune précaution. S'il ne se fait pas de complicités extérieures, il vole des vêtements civils et, cédant à une impulsion, sans papiers, à la première occasion, il se lance dans l'aventure, dans l'inconnu. Les occasions sont minces, les fuites toujours osées et dangereuses, vouées à l'insuccès et, en treize mois de captivité, sur une vingtaine de milliers d'hommes qui, se renouvelant, auront constitué la population flottante du camp, nous ne connaîtrons qu'une seule évasion réussie, alors que les troupes russes sont à trois jours de Melk. Dans tous les autres cas, les évadés sont toujours repris au bout d'un temps plus ou moins long et on les voit revenir au camp entre deux gendarmes autrichiens, habillés de défroques civiles, pieds nus la plupart du temps, blessés bien souvent.

— Première sanction : au piquet, debout, sans manger et sans boire, par tous les temps, presque nus, parfois le long des barbelés électrifiés, sous le mirador de la sortie du camp, pour que tout le monde puisse profiter de l'exemple. Le visage tuméfié des coups reçus, grelottant dans la boue glacée, dans le vent froid de l'hiver, sous la pluie ou la neige, nos compagnes permanentes à la redoutable fidélité. Ils ne sont relevés de leur piquet que pour être livrés aux mains du bourreau, médecin à la piqûre mortelle, tueur au revolver, étrangleur, peu importe la forme. Pendant quelque temps, un sursis bien court leur est accordé pour un complément d'enquête, la recherche de complicités éventuelles. Etroitement surveillés, ils vont alors au travail ou se promènent dans le camp, un gros cercle rouge cousu sur la poitrine et dans le dos, puis un beau jour ils disparaissent et nul ne les revoit jamais.

— Mais pour marquer l'exemple, pour imprimer aux corps et aux cerveaux une terreur salutaire, le kommando au complet fera, du soir de l'évasion au lendemain matin à l'heure du départ au travail, un stationnement debout, au garde-à-vous, sur la place d'appel, au grand air, sans nourriture, pour se reposer de l'inévitable leçon de culture physique faite au retour du travail.

— D'autres distractions nous attendent, la plus innocente consistant à nous faire rester assis par terre, sur la place d'appel, par beau temps, après l'appel, pendant plusieurs heures, pour écouter un concert donné par quelques artistes (?) détenus. Les plus mélomanes s'en passeraient!

— Le 23 juillet 1944, à 9 heures du soir, appel imprévu. Le camp, au grand complet (cinq à six mille hommes à l'époque) est dirigé vers un emplacement en amphithéâtre où tout le monde prend place. Au centre, en contrebas, sur la « scène », une sorte de grand tréteau avec une corde et une plate-forme à bascule, en son milieu : c'est une potence et l'on va pendre un homme. Tous les S.S., de nombreux Blockführer que l'on voit rarement à l'intérieur du camp, en grand nombre, sont là, avides de ce spectacle de choix. Le supplicié est un jeune Russe de dix-neuf ans, coupable d'une tentative d'évasion, dit-on. Les interprètes lisent la sentence : c'est bien cela, il a essayé de reprendre sa liberté. Pendant ce temps, le Russe, qui a pris place sur la trappe, écoute impassible et calme, se décoiffe, passe son béret à un kapo puis, au moment où le Rapportführer s'avance pour, d'un coup de pied, faire basculer la plate-forme, avec un sourire il envoie à tous un baiser de la main. Quelques convulsions, un balancement et c'est tout. Tout s'est passé dans un silence impressionnant, coupé seulement de grosses plaisanteries des bourreaux.

— Le 8 juillet 1944, alors que nous sommes à Amstetten, à 40 kilomètres de Melk, nous entendons les sourds grondements prolongés d'un bombardement aérien, sur le coup de midi. Nous avons vu passer une forte formation aérienne, trois ou quatre cents forteresses volantes peut-être. Elles repassent dans l'après-midi, et nous apprenons alors (les nouvelles vont vite, même les vraies) que c'est Melk, et en particulier la caserne qui a été bombardée. Qu'est-ce qu'une caserne vue de là-haut? Une caserne tout simplement, avec des hommes que l'on peut prendre pour des soldats, même s'ils ne sont que des prisonniers. Mais cette erreur se paye lourd dans nos rangs : deux cent cinquante morts au moins. Combien de centaines de blessés? Il y eut aussi, croit-on, de très nombreuses victimes parmi les S.S. et autres militaires, les ambulances ayant été entendues tout l'après-midi.

— Quand nous rentrons le soir, de notre train longeant la route, nous apercevons de très nombreux camions aux bâches baissées : ce sont les morts et les blessés que l'on emmène à Mauthausen pour le crématoire ou pour les « soins ». C'est là que Fredix fut tué, avec combien d'autres dont les membres déchiquetés ont été à peine décrochés des arbres à notre arrivée au camp.

— Ce dernier est bouleversé, mais surtout le grand garage est détruit et fume encore. Nous n'y sommes plus depuis quelque temps, ayant été installés dans le bâtiment central, confortable, de la caserne. L'eau est coupée, il n'y a pas d'électricité. Pas de soupe non plus et cela pendant trente-six heures.

— La nuit du 9 au 10 juillet 1944 restera présente dans l'esprit des rescapés, comme étant celle au cours de laquelle se sont déroulées des scènes d'une sauvagerie inouïe. Le dimanche 9, au matin, appel général, nominatif et non numérique, ce qui ne se produit jamais. On veut connaître, par ce procédé exceptionnel, par déduction, les noms des victimes non identifiables. La journée se passe sans autres tracas, par un temps splendide. Coucher comme d'habitude, vers 9 heures du soir. A 11 heures, dans l'obscurité la plus complète — le courant n'a pas été rétabli, le ciel est d'un noir d'encre et l'orage menace — nous sommes chassés de nos lits à coups de schlagues par les kapos et autres seigneurs devenus collectivement fous, et sans que l'on nous donne le temps de nous habiller, nous sommes chassés, pieds nus et en chemise, hors des blocks et précipités littéralement dans l'escalier. Tout le monde court dans la cour, et malgré l'obscurité, l'habitude aidant, le rassemblement se fait assez rapidement, par blocks, aux emplacements habituels sur la place d'appel, l'ensemble tourné vers la porte du camp.

— Les seigneurs sont là, les S.S. ont leurs sicaires, munis de torches électriques ou de lampes de mineurs qui dansent dans la nuit.

— Le bruit court que le commandant, le Lagerführer Lüdorf, a « cru » voir en ville un Häftling. Re-appel, le dixième peut-être depuis vingt-quatre heures. Il se fait dans l'obscurité de façon bien simple, étant plus un comptage qu'un appel, et ne devrait pas présenter de difficultés. Par rangées de dix, nous donnant le bras, nous sommes comptés par les S.S. qui passent devant nous. La rangée terminée, un long pas en avant; cela continue ainsi jusqu'au bout non sans que, bien entendu, on recommence plusieurs fois. Français, Russes, Espagnols, Grecs, etc. s'en tirent sans trop de mal. Il n'en est pas de même des Juifs. Ils sont à part. Toute la masse des Juifs (ils sont près de deux mille) prise d'une terreur panique, est agitée de mouvements d'avance et de recul incompréhensibles. Dès le premier rang, l'avance d'un pas se fait mal. C'est alors un déchaînement de fureur brutale, de violence, de sadisme qui déferle sur les « Juden » complètement affolés, dont la terreur se traduit par une désorganisation des rangs et un désordre indescriptibles. Pas un qui ne reçoive des coups. Et cela dure et se prolonge. C'est alors que l'orage éclate. Jusqu'ici, la chaleur était étouffante, ce qui n'était pas fait pour calmer les nerfs de nos bourreaux. Le tonnerre grondait et de larges éclairs déchiraient la nuit. Un déluge d'eau s'abat sur nous, s'ajoutant au déluge des coups qui tombent sur les Juifs. On nous crie de nous serrer les uns contre les autres, nous qui sommes sans vêtements, en chemise, la plupart sans chaussures. Sous un déversement de cataracte qui augmente la fureur des soldats et des kapos, les coups redoublent et deviennent plus durs sur les Juifs qui sont jetés à terre, piétinés et frappés, encore frappés, toujours frappés. A chaque éclair, on voit le sang ruisseler, vite lavé par l'averse. Dans le tonnerre, on entend des hurlements de terreur et de douleur, des cris de rage des bourreaux. Quand seront-ils donc fatigués?

— Nous assistons alors, impuissants, à cet assassinat collectif qui nous étreint le cœur. Combien de pauvres Juifs seront morts des coups reçus? Beaucoup devront à la suite de cette scène d'épouvante être transportés à leur block. De longs jours encore nous rencontrerons dans le camp des visages tuméfiés, des crânes fendus, des vêtements tachés de sang, témoignages douloureux des actes de sauvagerie de cette nuit dantesque.

— Beaucoup plus que les coups, peut-être, tout au moins autant que le manque de nourriture, le manque de sommeil, aggravé par ces appels imprévus en pleine nuit, le stationnement prolongé debout, sans avoir le droit de s'asseoir, pendant une moyenne quotidienne de seize à dix-huit heures, même le dimanche, toutes ces différentes formes de traitement infligé aux déportés ont raison des corps les plus solides, des cerveaux les plus équilibrés, des nerfs les plus calmes. Et c'est le sort de la majorité des kommandos, quelques rares équipes seulement ayant des possibilités de repos dans la journée (la nôtre, par exemple, avec ses deux voyages journaliers en chemin de fer).

— Jusqu'ici, la population du camp avait crû progressivement par l'arrivée de convois de diverses nationalités et de provenance variée : Italiens, cinq cents Grecs en juillet, des centaines et des centaines de Juifs hongrois, etc. Mais septembre devait nous apporter un événement de qualité exceptionnelle : l'arrivée de sept cent cinquante Français.

— A cette date, seuls les quelque mille cent Français qui avaient fondé le camp et quelques autres — des 27 000, 29 000 et 59 000 en quantité très limitée — avaient formé la population française du camp. Les derniers arrivés sont des 97 000 et 98 000. Ils viennent, via Mauthausen, du camp de Natzweiler-Schirmeck en Alsace, sur le Donon, d'où les a chassés l'avance alliée. Ils ont quitté l'Alsace le 1er septembre, sont passés par Mauthausen pour une nouvelle immatriculation et l'immanquable épreuve de la carrière. Beaucoup sont de nouveaux raflés, certains étaient encore en liberté il y a un mois. Ils ont d'ailleurs bonne mine et parlent avec optimisme de la marche des événements militaires. Par eux nous avons quelques nouvelles, relativement fraîches, sur la libération de la France, le massacre d'Oradour-sur-Glane. La plupart viennent de l'est, des Vosges où la Gestapo les a arrêtés à la dernière minute. Il y a, parmi eux, Pontal, commissaire à Saint-Nazaire, Fourneret, préfet du Jura, de nombreux autres fonctionnaires. « Dans deux mois nous serons chez nous. » Six mois de concentration ont appris, à la grande majorité d'entre nous, à être très circonspects, à freiner l'enthousiasme et à modérer les optimismes destructeurs, parce que non fondés. Cependant, certains partagent cet avis et que nous le voulions ou non, nous en sommes très réconfortés.

— C'est que la perspective de passer un hiver dans d'aussi terribles conditions, avec le froid et la neige, ne nous enchante guère. Et pourtant il est là, l'hiver! La haute montagne qui se profile à l'horizon dans le sud est toute couverte de neige et nous ne sommes que le 25 septembre. Heureusement pour nous, la nourriture s'est améliorée après la désastreuse période des premiers mois, à partir de juillet. Quand nous rentrons le soir, en juillet, nous nous voyons servir à plusieurs reprises une pleine gamelle de pommes de terre bouillies; le soir la soupe est meilleure : choux frais au lieu de déshydratés exécrables, fanes de petits pois mélangées de carottes, etc. Maintenant apparaissent souvent des boulettes de différentes grosseurs, provenant du roux qui a été fait dans le fond des marmites. Chapuis, le grand Chapuis, demande toujours : « Y a-t-il des boulettes? » Et nous l'appelons le « Sergent Boulettes ». Il y a aussi dedans de la farine, du blé, de l'orge perlé. Le dimanche, presque régulièrement, on nous sert un litre de purée de pois cassés, assez épaisse. Parfois, le soir, nous recevons, plusieurs jours de suite, un demi-litre de betteraves rouges cuites. C'est bon mais le délabrement de nos intestins est tel que les latrines sont, pendant un mois, le dépotoir des déjections rouges! Il est vrai qu'il y a des casse-croûte cocasses : telle la distribution avec le pain du soir, d'une feuille de laitue arrosée à l'eau sucrée. Je n'y aurais jamais songé! Une autre fois, deux tomates vertes conservées dans le vinaigre! Ce n'est pas très apprécié!

— La soupe de concombre, pendant plusieurs jours, n'est pas très bien accueillie. Elle n'est pas nourrissante et n'arrange pas les reins et les intestins. Quant au pain, lui, c'est du pain civil, à base de froment et de seigle. Il a bon goût, une grande valeur nutritive et, pendant plusieurs mois, nous en toucherons 500 grammes chaque soir et deux fois par semaine 750 grammes. Nous avons avec cela de la margarine ou du miel synthétique, du fromage maigre, de la marmelade, du saucisson, de la viande, etc. en petite quantité bien entendu. Si l'on a réussi à plaire au kapo, on peut toucher un « salaire » de cinq cigarettes par quinze jours. En cette période d'abondance du pain, de rareté de cigarettes, une telle prime représente environ deux kilos de pain, plus tard les prix monteront!

— Si donc la nourriture s'est améliorée, tout en restant cependant de qualité inférieure et en quantité insuffisante, il n'en reste pas moins qu'elle n'est pas le seul élément de notre vie. Il y a le travail inhumain, les mauvais traitements, la vêture insuffisante qui ne protège ni du froid, ni de la pluie, ni même du vent; il y a l'hiver à passer et là est le gros problème : tenir, voir le printemps, gagner du temps...

— Et l'hiver approche, les prémices en sont déjà terribles. Fin septembre, il fait beau et, subitement, le 2 octobre, une pluie glaciale qui n'ose pas encore être de la neige, mais fine, pénétrante, mordante, transperce jusqu'aux os les carcasses des pauvres Häftlings de la terrasse. Combien de pneumonies, de tuberculoses ont leur point de départ ce jour-là. La veille, nous travaillions torse nu, aujourd'hui il nous faudrait au moins, en supplément, un pull-over et un imperméable. Je me souviens que, travaillant tout septembre avec le tristement célèbre 1 919, cette sombre brute, terreur de tous les détenus, de qui j'ai reçu maintes et maintes corrections car j'ai travaillé avec lui dès le début de Roggensdorf, je me souviens de ce que j'eus alors la chance de tomber, le 1er octobre, sur un Kommandoführer qui le freina dans ses brutalités, car il n'en tolérait pas sur le chantier. Je discutais avec lui, musicien, fonctionnaire à Mauheim, il était sans nouvelle de sa famille depuis les derniers bombardements. C'était un homme bon, humain, et le 2 octobre il prit sur lui de nous faire entrer dans un baraquement, nous fit faire du feu et, comme une certaine somme de travail devait cependant être faite, il nous fit travailler par roulement. Nous ne fûmes pas occupés plus de deux heures ce jour-là que nous passâmes à chanter des chansons françaises, surtout « J'attendrai » que les Allemands nous demandaient sans arrêt.

— Nous ne fûmes donc pas sous cette douche continuelle et terrible qui fit tant souffrir le reste du kommando. De toutes les journées de pluie, le 2 octobre fut certainement la plus meurtrière et je me souviens en regagnant Hopferwieser, le soir, des camarades grelottant sous la carapace de papier goudronné qu'ils s'étaient faite, littéralement paralysés par l'adhérence de leur défroque de fibrane sur leurs corps, les membres trempés, l'eau dégoulinant sur les reins, le long des jambes jusque dans les galoches. J'étais alors prêté au sous-kommando Flotto où je suis resté deux mois.

et nous constituions initialement le « Baraken Bau », l'équipe de construction ou plutôt de montage des baraques préfabriquées, mais on faisait de tout dans ce kommando, et il fallait par exemple, fréquemment, se précipiter du haut d'une charpente pour aller décharger quelques wagons. Déchargement rappelant celui de la gare de Loosdorf : pas de matériel de levage, tout à force de bras et transport à dos d'hommes.

— Il y avait de tout dans ces wagons venant en droite ligne d'Italie : matériel électrique de chantier, principalement des dynamos de deux ou trois tonnes, locomotives de Decauville, wagonnets, rails, outils de terrassement, par milliers, entreposés là pour être réexpédiés dans toute l'Allemagne.

— Pendant quelque temps, nous fûmes occupés au montage des voies de Decauville. Ce fut une période agréable, le travail n'étant pas pénible, et nous l'effectuions sans contrôle. T'en souviens-tu Marcel Faure? Nous n'étions pas incorporés à Flotto et nous recevions, à midi, la soupe d'Hopferwieser. Nous n'étions que dix originaires de ce dernier kommando à y avoir droit, les trente autres hommes du kommando Flotto se contentant de nous regarder manger. Mais nous pouvions leur donner la nourriture car, servis les derniers, nous touchions 40 à 50 litres de soupe pour dix : c'était le fond des marmites, riche en pommes de terre et souvent en viande, des rates, des poumons de veau, des mâchoires avec de copieux restes de chair. Malheureusement aussi, ces fonds étaient tellement salés que les plus affamés ne pouvaient les manger.

— Je me souviens que, dans ce mois de septembre qui fut généralement ensoleillé, nous eûmes un orage d'une violence inouïe. Ce jour-là, nous travaillions dans un terrain triangulaire entouré d'un talus d'un mètre de haut environ, le fermant complètement, comme un grand bassin vide attendant l'eau. Il ne l'attendit pas longtemps. Dans la violence de l'orage, les sentinelles s'enfermèrent dans une cabane, moins une ou deux qui durent, comme nous, le subir. Mais le Kommandoführer d'alors, mesquin, nous harcelant sans cesse, bête et peureux, ayant la hantise de l'évasion, nous intima l'ordre de nous coucher à plat-ventre dans le pré qui ressemblait déjà à une rizière, et nous dûmes rester ainsi tant que dura le déluge, une heure, deux peut-être, seule notre tête émergeant à la fin de ce « réservoir » où l'eau avait rapidement monté. Et malgré le soleil qui brilla ensuite, nous n'étions pas secs en rentrant le soir.

— C'est à Flotto que j'ai connu l'un des civils les plus abjects avec qui nous ayons dû travailler : une espèce de nabot, mal bâti, disgracieux, mais travailleur et infatigable, surtout généreux des efforts des autres, ayant sans cesse la menace à la bouche, déformée par un rictus cruel. Toute la journée, il nous pressait de « Loos! Loos », répétés, ne nous accordant pas une minute, nous faisant soulever à quatre la charge de huit hommes normaux (et nous ne l'étions plus), dans la boue, sous la pluie, nous mouchardant aux soldats, nous frappant quelquefois. Disgracié de la nature, peut-être la risée de ses proches, il devait commander des hommes pour la première fois de sa vie et là il se défoulait, il donnait libre cours à un subit complexe de supériorité, de roitelet régnant sur une chiourme misérable.

— Cette brute au travail qui, au demeurant n'avait pas d'autre intérêt à agir ainsi que de satisfaire un sadisme évident sur des hommes à sa merci, fut cause de ce que je quittai le kommando à la Toussaint. Je lui fis des reproches véhéments, en quelle langue, en quel jargon? au sujet des mauvais traitements qu'il infligeait à P'tit Louis Jolivet, gravement malade, les pieds blessés et incapable de travailler. Le Kommandoführer le calma, mais toute la journée ensuite, le nabot s'acharna et me frappa même du manche d'une hache. P'tit Louis, lui, entra à l'infirmerie le lendemain matin, sur mon intervention, après que je l'eus à nouveau défendu contre Joseph, le Belge, Schreiber du block à qui je reprochai, lui, le Belge, parlant français, d'âge à être grand-père du P'tit Louis, de vouloir envoyer un moribond au travail. C'était la deuxième fois que je l'aidais... Il me le rendra bien et c'est grâce à lui, certainement, que je suis vivant.

— P'tit Louis guérira et, fin novembre, sur intervention de Guy Lemordant [1], Breton comme lui, et humain comme peu, P'tit Louis entrera comme « Stubedienst » à la « Zalnstation » (chez les dentistes) et tous les jours, jusqu'à l'évacuation d'avril, j'aurai par lui, à ma rentrée du travail, jusqu'à 3 litres de soupe consistante et toujours de 200 à 500 grammes de pain.

— Je pouvais, ainsi, moi-même, ravitailler un ou deux camarades. Je peux dire que, sans P'tit Louis, je ne serais sans doute plus là et j'aurais, moi aussi, pendant l'hiver si dur qui nous attendait, pris place dans l'armée des crève-la-faim vouée à l'ordinaire, sans supplément, sans défense, sans aucun moyen d'améliorer tant soit peu un régime qui menait sûrement au crématoire.

— Le moral c'était une question de gamelle, un point c'est tout!

— Dès novembre, les premières neiges tombèrent, encore indécises, mélangées à une pluie glacée, pire que tout ce que nous avons pu endurer dans le froid. J'étais alors revenu au terrassement entre deux immenses hangards où le courant d'air était insupportable. La boue gluante — on creusait toujours les éternelles et inénarrables tranchées — restait collée à nos pelles et nous avions toutes les peines du monde à charger les wagonnets.

— Peu après, en décembre, je fus affecté à la réparation des wagons dans un hall immense, aux portes toujours ouvertes... C'est à ce moment qu'André Laithier, ayant reçu tant de coups sur la tête, souffrit atrocement des oreilles. Pendant le travail, ne pouvant y participer, il allait se planquer tout en haut de piles de cartons pour cloisons, à l'abri du vent mais non du froid, jusqu'à l'heure du retour. Simultanément, je bétonnais, travaillant irrégulièrement dans diverses équipes, selon l'exigence des « ingénieurs » dont l'un d'eux, orgueilleux, nerveux, à moitié fou mais surtout incompétent et brutal, nous fit faire les pires erreurs, dont nous fûmes d'ailleurs les premières victimes. Quant au résultat, c'est une autre histoire!

1. Voir les *Médecins de l'Impossible* (même auteur, même éditeur).

— C'est lui qui nous fait faire, par moins 10°, du béton avec du gravier pris en bloc et incassable, et avec de l'eau qui gèle au fur et à mesure, à telle enseigne qu'il est pris en quelques secondes mais qu'il s'effritera et tombera en poussière dès les premiers rayons du soleil. C'est encore lui qui nous fait déplacer latéralement une voie ferrée, sur une centaine de mètres, avec des barres à mines, sans déboulonner les deux rails des traverses et sans la dégager des pierres du ballast. C'est encore lui qui nous donne des scies à métaux pour couper les rails. Après 10 millimètres de morsure dans l'acier, les lames n'avaient plus de dents mais n'étaient pas remplacées. Il faut continuer à scier, tout au moins à manœuvrer la scie.

— Tout cela sans gants : nous en sortons avec la peau des doigts arrachée par le contact avec l'acier gelé. Le kommando, fort maintenant de cent cinquante hommes, connaît un perpétuel renouvellement. Tous les jours, deux ou trois malades en sortent et sont remplacés, le lendemain matin, par d'autres détenus. Un peu jaloux de notre kommando, nous n'aimions pas toujours les têtes nouvelles, surtout que maintenant, si les Français y sont encore en majorité, de nombreux représentants de plusieurs nationalités s'y incorporent de plus en plus : Grecs, Polonais, etc. J'y fais la connaissance d'un charmant jeune Norvégien, qui ne comprend pas pourquoi il est là, Old Martisen, avec qui je fais équipe. Nous discutons tous deux en anglais, et il me dit chaque jour sa douleur, à chaque minute, de voir notre martyre, mais surtout celui des Juifs, les « Juden Boys » comme il est appelle. Et il me dit souvent : « Oh! Gille, how cant' you think all the day at your family? » (comment ne pensez-vous pas toujours à votre famille?).

— A partir de décembre, notre sort devient encore plus dur. Aux brutalités des hommes se joint une température implacable, alors que les civils autrichiens ont cinq ou six épaisseurs de laine sur eux, des gants fourrés, de confortables bottes ou de grosses chaussures de montagne, nous n'avons, nous, si la chance nous a souri, qu'un mince pullover sur notre chemise. Nous avons touché, à l'entrée de l'hiver, quelques vêtements civils sur le dos desquels est découpée une « fenêtre » de vingt sur vingt, fermée par un tissu rayé! Il m'est échu en paquetage une magnifique gabardine, relativement chaude, dans le dos de laquelle j'ai cousu, sous la doublure, une épaisseur de couverture enlevée à mon lit, et j'ai réussi à avoir deux manches de tissus épais qui me servent de gants au travail et que j'enfile sur les bras, sous la gabardine, pour rentrer au camp. Tout cela c'est du « sabotage » qui me vaudrait vingt-cinq coups de gourdin sur les fesses. Tous les camarades touchent de confortables pardessus ou gabardines, dépouilles (nous le voyons par la marque) des malheureux Juifs de l'Europe centrale, clients des meilleurs tailleurs des grandes capitales.

— Le 10 décembre, distribution de chaussures : cinq cents paires pour dix mille hommes! Pour y avoir droit, il faut être très mal chaussé; en principe, tout le monde l'est! Prévenu la veille par Ané, je risque le tout pour le tout, je donne les chaussures à peu près bonnes que j'ai, et je me chausse d'une paire de galoches déchiquetées et inconfortables (l'une d'elles a la semelle fendue comme un pied de vache), trouvée dans les ordures. Elles me blessent les pieds. La tentative réussit et je reçois une paire d'excellents brodequins tout neufs, auxquels une paire de semelles de caoutchouc « empruntée » au tapis roulant du chantier me permettra de passer tout l'hiver à peu près correctement. Je n'ai pas de chaussettes, mais des carrés d'étoffe dans lesquels je m'enveloppe les pieds, des chaussettes russes en quelque sorte, presque confortables.

— Les Juifs, indisciplinés, pleurards, envieux (il est vrai que le sort qui leur est fait est, à part quelques rares exceptions, vingt fois plus effroyable que le nôtre, et nous avons bien vite compris qu'ils nous servaient souvent de « paratonnerre ») se sont précipités en foule et en désordre pour toucher les chaussures. Dans la neige glacée de la place d'appel, beaucoup sont pieds nus.

— Le chef de block et le Schusher-kapo les prennent en charge et je me suis demandé, dès cet instant, s'ils n'avaient pas été amenés, purement et simplement, dans un traquenard. Gymnastique à coups de « gummi » (morceau de tuyau en caoutchouc) dans la neige, course, reptation, toute la gamme y passe ! Cris, plaintes, écroulement, rien ne peut mettre fin à leur martyre, que la fatigue de leurs bourreaux. Et quand ils se présenteront ensuite à la « Schusterei » — invités à le faire — ils seront reçus à coups de planches qu'on leur cassera sur la tête. Ils repartiront pieds nus dans la neige à leurs blocks et c'est pieds nus, ou avec les innommables galoches que nous avons abandonnées, qu'ils iront à partir du lendemain au travail.

— Désormais, c'est dans la neige que nous travaillons, et nous devrons attendre le 1er février 1945 pour connaître une température plus clémente, avec un printemps précoce qui nous ramènera un soleil doux, mais aussi notre vieille et tenace ennemie : la pluie.

— Le matin, le kommando d'Amstetten qui se lève une heure après le gros du camp ne prend le train que vers 7 heures. Nous devons attendre sur le quai de la gare que ce dernier arrive. Aucun abri, aucune protection, aucun moyen de nous réchauffer, autre que celui de sauter sur place et nous battre les bras ou nous frotter mutuellement le dos. Pendant ce temps, nos anges gardiens, à tour de rôle, se réchauffent au poêle de la salle d'attente. C'est complètement gelés que nous montons dans les wagons pour le voyage d'une heure, en souhaitant que les arrêts nombreux retardent notre arrivée à Amstetten.

— A partir de janvier d'ailleurs, les relations avec cette dernière gare deviennent plus difficiles. La fréquence des bombardements alliés à l'approche de l'offensive de printemps et parallèlement à l'avance soviétique, le front se resserrant et se rapprochant, apporteront une perturbation sérieuse dans le trafic ferroviaire. Il s'ensuivra pour nous des attentes prolongées dans les gares de Melk le matin, d'Amstetten le soir, du train qui n'arrive pas. Nous n'en allons pas pour autant à l'abri, mais restons debout dans le froid. Quelquefois, cependant, la gare de Melk prévint le camp du retard du train, ce qui nous permit d'attendre une heure, parfois deux, dans notre chambrée.

— Ces retards, bien entendu, font notre affaire, puisque, de toute façon, la débauche a lieu à 16 h 30. De plus, quelquefois, le train se traîne lamentablement sur les 41 kilomètres de parcours, attendant dans les gares le passage des convois militaires, sanitaires ou de grands rapides plus pressés que nous. Pour aller, cela est bon, mais le soir, ces retards constituent un supplice supplémentaire. Combien de fois, en effet, n'arriverons-nous au camp, au lieu de 7 heures du soir, qu'à minuit ou même 4 heures du matin, au moment du réveil général. Juste le temps de toucher la soupe de la veille, froide et souvent aigre, le pain de la veille, la boisson chaude du matin et, une heure après, nous repartons vers la gare.

***

— Le [1] kommando de Melk tient une place particulière dans l'histoire de Mauthausen. Les conditions générales de vie, ou plus précisément de survie, étaient les mêmes que dans les autres kommandos, travaux exténuants, manque de nourriture, brutalité des S.S., manque de sommeil, de soins, etc. Pourtant, les conditions d'existence des Français qui y séjournèrent furent telles que le pourcentage des morts est relativement plus faible qu'ailleurs.

— Deux facteurs essentiels en sont la cause :

— a) ce kommando fut créé fin avril 1944 — le premier convoi qui commença par construire le camp autour des casernes S.S. existantes était de cinq cents déportés, presque tous Français, à l'exception de quelques dizaines d'Espagnols et d'Allemands, ces derniers destinés à constituer l'encadrement, mais comprenant un certain nombre de « politiques ». La composition de ce convoi avait été déterminée par l'organisation clandestine du camp central;

— de ce fait, de nombreux Français purent accéder à des postes dans l'administration du camp et dans les services généraux. C'est ainsi qu'André Ulmann, dit Antonin Pichon, fut « Lagerschreiber » pendant toute la durée du camp; d'autres furent chefs de block, kapos. A l'infirmerie, aux cuisines, à la désinfection, dans les services d'entretien, les Français étaient nombreux.

1. Manuscrit inédit Raymond Hallery (juillet 1973).

— Cette situation était favorable pour tous ceux qui occupaient de tels postes, mais également pour l'ensemble des Français. Le rôle d'André Ulmann fut déterminant. Lui, et son adjoint André Fougerousse, ne reculèrent jamais devant leurs responsabilités pour sauver le maximum de déportés en général, mais surtout les Français, les Espagnols, les Belges, etc. Ils le firent avec intelligence, sans pour autant échapper aux coups des S.S., mais abréger un appel, empêcher des réveils pour « contrôle des poux », affecter à tel ou tel poste ou kommando moins dur, c'était sauver des camarades. Ils purent faire tout cela parce que le collectif français présentait certaines caractéristiques qui constituent un second facteur.

— b) Les Français, arrivés les premiers à Melk, n'étaient pas des isolés. En effet, parmi eux, on trouvait des résistants arrêtés depuis longtemps et ayant séjourné, ensemble, dans diverses prisons et camps de France occupée. C'était le cas d'environ soixante-quinze militants communistes passés par la « prison universelle » de Blois, avec parmi eux, Auguste Havez qui, en liaison avec André Ulmann, joua un rôle décisif dans la sauvegarde des vies françaises; disposant d'une organisation clandestine efficace, les déportés communistes ne se bornèrent pas à organiser la solidarité entre eux, mais ils l'élargirent à tous les ressortissants français. Ils contribuèrent d'une façon décisive à créer un organisme clandestin à l'image du Front National en France.

— Cela fut rendu plus facile du fait qu'en dehors des communistes, d'autres groupes existaient; certes, ils n'avaient pas l'organisation des premiers, mais formaient des ensembles homogènes. C'est ainsi qu'il y avait quelques dizaines de résistants catholiques rassemblés autour de l'abbé Jean Varnoux. On comptait également un groupe d'une dizaine d'officiers résistants et aussi un groupe de résistants de la région de Grenoble, Annecy, Lyon, passé par le Fort de Montluc, où il s'était soudé. Enfin, il faut ajouter que nous avions passé ensemble plusieurs semaines au camp de Compiègne, ce qui avait donné le temps de nous connaître.

— Les camarades « isolés » se trouvèrent pris en charge par l'un ou l'autre groupe, et personne ne se trouva abandonné. Ceux qui bénéficiaient d'avantages du fait de leur poste à l'intérieur du camp, aidaient les autres contraints d'aller travailler dans les kommandos. La solidarité prit très vite un caractère général sans se limiter aux groupes organisés. C'est ainsi que les communistes, contrairement à l'idée que certains ont tenté de répandre, n'aidèrent pas que les leurs, mais tous ceux qu'ils pouvaient. Il faut bien considérer que la solidarité à répartir était peu abondante.

— Pourtant, elle a permis de sauver des camarades. Le fait de recevoir une cuillerée de sucre en poudre, de confiture, 20 grammes de margarine ou deux pommes de terre, avait son importance, mais comptait peut-être moins dans la résistance de l'individu que l'idée de ne pas être abandonné, que la sensation de faire partie de la grande famille des résistants. Sur ce point, il est peut-être utile de citer deux exemples personnels.

— 1. J'ai été affecté à un kommando, à Amstetten, d'une quarantaine de déportés, tous Français, avec un kapo français, où nous bénéficiions d'avantages multiples : pas d'appels, voyage une heure matin et soir en wagons voyageurs assis, travail relativement peu pénible et une ration supplémentaire à midi donnée par l'entreprise, consistant, en général, en une dizaine de pommes de terre. Sur ma proposition, chacun prélevait deux ou trois pommes de terre qui étaient distribuées, le soir, à des Français séjournant à l'infirmerie. En soi cela peut paraître normal, mais il faut réaliser ce que cela exigeait comme volonté. Sentir des pommes de terre dans sa poche quand la faim tiraille l'estomac! Et pourtant, pendant des mois, quelques dizaines de camarades, communistes ou non, eurent cette volonté.

— 2. Dans ce kommando, j'eus un accident de travail qui m'obligea à entrer à l'infirmerie, début août 1944, pour amputation d'un doigt — amputation réalisée à l'aide d'outils forgés dans le camp — qui n'entraîna aucune complication. Elle me donna l'occasion de voir comment les malades mouraient de dysenterie par dizaines, chaque semaine, vu qu'aucun médicament ne leur était donné. En recherchant avec les médecins français, que dirigeait Guy le Mordant, le moyen de les sauver, il se dégagea l'idée qu'une amélioration pouvait être obtenue, si au lieu de distribuer à chacun sa ration de pain, on faisait griller le pain. Après vingt-quatre heures de réflexion, je décidais de me transformer en « grilleur de pain ». En accord avec les camarades infirmiers et médecins, on ne distribua pas les rations du matin aux quelque cinquante dysentériques (ils furent jusqu'à cent cinquante, six mois plus tard) et je m'en allais, après avoir coupé les rations en tranches, griller ce pain aux cuisines du camp. Aussi étrange que cela puisse paraître, à partir de ce jour-là (vers le 15 août 1944), je vécus clandestinement, dans le camp, dans ce sens qu'avec la complicité des médecins, je ne figurais ni sur la liste des malades, ni sur celle du personnel de l'infirmerie et que je n'étais affecté à aucun kommando. Le S.S. de l'infirmerie ignorait et mon existence et la distribution des rations de pain grillé aux malades [1].

---

1. Lorsque je fus appelé à témoigner au procès de ce S.S. nommé Musikan, en même temps que des infirmiers et médecins du camp, Musikan déclara ne pas me reconnaître et tenta de récuser mon témoignage. J'expliquais alors en détail, et à son grand étonnement, comment j'ai vécu huit mois à l'infirmerie sans jamais me trouver face à lui et j'expliquais, également, comment pratiquement, chaque matin, avant de partir griller le pain aux cuisines, j'évitais à quelques malades la visite du S.S. En effet, chaque matin, Musikan, qui n'avait aucune qualification, passait de chambre en chambre pour désigner les « sortants ». L'infirmerie était un immense baraquement avec, de chaque côté, un couloir d'une quarantaine de mètres, des chambres de dimensions variables, allant de deux à quinze châlits (soit de dix à quatre-vingts malades). Il effectuait toujours sa visite, qui durait moins d'une demi-heure, dans le même sens. Les médecins, en accord avec l'organisation du camp, m'indiquaient les camarades qu'il fallait garder encore quelques jours à l'infirmerie. Même si les conditions n'y étaient pas bonnes, quelques jours de repos supplémentaires avaient, pour certains, une importance décisive. Bien entendu, pendant la visite du S.S., il était interdit de circuler dans l'infirmerie. Je devais donc repérer les chambres où se trouvaient les camarades à soustraire à la vue du S.S. et transporter sur mon dos (pour donner le change, le cas échéant), chaque camarade d'une chambre non visitée dans une chambre déjà visitée. Jamais Musikan n'a repéré ce manège, il faut dire que, ne procédant pas à la visite le fichier en main, il ne pouvait pas s'apercevoir de l'absence d'un malade, ceux-ci couchant à deux au moins par lit.

— Le S.S. des cuisines ne me demanda jamais rien. Il trouva même que ce n'était pas bien de griller le pain sur la fonte des fourneaux et me fit faire une grille spéciale et m'attribua un fourneau.

— La caisse servant à transporter le pain constituait un moyen idéal pour sortir clandestinement de la nourriture. Cette possibilité fut mise très vite à profit. Henry Macau, chef cuisinier, dérobait dans la réserve des S.S. à laquelle il avait accès, pratiquement chaque jour de 1 à 5 kilos de margarine que je sortais. Cette margarine (et certaines fois du sucre) était répartie en portions de 40 ou 50 grammes, aux malades, à ceux qui étaient affectés aux kommandos les plus durs, Michel Hacq, le colonel Ané, pour ne citer qu'eux, car ils se plaisent à le dire, peuvent en témoigner par là même que les communistes n'aident pas seulement les communistes, car personne ne supposera que l'ex-directeur de la P.J. et l'ex-administrateur de l'école polytechnique sont des communistes.

— En huit mois, c'est sans doute près d'une tonne de margarine et de sucre qui fut soustraite aux S.S. et distribuée. Peu avant l'évacuation du camp, je me fis prendre. Après que le S.S. des cuisines m'eut promis de me faire pendre, la sanction fut ramenée à vingt-cinq coups de schlague qu'il m'appliqua lui-même. Il faut dire que devant mes arguments et mes dénégations, le S.S. qui se sentait vulnérable parce qu'il trafiquait, ne fit pas de rapport au chef de camp et préféra « régler » lui-même le problème. Dès le lendemain, je revenais griller le pain. Cette attitude dut convaincre le S.S. que j'ignorais vraiment la présence de margarine dans ma caisse. Il me fit, à dater de ce jour, attribuer quotidiennement une ration supplémentaire. Le soir même, je sortais à nouveau, et jusqu'au dernier jour, mon pain de margarine.

— Cette solidarité matérielle (nourriture, emplois intérieurs, affectation aux kommandos les moins pénibles, entrée à l'infirmerie, etc.) joua un rôle indiscutable, surtout qu'elle s'étendit pratiquement à tous les Français qui arrivèrent au camp par la suite.

— Mais il faut aussi considérer qu'elle eut une influence sur le moral des déportés. Le collectif français était uni, il avait confiance, il formait une véritable famille, à chacun l'adversité semblait moins dure à surmonter, surtout que, pour l'immense majorité, nous étions des résistants conscients. Le mineur du Nord, le prêtre, l'officier, le métallo, le professeur ou le commissaire de police discutaient ensemble, luttaient ensemble. Une véritable fraternité régnait. Elle a été maintenue au sein de l'Amicale parce qu'elle était authentique. Au-delà des divergences de croyance, de conceptions politiques diverses, des liens se sont créés parce que la devise : tous pour un, un pour tous, prenait tout son sens. Une anecdote donnera un aperçu de la confiance qui régna. L'abbé Varnoux, qui avait réussi à se procurer du vin de messe, disait la messe le dimanche matin [1], pour quelques fidèles sûrs dans une « chambrée » à la porte de laquelle les communistes montaient la garde en cas de ronde de S.S. et après, assis sur les mêmes châlits, se réunissaient les membres du triangle de direction de l'organisation communiste, et alors l'abbé Varnoux faisait le guet. Considérant que le moral jouait un rôle décisif et connaissant les effets néfastes qu'avaient les informations fantaisistes, nous avions créé une sorte de journal parlé qui se diffusait de bouche à oreille, chaque soir, en partant d'informations contrôlées par recoupement. Très rapidement, ces informations « officielles », qui partaient de chez André Ulmann et Auguste Havez, touchaient tous les Français par le système des groupes de trois en vigueur dans la résistance. Il est évident que tout cela était dans la pratique moins simple car il fallait prendre des précautions contre une dénonciation toujours possible.

— Au début, il fut assez difficile de faire admettre ces informations contrôlées. Nombreux étaient ceux qui, affaiblis, préféraient « rêver » sur l'avance des troupes soviétiques à l'Est, et des troupes alliées à l'Ouest. Et puis l'évi-

---

1. La vie religieuse de Melk et des autres camps de concentration est présentée dans *Les Sorciers du Ciel* (même auteur, même éditeur)

dence s'imposa et les « nouvelles » étaient attendues et reçues avec confiance.

— L'organisation de la résistance était très poussée à Melk. Membre de la direction clandestine de l'organisation du Parti communiste, j'ai eu à connaître d'autres organisations existantes : 1) celle du Front National qui regroupait des catholiques et des officiers français, des sans partis, au côté des communistes; 2) l'organisation internationale, émanation des organisations des différentes nationalités (soviétique, polonaise, espagnole, allemande et autrichienne, française); 3) l'organisatoin militaire. La France y était représentée par le colonel Ané (à l'époque capitaine). Par l'intermédiaire d'André Ulmann, le contact existait avec le Comité international de Mauthausen.

— Bien entendu, tout cela se faisait au milieu de mille précautions et en fonction des enseignements tirés de la lutte en France avant nos arrestations. De ce fait, très peu nombreux étaient ceux qui connaissaient cette activité et encore la plupart de ceux qui savaient quelque chose ne savaient que ce qui avait trait à leur responsabilité, sauf trois ou quatre d'entre nous. Par exemple, les communistes qui, pour la plupart se connaissaient pour avoir été emprisonnés ensemble, ne connaissaient pas le triangle de direction du camp. Ils pouvaient certes l'imaginer, mais ceux qui sont arrivés après le premier convoi étaient organisés en groupe de trois et un des trois seulement connaissait un responsable d'un ensemble de groupes de trois, etc.

— Il est évident que nombreux étaient ceux qui imaginaient l'existence d'une organisation, mais certains ont vécu pendant treize mois sans s'en rendre compte.

— La [1] concentration à Melk d'un groupe important de Français permit de conserver une certaine cohésion et d'empêcher une trop grande dilution comme c'était très souvent le cas ailleurs, au moins pendant les premières semaines de fonctionnement d'un kommando. De plus, dans ce groupe, il

1. Manuscrit inédit André Laithier (septembre 1973).

y avait un « noyau » dur, autour duquel purent se cristalliser d'autres éléments de résistance aux volontés nazies.

— Il ne s'agit pas ici — trente ans après ! — de propagande mais d'une constatation d'évidence : ce noyau était constitué des communistes qui arrivaient là en formation établie. Un fort contingent venait de la prison neuve de Blois où les Vichystes, sur ordre des Allemands, avaient rassemblé — au nombre de quatre cents — la plupart des condamnés communistes des centrales de Poissy, Clairvaux et Fontevrault. Pendant cinq mois, tous ces « bagnards », après des discussions épiques avec l'administration pénitentiaire et les autorités préfectorales de Blois, avaient conquis et exercé des droits inhabituels à l'intérieur d'une prison. En bref, Blois était devenu une école du Parti, en même temps qu'un centre de préparation au combat clandestin qui devait suivre l'évasion massive préparée avec une aide extérieure. Que les nazis aient eu vent de ce qui se tramait, ou tout simplement que notre tour fût venu d'aller combler les vides dans les grands camps du Reich, toutes les illusions s'écroulèrent quand, un petit matin de février, la prison de Blois fut entièrement vidée. Nous nous retrouvions à Compiègne, au milieu de centaines d'autres Français, mais notre potentiel subsistait, et ce n'était pas un mince sujet d'étonnement pour nos compatriotes, pour la quasi-totalité isolés ou attachés à de petits groupes fragmentés, de découvrir, à travers nous, un aspect ignoré de ce que c'était que les communistes, je veux dire « le Parti communiste ».

— Dans un milieu disparate où l'individualisme faisait les pires ravages, où beaucoup, arrêtés depuis peu, étaient incapables de s'adapter à leur nouvelle condition de captifs, les quatre cents de Blois, dont certains étaient emprisonnés depuis trois et quatre ans, arrivaient avec leur organisation en groupes, avec des responsables à tous les échelons, avec une solidarité matérielle efficace, et des activités inattendues : théâtre, cours de français ou de mathématiques, gymnastique, etc., sans parler des réunions de discussions politiques, lesquelles s'étendirent bien vite aux autres Français. Tout cela dans une semi-clandestinité très transparente, car Compiègne n'était qu'une petite antichambre des camps nazis.

— Ce rappel était nécessaire pour expliquer comment put, très rapidement et très efficacement, s'organiser à Melk un « collectif français », qui rendit de grands services à la résistance intérieure du camp et joua un grand rôle pour empêcher l'extermination finale, tant à Melk qu'à Ebensee.

— Après la quarantaine à Mauthausen, après la dispersion entre les divers kommandos, il restait encore une bonne poignée de gens de Blois parmi ceux qui ouvrirent le camp de Melk. Et pour tous ceux-là, un homme représentait la direction du Parti : Auguste Havez. Il était à Blois dans la direction clandestine collective de l'organisation. Isolé des autres dirigeants, il restait celui à qui les membres du Parti faisaient confiance, dans la mesure où il allait continuer et maintenir l'action de solidarité, d'entente avec tous les Français, d'organisation de résistance clandestine avec tous les volontaires.

— A Melk, aux côtés des communistes, il y eut deux grands groupes qui se constituèrent aisément, quasi spontanément : les chrétiens, et plus spécifiquement les catholiques d'une part, et les militaires de l'autre. Des personnalités se joignirent aux uns ou aux autres : policiers, magistrats, professeurs. Presque tous gaullistes, c'est-à-dire ayant, de façon ou d'autre, répondu à l'appel de de Gaulle. Mais là encore — et tous les témoignages concordent — le rôle d'Havez fut déterminant. Encore qu'il apparût aux yeux de certains comme une éminence grise placée en retrait. Car l'homme qui agit le plus ouvertement pour l'union des Français, de par sa position dans le camp et de par son non-engagement politique apparent, ce fut André Ulmann.

— André Ulmann s'appelait au camp pour tout le monde, Augustin Pichon. Il était « Lagerschreiber » — secrétaire du camp. Sa connaissance parfaite de la langue allemande y avait contribué. Auguste et « Antonin » avaient de nombreux contacts directs ou non, et une complète identité de vues sur ce qu'il était possible et souhaitable de faire dans l'intérêt du collectif national français. Et au premier plan, l'organisation de la solidarité qui devait se manifester de bien des façons différentes. Et pour cela, il fallait avant tout placer des hommes sérieux et courageux aux postes-clés, dans toute la mesure du possible. C'est là un des points où le poste d'Ulmann servit beaucoup. On eut ainsi des amis sûrs aux cuisines, à l'infirmerie, dans certains services intérieurs du camp, et même des aides-kapos, comme à Amstetten. Dans ce sous-kommando, qui allait chaque jour en train travailler dans une scierie « Hofferwieser », à Amstetten, c'était Rosen, que personne ne connut jamais là-bas, qui, sous le nom de Blanchard, joua ce rôle ingrat sans jamais faillir une fois à sa dignité d'honnête homme et de citoyen résistant français. Je retrouve avec quelque amusement, dans ma mémoire, la stupéfaction de quelques bons amis — antisémites conscients ou inconscients — quand ils apprirent, à la Libération, que Blanchard et Pichon étaient Rosen et Ulmann, et que c'était ces deux Israélites qui leur avaient si souvent rendu d'immenses services quand ils ne leur avaient pas tout simplement sauvé la vie.

— Auprès d'Havez, on trouvait Raymond Hallery qui travaillait à l'infirmerie. Je l'avais remplacé à Amstetten qui avait la réputation, justifiée, d'être un « bon kommando » (relativement, bien sûr).

— Dès mon arrivée, j'ai été surpris de la confiance que me témoignèrent les autres Français. Aux côtés d'Yves Heissler, et remplaçant Hallery, j'étais « le Parti » à leurs yeux et cela suffisait. On me demandait mon avis sur le sérieux de telle ou telle nouvelle. Et c'étaient seulement les informations que j'apportais, chaque jour, recueillies la veille au soir de mon responsable au camp, qui leur apparaissaient sérieuses et dignes de foi. J'avais ainsi les meilleures relations, d'entrée de jeu, avec des officiers comme Ané, Faure, Courriet, Bossan, des policiers comme Gille, le gendarme Baron, avec le pasteur Ségnier, avec de jeunes étudiants, catholiques, comme Kruzinski, ou non-croyants comme Jolivet, Bernard, des techniciens : Robert Renard, Barouin, sans parler de mes autres camarades communistes comme Garcin.

— Chaque soir j'allais — dans la mesure du possible, quand il n'y avait pas d'appel prolongé, ou de douches, ou de contrôle des poux, ou de désinfection, ou de corvée quelconque — au block 14. J'apercevais parfois Havez en conversation avec l'abbé Jean Varnoux, avec Fougerousse, ou Saint-Macary ou Michel Hacq. Moi j'avais affaire à Jacquin ou Hallery qui me transmettait à la fois ma part de solidarité — quand il y avait quelque chose à partager — et les nouvelles de tous ordres : internationales ou intérieures au camp, ou particulières à l'organisation clandestine.

— A certaine période, j'eus la responsabilité de trois groupes de trois camarades; je connaissais les deux autres membres de mon propre groupe et les deux responsables des autres groupes. Dans les conditions de secret absolu qui devaient régner dans le camp, nous sommes parvenus, un jour, à faire une « revue générale » de nos forces, en allant nous promener sous les fenêtres du block 14.

— Selon Havez, cette revue avait montré que le Parti était capable, d'un jour sur l'autre, de mobiliser un effectif sérieux, en un point donné, à la même heure. Mais cette démonstration servit aussi à convaincre le collectif des officiers français du fait que, avec leur aide, l'ensemble des Français pouvait être à son tour mobilisé dans une action défensive, dans une période décisive qui approchait. Cette expérience fut renouvelée avec succès et très élargie à Ebensee.

— Ce serait manquer à toute objectivité que de ne pas mentionner à quel point tous les déportés, Français et autres nationalités, étaient suspendus aux nouvelles du front de l'Est comme de l'Ouest. Après l'euphorie créée par le débarquement, il y eut un affaissement du moral pendant la stagnation du front de Normandie, et alors personne ne discutait l'immensité des sacrifices et le magnifique courage des peuples soviétiques, sans lequels aucun d'entre nous ne serait revenu vivant de Mauthausen. Il y a des réalités historiques qu'aucune vicissitude ultérieure et que le temps lui-même ne peuvent effacer. Havez et Ulmann sont aujourd'hui disparus, après des destins bien différents.

Mais pour les anciens de Melk qui n'ont pas oublié, leurs noms ne peuvent se séparer et ils ont droit tous deux à notre respect.

— Une[1] remarque préalable s'impose : la décision du Comité international d'action et de résistance, qui venait d'être créé à Mauthausen, avait été d'envoyer à Melk, nouveau kommando de travail du K.L. Mauthausen, des cadres qui auraient pour mission d'y appliquer, dans toute la mesure du possible, les directives sur lesquelles le Comité international de Mauthausen s'était mis d'accord. Ces directives avaient été adaptées à la situation locale d'après les principes établis en 1943, sur les rapports reçus d'Allemagne à Paris par le Mouvement de Résistance des Prisonniers et Déportés, principes qui avaient eu l'approbation du C.N.R. groupant les représentants de tous les mouvements de résistance intérieure français.

— A Melk, c'est donc une véritable expérience par la pratique qui fut conduite et dont les résultats se traduisirent par le fait que Melk a connu, par exemple, le plus faible pourcentage de morts des kommandos de K.L. L'application des consignes a été faite en constituant, à Melk, un Comité international correspondant à celui de Mauthausen et qui a été en liaison avec lui de diverses façons :

— par les arrivées de Mauthausen qui se sont continuées pendant toute la durée d'existence de Melk. Dans chaque convoi important, une liaison était faite, et le Comité international de Mauthausen tenait compte des possibilités d'action à Melk, aussi bien pour isoler certains détenus qui risquaient de trahir, que pour sauver certains détenus, ou groupes de détenus (comme les Juifs hongrois, roumains, etc.) ou des contingents venus d'Auschwitz qui auraient dû être détruits à Mauthausen.

— par une liaison que Pichon (Ulmann) put faire à Mauthausen avec un camion, après le bombardement du camp de Melk, (juillet 1944),

1. Témoignage inédit André Ulmann (Antonin Pichon) rédigé quelques mois avant sa mort pour les Archives de l'Amicale Française de Mauthausen.

— par l'envoi à Melk, après ce bombardement, d'une commission de contrôle des cartes qui comportait un détenu secrétaire de la cartothèque de Mauthausen, qui dépendait du Comité international du camp.

— A Melk, les Français avaient constitué les premiers éléments du kommando, et il était entendu que l'organisation se construirait autour d'eux et de Pichon (Ulmann) qui était le délégué du Comité international de Mauthausen — et en même temps que du Mouvement de Résistance des Prisonniers et Déportés, formé, à l'origine, dans les camps de prisonniers — et qui agissait comme tel. C'est la raison pour laquelle le premier comité de Melk fut d'abord dirigé par Pichon, par Auguste Havez (P.C.) et par le lieutenant Ané (représentant les officiers « gaullistes »). Ce comité eut d'abord pour tâche de mettre en place les organismes plus étendus au camp, au fur et à mesure que celui-ci se garnissait — jusqu'à atteindre douze mille détenus environ. Peu à peu se constituèrent deux organismes internationaux distincts, mais dont les troïka de direction se concertaient constamment :

— un Comité international politique : dont la tâche était de coordonner les actions de résistance politique, aussi bien dans le domaine de l'information que du moral, des liaisons avec l'extérieur, de la « démoralisation » des S.S., du planquage des plus faibles, du maintien de la cohésion entre les nationalités et les différents groupes politiques,

— un Comité international militaire, dont le rôle principal consistait à préparer une éventuelle résistance physique à la destruction, à la fin du camp, à organiser de possibles évasions, à faire entrer dans le camp des armes, à contrôler et à conseiller les opérations de sabotage si elles étaient possibles, comme il sera indiqué, ainsi qu'à regrouper les militaires des différentes nationalités pour leur faire préparer, en commun, ces tâches éventuelles ou effectives.

— En dehors de ces comités, qui coiffaient toute l'action du camp, avec des précautions de clandestinité comportant une grande souplesse de fonctionnement, il existait deux autres sortes de comités.

— D'une part les comités nationaux de toutes les nationalités représentées au camp et qui étaient en contact avec un membre des comités internationaux. Leurs tâches étaient à la fois de répercuter les instructions des comités internationaux, de leur fournir des propositions pour l'action commune et d'exécuter leur part de l'action.

— D'autre part, il existait des comités politiques, organisés à la fois nationalement et internationalement, dont le plus organisé était constitué par les communistes, mais d'autres fonctionnaient aussi, en fait, comme les catholiques résistants (surtout Français et Polonais) et les « gaullistes » français non communistes, composés en grande partie de professeurs, avocats, officiers, etc.

— La souplesse dans ces organismes et la règle du secret font qu'ils ont fonctionné très régulièrement et contrôlé effectivement toute l'action du camp, alors que souvent des détenus ou des groupes de détenus ont exécuté des actions sans savoir les instructions. C'était, en général, les membres des comités placés dans les fonctions officielles du camp (Pichon comme Arbetiseinsatgschreiber ou des Blochätteste et Blockschreiber) qui assuraient la liaison et contrôlaient l'exécution sans découvrir la source de la coordination et des instructions.

— Au kommando, il était nécessaire, pour définir les tâches et réunir les moyens de les remplir, de préciser les conditions générales et les conditions particulières de la vie que nous y menions :

— le kommando était dirigé par des S.S. mais la troupe était composée d'aviateurs, parmi lesquels de nombreux Autrichiens. Après avoir placé, partout où c'était possible, dans les fonctions exercées par les détenus du camp, des camarades sûrs et « contrôlés », nous nous sommes efforcés d'exercer une influence, par des moyens divers, sur les chefs S.S. et la troupe.

— Sur les premiers, Herman Höffstädt (Lagerschreiber, politique allemand, ancien avocat catholique de Berlin) qui ne participait pas au Comité international mais agissait comme on le lui demandait, et Pichon exerçaient un véritable chantage permanent. Ils tenaient sa vraie et sa fausse comptabilité, ce qui permettait à l'Obersturmführer Ludolf de détourner des produits et des sommes importantes destinées à la troupe, aux fournisseurs, ou provenant des entreprises pour lesquelles travaillaient les détenus. A deux reprises, il y eut des inspections de sa comptabilité dont il ne put se tirer qu'en faisant appel à Höffstädt et à Pichon.

— En revanche, on pouvait obtenir de lui un certain nombre de « compensations » pour les détenus, et bien qu'il ait plusieurs fois frappé Höffstädt et Pichon, comme d'autres détenus, il n'osa jamais aller trop loin ni surtout se débarrasser des détenus mis en place par le Comité international, par l'entreprise de Pichon, dans la mesure du possible.

— En ce qui concerne les aviateurs, le plus sensible à notre action fut un médecin du camp, le docteur Zora, actuellement médecin-chef à Gmunden, qui prit part activement à notre action. Il rappelait souvent à l'Obersturmführer, dont il connaissait les détournements, qu'il ne pouvait pas se débarrasser de nous, ni surtout essayer de nous faire remplacer par des « droit commun » qui étaient incapables de le faire. Zora nous assurait aussi des informations et, finalement, nous fournit un petit poste radio, grâce auquel Pichon faisait un bulletin quotidien de nouvelles, tout en y joignant ce que lui rapportaient les kommandos de travail au-dehors — qui ne savaient pas d'ailleurs qu'il y avait un poste à l'intérieur du camp.

— Le fait que le kommando exécutait des tâches extérieures a permis aux comités d'établir systématiquement des liaisons soit pour obtenir des informations, soit pour préparer des évasions, soit pour faire entrer dans le camp du matériel nécessaire jusqu'à des armes. Car un secret bien gardé, jusqu'à présent, a été le fait que plusieurs revolvers et leurs munitions (sept en tout si mes souvenirs sont exacts) ont été amenés à Melk en pièces détachées, que Pichon prenait à la rentrée du kommando tandis que la troupe faisait la fouille des rentrants. Le groupe qui entra ces armes était composé de Juifs communistes hongrois, groupés dans un même kommando de travail et qui avaient établi une liaison très efficace au-dehors (sans que le comité ait su qui était cette liaison). Ces armes ont plus tard été emportées en partie à Ebensee et c'est ce qui a permis de dire avec assurance, à Ganz, que les détenus étaient armés.

— D'un autre côté, les conditions particulières de Melk faisaient qu'il était nécessaire d'insister, dans les tâches de résistance, sur le sabotage puisque les détenus travaillaient à la construction d'une usine souterraine. Cette tâche, qui ne pouvait consister qu'à freiner au maximum l'édification de l'usine et de son installation, était organisée par des spécialistes, qui allaient avec les kommandos de travail et dont quelques-uns étaient capables de freiner « scientifiquement » les travaux. Il est de fait que l'usine souterraine avait plusieurs semaines de retard et n'était pas prête à fonctionner lorsque le kommando de Melk fut évacué sur Ebensee.

— L'usine [1] s'était développée à l'intérieur de la colline comme une toile d'araignée, et les machines ont été montées avec une rapidité qui nous a stupéfiés. Un seul incident de taille a été le grand incendie qui s'est déclaré au début de l'année 45. J'étais dans la mine quand une forte odeur de caoutchouc brûlé me fit précipiter sur les moteurs électriques qui entraînaient les tapis roulants dont je devais surveiller le fonctionnement. Ce n'était pas mes moteurs qui grillaient. Cela venait d'une galerie latérale; avec l'odeur une fumée âcre avançait comme un rideau. Je ne me rends pas compte, sur le moment, mais prudemment, je me dirige vers la sortie. Je suis obligé de traverser un rideau assez épais, d'une vingtaine de mètres. Pendant ce trajet, je mets mon béret sur mon nez. L'alerte est donnée. Tous ceux qui sont au fond de la mine sont prisonniers et peu arrivent à ressortir. Il y a une soixantaine de camarades qui sont restés, dont une majorité de Grecs qui couchaient justement dans ma chambre (belle occasion pour le chef de block de faire un bénéfice intéressant de portions de pain, de ron-

1. Manuscrit inédit Pierre Pradalès (septembre 1973).

delles de saucisson et de portions de margarine). Tous ces camarades ont été asphyxiés.

— L'Oberkapo tzigane qui nous gardait était un homme d'une trentaine d'années, aux traits réguliers et racés. Il n'aimait pas les Juifs et il lui arrivait fréquemment d'en assommer un ou deux au cours du travail. Il était toujours accompagné d'un ami russe, polonais ou français, au physique agréable. Il jouissait presque physiquement quand il frappait. Une de ses passions consistait, alors qu'il y avait beaucoup de monde dans les cabinets construits en dehors de la mine à prendre un de ceux qui étaient assis sur la barre et à le renverser dans la merde. Le pauvre type avait du mal à s'en sortir après avoir pas mal pataugé. Comme il était déjà dysentérique, pour se laver il prenait froid et il était rare qu'il survive. A côté de cela, ce même Oberkapo, le jour de l'incendie de la mine, est rentré dans la mine enfumée et a sauvé un de nos camarades français kapo, qui fut toujours un bon kapo. Il le traîna alors qu'il était évanoui, au risque d'y rester lui-même. A moi, personnellement, un jour où nous prenions le train, en montant, je me bute et mes lunettes tombent, je crois entre le quai et le wagon. L'Oberkapo étant le seul à avoir le droit de descendre sur la voie, il en profita et chercha mes lunettes pendant une minute. Il ne les trouva pas. En effet, je m'aperçus qu'elles étaient tombées dans le wagon et étaient piétinées et inutilisables.

— Donc [1], après la dissolution du Lagerkommando, nous voilà, Quentin et moi, affectés aux cuisines où l'aménagement se poursuivait avec un effectif réduit. Le gros collecteur d'égout qui traversait, dans toute sa longueur, le local, était constitué d'un tuyau en ciment d'un mètre de diamètre, qui recevait les eaux des immenses bacs servant au lavage des pommes de terre épluchées, puis, qui était raccordé à des canalisations plus petites desservant toute la surface des cuisines et destinées à l'évacuation de l'eau des autoclaves et des eaux de lavage du sol qui s'effectuait

1. Manuscrit inédit lieutenant-colonel Robert Monin.

à la lance d'incendie. Ce collecteur avait une forte pente et l'énorme quantité d'eau qu'il recevait, plusieurs fois par jour, le dévalait en trombe. Une fois cet égout construit, il fut décidé, pour éviter au personnel travaillant dans les cuisines d'avoir un prétexte d'en sortir, de construire des w.-c. dans les cuisines mêmes.

— Les travaux, dans ce but, s'exécutent le jour de l'« inauguration » : catastrophe ! Ces cabinets étaient reliés au grand collecteur par des buses en ciment qui avaient été installées en sens contraire de ce qu'elles auraient dû être, c'est-à-dire leur orifice inférieur débouchant dans l'égout, face à l'arrivée en trombe des masses d'eau. Dès que les « pluches » eurent lâché leurs vannes, l'eau arrivant à la hauteur des tuyauteries des cuvettes des w.-c. s'engouffre dedans et rejaillit en geysers par les cuvettes. En un clin d'œil, il y a 25 centimètres d'eau dans les cuisines, avec ce que vous pensez, flottant à la surface.

— Le commandant du camp rapplique en hurlant au sabotage, et nous en rendant responsables, tout en nous menaçant de terribles sanctions. Alors matraquage pour matraquage, j'ose, avec aplomb, chose inouïe, lui dire qu'il n'y avait pas de sabotage de notre part mais erreur ou incapacité de la part de celui qui avait fait les plans que nous avions rigoureusement respectés. Plans sur table, je lui montre l'erreur que, pas trop bête pour un S.S., il admet sans discussion. Il me dit : « Du Baumeister (architecte? » J'étais déjà « Ingenior »; pourquoi pas aussi « Baumeister » ?

— Quentin (le spécialiste compétent) et moi (l'amateur) avons été désignés pour construire, dans un coin, une petite chambre destinée à Willy, le S.S. séminariste. Il était chargé de la surveillance et passait tout son temps dans les cuisines, du matin au réveil jusqu'au soir où les « Heizers » chargés de la préparation du café y étaient enfermés à clé pour la nuit. Willy était fainéant : il vivait péniblement ses journées à traîner sa peau en bâillant. Il attendait, avec impatience, ce local où il allait installer un mobilier de chambre à coucher et y faire de bonnes siestes. Les cloisons étaient en briques de très mauvaise qualité, grises, ternes, irrégulières. L'automne avec les mauvais jours était là. Nous étions bien au chaud, à l'abri, au calme, donc nous n'étions pas pressés de terminer ce travail, que nous nous appliquions à réaliser impeccablement. On montre à Willy qu'en frottant les cloisons avec du papier on arrivait à leur donner du brillant, puis ensuite qu'en passant au lait de chaux les joints de ciment, on rendait la chambre plus claire et plus gaie. Avec soin et une grande lenteur, on exécuta ces différents travaux. Willy venait souvent voir le résultat, approuvant et admirant.

— Quentin avait un défaut terrible : il était fumeur et souffrait terriblement d'être privé de tabac. Un matin, arrivant sur le chantier, pas de Willy mais sur la table, au milieu de la pièce, bien en vue, un paquet de cigarettes entamé. Evidemment, Quentin se précipite. Je l'arrête, sentant un piège et, en effet, sur une commode, dans un angle, une grande serviette cachait quelque chose. On voit, sur la serviette, des fils qui, déplacés, auraient indiqué notre indiscrétion. Pas de doute, c'était un piège? Prudemment, sans rien bouger, on aperçoit sous la serviette des victuailles diverses. Sur une table de toilette, comme oublié, un morceau de savon, chose très rare pour nous, inexistante même.

— Nous ne touchons à rien. Tard dans la matinée, apparition de Willy qui, directement, avant toute chose, va examiner le paquet de cigarettes, les compte, puis la serviette et, satisfait de son inspection, très gentil, se tourne vers nous. Alors, du haut de mon échafaudage, je lui dis ce que je pense : « Sachant que nous sommes démunis de tout, affamés, c'était inqualifiable de laisser à notre portée des tentations pareilles... que si nous avions été des voleurs, etc. Qu'il ne recommence pas un truc comme ça, mais que s'il était gentil il nous donne au moins le savon dont nous avions le plus grand besoin. » Du coup, Quentin hérita quelques cigarettes et il nous donna en plus du savon quelques galettes qu'il prit sous la serviette. De ce jour, notre réputation était faite; la confiance la plus totale nous fut accordée, nous étions au-dessus de tout soupçon. Cependant, il n'y eut pas de plus grands « comme ci, comme ça », de plus fieffés « gross filous » que nous! Nous étions bien placés pour cela aussi, les plus adroits « piqueurs » de tous ceux qui pullulaient dans le camp. La quantité de marchandise dérobée aux Allemands, que nous avons fait sortir au profit des camarades du dehors, est incroyable et cela dura des mois, tous les jours, souvent plusieurs fois par jour quand c'était possible.

— Le travail de maçonnerie terminé, Quentin et moi avons donc été définitivement affectés au kommando des cuisines (Küchekommando), comme « Heizers » (chauffeurs ». Cela aux environs de la mi-septembre 1944. Nous y sommes restés jusqu'à l'évacuation du camp (15 avril 1945). C'était la place idéale pour pouvoir aider au maximum nos malheureux camarades ayant des conditions de vie atroces à l'extérieur. Nous avions des devanciers et des concurrents experts dans ce genre de mission. Les Russes, les Polonais, les Espagnols, déjà employés aux cuisines depuis le début et qui étaient parfaitement organisés. Les communistes français avaient aussi une chaîne de solidarité qui fonctionnait, efficace et fort bien organisée, sous la haute autorité d'Auguste Havez. Mais il y avait également les kapos allemands et quelques individus cherchant à voler n'importe quoi pour leur bénéfice personnel et pour leurs multiples trafics. Les S.S. eux-mêmes et les soldats allemands ne manquaient pas d'en faire autant, à l'occasion. Aussi la surveillance aux cuisines était active (Willy était là pour cela), et elle ne cessa de se renforcer; Striekel y ajoutant même un spécialiste S.S. avec deux féroces chiens spécialement dressés.

— Employé dans les cuisines, il y avait, soit simultanément, soit alternativement, trois cuisiniers de profession, français : Combanaire, Henri Macau, Georges. Quand on parle de cuisine, il faut distinguer les cuisines des S.S. et de la troupe allemande employés au service de garde et d'accompagnement des kommandos à l'extérieur et les cuisines du camp, réservées aux détenus. Ce sont de ces dernières dont je parle toujours, car nous n'avions pas accès aux autres, situées à l'extérieur de l'enceinte, sauf parfois

Combanaire, dont la réputation de chef était connue et qui était désigné pour aller préparer quelques gueuletons à l'usage de ces messieurs. Chaque fois qu'il allait là-bas, c'était avec appréhension, car il était épié sans cesse, toujours insulté et menacé, souvent frappé, et sa vie y était en réel danger. Un jour, il fut roué de coups parce que, sur un légume servi à table, un S.S. trouva un point noir. La vie d'un déporté tenait à cela!

— L'autre cuisine, celle du camp, était immense. Elle comprenait trente-deux autoclaves, de 300 litres, installés par batteries de huit, et une gigantesque cuisinière à charbon avec trois fours. Cette cuisinière et les deux autoclaves les plus proches étaient utilisés en permanence, mais clandestinement, pour la préparation des mets les plus divers, commandés par les Unteroffiziers et les Gefreite (sous-officiers et caporaux) qui avaient seulement droit à la cantine de la troupe. C'étaient nos cuisiniers français qui avaient la charge de confectionner ces « extra », avec consigne formelle de s'arranger pour tout camoufler au cas d'une inspection intempestive. Ils savaient, d'ailleurs, que s'ils étaient surpris, ils auraient été accusés par ceux-là mêmes qui leur avaient commandé le travail, d'agir pour leur propre compte, et c'était certainement la potence qui les attendait. Cette cuisine clandestine donna, chaque fois que cela fut possible, lieu à des entourloupettes qui profitèrent aux camarades : les Allemands ne mangeant pas toujours ce qu'ils avaient prévu.

— Pour la cuisine des déportés, rien de plus simple : on remplissait les autoclaves d'eau, avec les épluchures des pommes de terre provenant des « pluches » (les pommes de terre épluchées allant aux cuisines allemandes). Quelquefois, les épluchures étaient remplacées par des légumes déshydratés de très mauvaise qualité et de goût, de carottes ou de feuilles de betteraves, même de simples betteraves, ce qui donnait quelque chose d'ignoble. Une fois, l'on vit arriver des tonneaux contenant de la saumure et du vinaigre, des feuilles d'orties que pas un homme, même le plus affamé, ne put manger. Dans les marmites, en principe, un ou deux cubes de margarine synthétique (pour 300 litres d'eau), lorsqu'ils arrivaient jusqu'aux cuisines, car la plupart du temps ils disparaissaient entre le magasin et les marmites, volés par les kapos qui s'en servaient comme monnaie d'échange dans des trafics de toutes sortes. Le café du matin était constitué d'une poudre de glands et d'eau. Jamais de sucre.

— Le personnel : nettoyage des autoclaves et des locaux; remplissage des « kessel » (marmites), devant porter la soupe aux blocks; lavage et stockage de celles-ci au retour : une trentaine de Russes et Polonais se bagarrant souvent entre eux. Composition et préparation des soupes : quelques Espagnols. Tous, sous la coupe d'un Espagnol : Lopez, brave type mais attentif à la qualité du travail. Plus cinq « Haizers » (chauffeurs) chargés de mettre en route les autoclaves, de cuire, à l'heure, soupe et café. Le travail était pénible car il fallait passer des heures autour des foyers, difficiles à allumer car nous n'avions pas de bois et du très mauvais charbon, quelquefois de la tourbe pour chauffer et arriver à cuire.

— Il y avait Gégène et Charlot; tous deux faisant équipe sur une locomotive du P.L.M. avant leur arrestation. Un autre dont nous nous méfiions (Alsacien-Sarrois), nous ne savions rien de lui; il parlait parfaitement l'allemand et était faux-jeton comme il n'est pas permis de l'être. Enfin, Quentin et moi. Nous ne dépendions de personne, que de nous, à condition d'être toujours à l'heure dans la préparation de la soupe et du café. Nous étions tranquilles et bien placés pour pouvoir aider, au mieux, nos camarades du dehors; ce que nous faisions tous au maximum, à l'exception du faux-jeton.

— Un kapo autrichien était unique dans son genre. Il s'appelait Orak. Au moment de l'occupation de l'Autriche par les nazis, il était en prison pour avoir, étant bedeau de la cathédrale de Vienne, la mauvaise habitude de fouiller les sacs à main des dames et de faire les poches et portefeuilles des messieurs visitant l'édifice sous sa conduite. Aussitôt, il est envoyé en camp de concentration (Mauthausen-Melk-Ebensee) où il est resté jusqu'à la chute du grand Reich, soit cinq ou six ans. A notre arrivée, il exerçait les fonctions de « friseur » (coiffeur). Puis il fut désigné comme kapo des « pluches » à Melk et responsable de quelques dizaines de gosses, de six à douze ans, internés; en majorité des enfants juifs dont les parents avaient été gazés. C'était un très brave homme, gueulant sans arrêt et agitant, le faisant tourner et siffler au-dessus de sa tête, un énorme « gummi ». Cette attitude était indispensable vis-à-vis des S.S. qui le considéraient comme un kapo consciencieux, efficace et énergique. Mais Orak, s'il faisait beaucoup de bruit, personne ne peut dire qu'il l'ait vu, une seule fois, frapper. Il était une véritable nounou pour les gosses qui l'aimaient bien. Comme kapo des « pluches » dont il avait la surveillance et la responsabilité, il nous tournait toujours le dos, ne voulant pas voir, lorsque nous allions tous les jours, parfois même deux fois ou plusieurs fois par jour, « piquer » d'importantes quantités de pommes de terre. Pommes de terre qui, une fois cuites en cachette par nos soins, allaient au secours de nos camarades de l'extérieur affamés. Parfois, nous voyant approcher, il se mettait à hurler avec véhémence, ce qui voulait dire : « Attention! Danger! Ne venez pas! »

— Mais il a fait beaucoup mieux et je lui dois encore une profonde reconnaissance, qu'hélas! je n'ai pas pu lui témoigner. Mon ami, l'abbé Hervouet, dans les premiers jours de notre arrivée à Melk, tomba gravement malade d'une double broncho-pneumonie, avec fièvre supérieure à 40°; ce qui ne l'empêchait pas d'être astreint au travail, comme les autres, sous le vent glacial d'avril, la pluie, dans son vêtement de toile imprégné d'eau et qui ne séchait ni jour ni nuit. Je le retrouve un soir, presque comateux, couché par terre dans un coin, à même la terre humide, sans réaction et presque inconscient. Je me souviens alors avoir vu, un jour, Orak dissimuler un chapelet dans sa main. Je vais le trouver et lui explique la situation de l'abbé, en lui révélant que je m'adressais à lui parce que j'avais vu, à son chapelet, qu'il était catholique, que je venais en ami, qu'il fallait qu'il fasse quelque chose pour un « Pfarrer », etc. Il avait, comme kapo, installé dans un angle du garage, à l'aide d'une couverture qui l'isolait, un petit coin où il vivait. Il y avait une couchette, une petite armoire et, au moment de mon intrusion, il se préparait à manger. Il avait, sur une tablette, une grosse boule de pain, un pot de graisse ou de margarine, un autre de confiture et du saucisson. A ma vue, surpris, sa première réaction fut de fermer au cadenas dans son armoire, ses provisions puis j'ai cru, un instant, qu'il allait appeler au secours. Enfin, m'ayant écouté sans un mot, il sortit. Le suivant, je le vois qui se dirige dans le coin où était installé ce que l'on osait appeler un Revier et qui consistait en un peu de paille jetée sur le ciment et sur laquelle agonisaient quelques malheureux. De loin, j'observais Orak discutant longuement, très longuement, avec un médecin puis, toujours sans un mot, il se dirigea vers sa « chambre », prit toutes ses provisions qu'il dissimula dans sa veste et alla les remettre au docteur. Ce dernier, alors, s'absenta une bonne heure (j'ai su plus tard qu'il avait été au Revier des S.S. où il avait pu obtenir des ampoules et une seringue). Il fit une piqûre à l'abbé, le traîna dans la paille et l'enveloppa dans une couverture, comble de confort! Le lendemain, il fut hissé dans un camion ouvert à tous les vents, avec d'autres malades, assis sur une caisse où avaient été tassés plusieurs morts et, dans cet équipage, conduit à 70 kilomètres, au Revier de Mauthausen, un peu mieux équipé. Là, il fut pris en affection par un infirmier catholique qui s'occupa de lui, le soigna et réussit à le faire affecter comme employé à l'infirmerie. De cette façon, il s'en tira et revit la France à la Libération. Cela grâce à Orak [1].

— Le kapo responsable des cuisines : Martin (nous disions Martine) et son adjoint : « der dick » (le gros)

1. En 1949, de passage à Vienne, je suis allé à la cathédrale et j'ai demandé à un prêtre des nouvelles d'Orak, après lui avoir dit tout le bien que l'on pensait de sa conduite. Il me fut répondu que, renseignés sur ses mérites, il avait été, à son retour, réintégré dans ses anciennes fonctions, mais qu'ayant trop pris goût au vin blanc on le retrouvait ivre-mort affalé un peu partout dans le Sanctuaire et que, pour satisfaire ses besoins de boire, il avait repris ses habitudes de pickpocket. En raison de quoi il avait fallu le licencier. Muni de son adresse, dans un faubourg lépreux et mal famé de Vienne, je n'ai pu le retrouver et le remercier comme il le méritait. Je le regrette profondément.

étaient bien. Rien à dire contre eux. Martin, Allemand de Bavière, en camp de concentration depuis douze ans, avait tellement été battu qu'il était complètement déhanché. Comme Orak, il ne voyait jamais rien lorsque nous nous procurions et sortions des suppléments pour les camarades du dehors, ou alors par des hurlements, à la méthode allemande, s'adressant à tous et à personne, il signalait un danger. Pour le personnage représentant le danger, une telle attitude était la preuve et une marque d'autorité.

— « Der dick », était effectivement énorme, lui aussi incarcéré depuis de longues années, ne s'occupait jamais du personnel gravitant autour de lui. Il s'occupait uniquement du dosage des matières devant entrer dans la composition des soupes, mais aussi et surtout de ses trafics personnels. Martin était un « rouge », donc un condamné pour opinions politiques, le Gros était un « noir », donc un droit commun. Un jour, on voit arriver dans les cuisines, revolver et cravache aux poings, tout l'état-major S.S. du camp. Hurlant comme des possédés, bavant de rage et de colère, ils se ruent sur le Gros et le rossent terriblement. N'importe quel animal recevant une correction pareille serait mort sur-le-champ. Lui n'émettait pas la moindre plainte et restait, sous les coups, dans un garde-à-vous impeccable. Si un coup plus fort le jetait à terre, il se relevait aussitôt. Autant vous dire que nous avions, de notre côté, vidé les lieux. Le motif de cette exécution? Ils traînent le Gros dans le réduit où il vivait, découvrent, sans chercher, une valise pleine de pierres précieuses, d'or, de valeurs diverses : une véritable fortune, qu'il s'était procurée en trafiquant la promesse de son aide aux nouveaux arrivants, les Juifs en particulier, très habiles pour cacher ces objets de valeur sur eux. Il avait certainement été dénoncé et vendu par quelques jaloux. Encore miraculeusement en vie, il est conduit à la Straffkompanie où il mit encore un certain temps à mourir.

— Maintenant, il me faut parler d'un personnage particulièrement pittoresque, vivant pratiquement dans les cuisines. Willy, un S.S. d'une trentaine d'années, ancien séminariste bavarois, je crois, gros et plein de santé, mais terriblement froussard. En 1944, il n'était pas allé, même un seul jour, au front. Le front, surtout le front de l'Est, était sa terreur; il avait aussi une peur effroyable des bombardements aériens. Sa mission aux cuisines était de veiller au bon ordre, ce qu'il faisait, et d'interdire tout trafic, ce qu'il faisait très mal.

— Enfin il y avait le Hauptscharführer (adjudant) S.S. Strieckel. C'était le responsable du ravitaillement de toute nature destiné au camp (vivres, charbon, etc.). C'était une brute sanguinaire, jouant du revolver pour un oui, pour un non, une terreur qui faisait le vide dès qu'il arrivait quelque part. C'était en particulier le bourreau de notre père Combanaire qu'il laissa plusieurs fois inerte sur le carreau. Combanaire, parlant de lui, le désignait encore, quinze ans après, avec une intonation haineuse, sous le terme de : « cette ordure ». Cependant, je dois honnêtement reconnaître qu'il était d'une conscience professionnelle remarquable, réussissant, sans mesurer sa peine, à trouver, alors qu'il n'y avait plus rien, plus de transports, tout étant désorganisé partout, un minimum de nourriture et le combustible indispensable pour la cuire. Je crois également, sans en être absolument certain, qu'il était le seul parmi les S.S. à ne pas trafiquer. Néanmoins, ce sauvage, rattrapé à la Libération, fut immédiatement fusillé par les déportés, ses victimes.

— C'est au bout des cuisines, reliées par une porte que se trouvaient les « pluches ». Voici, parmi d'autres, deux Français qui y travaillaient, tous les deux arrêtés pour résistance. Le chanoine Sigala, âgé d'au moins soixante-cinq ans, petit, trapu, carré, des yeux perçants, un accent de son terroir qui faisait plaisir à entendre. Il rouspétait sans cesse contre tout, les kapos, les Allemands qui, habitués, le laissaient dire; il était muni d'un bâton lui servant de canne. Personne ne peut dire l'avoir vu au cours des rassemblements et des déplacements, où il fallait impérativement marquer la cadence en frappant le sol du pied gauche, se mouvoir autrement qu'à contretemps et en râlant. L'autre, Claude Rivat, un peu plus jeune, ingénieur chimiste dans un laboratoire de parfumerie et qui, pour nous, était Cado-Ricin. Lui aussi était muni d'une canne qui ne lui servait pas à marcher mais qu'il brandissait au-dessus de sa tête d'un air furieux en grommelant : pour faire le vide autour de lui. Ces deux « anciens » avaient un moral d'acier qui faisait du bien à tous. Il y aurait beaucoup d'autres camarades à citer, qui ont marqué leur passage au camp de leur personnalité, mais je n'en citerai plus qu'un. Voilà dans quelles circonstances j'ai fait sa connaissance.

— Nous étions à Melk depuis quelques jours et je me trouve à côté d'un Français avec qui j'engage la conversation. Il dit s'appeler C..., être originaire de G... (ville que je connaissais bien). Je lui demande sa profession, il me répond « tôlier ». « Alors, lui dis-je, tu vas pouvoir me rendre service en me réparant, si possible, la boîte trouée dont je me sers pour la soupe. »

— « Espèce de c..., tu sais ce que c'est qu'un tôlier? » me répondit-il.

— « Oui, c'est un artisan qui travaille dans la tôle.

— « Eh bien moi, je ne suis pas ça, je suis le patron des bordels de G... ! »

— Qu'importe! C... s'est révélé pour moi, par la suite, un ami très sûr, très fidèle et combien efficace. Son amitié avait de la valeur car il savait se faire craindre et respecter. Personne ne lui cherchait noise, d'autant plus qu'il avait la riposte rapide et énergique et qu'il ne se laissait jamais brimer sans réagir avec violence. Dans l'ambiance où nous vivions, une amitié pareille était sans prix.

— Tout au début de Melk, nous logions au premier étage du garage, au-dessus des futures cuisines. La nuit, il fallait se dévêtir entièrement et se coucher nus. La nourriture, presque uniquement aqueuse, avait sur nos vessies des effets fréquents. Il fallait se lever et descendre dans le noir, simplement couvert d'une couverture, vers les w.-c. qui se trouvaient au bas de la rampe, dans la cour. Ces promenades répétées étaient un cauchemar, d'autant plus que des kapos, pour s'amuser, se cachaient, en embuscades, sur le parcours et assommaient, les blessant gravement, les malheureux obligés de sortir. Dans la nuit, l'on entendait les cris des victimes de ces sévices.

— Une nuit, je vois arriver près de moi C... qui me dit de m'habiller et de venir avec lui. « Ne pose pas de questions, me conseille-t-il, on va rigoler. » Une des nuits précédentes, il avait été attaqué et il s'était juré de se venger; les promesses de C... étaient toujours tenues. Le moment était venu. Il me donne un des deux manches de pioches, encore munis des ferrures servant à fixer l'outil et il m'explique :

— « J'ai repéré l'emplacement où les matraqueurs se cachent, j'ai aussi étudié la façon d'arriver sur eux par derrière à l'improviste et de les rosser à notre tour. »

— Aussitôt dit, aussitôt fait. Avec des ruses de Sioux, de tas de briques en tas de briques, l'on arrive sur le dos de trois kapos à l'affût. Nos manches entrent en action. Je n'aurais jamais cru que des crânes puissent avoir une telle résonance quand on tapait dessus! En un clin d'œil les trois salopards étaient étendus et ce fut définitivement terminé. A l'avenir, on pouvait aller faire pipi sans risque. Cette correction fut le commencement de la crainte que nous avons par la suite inspirée aux kapos qui devinrent prudents, et même aux S.S. qui, dès la tombée de la nuit, ne se risquaient jamais à l'intérieur du camp.

— Mais il y eut aussi d'autres représailles anonymes. Plusieurs fois l'on a découvert, assommés ou pendus, quelques méchants kapos. Le lieu de prédilection choisi pour effectuer les pendaisons était dans le fond de l'ébauche de tranchées-abris creusées dans la cour, entre les cuisines, le crématoire et la baraque des douches.

— L'amitié de C... était efficace et précieuse. Par son allure et sa décision, il passait pour une terreur à qui il ne faisait pas bon de se frotter. J'en ai, heureusement et personnellement, bénéficié. A Ebensee, séparé, par ma faute, à la suite d'une « escapade », du groupe solide des camarades au milieu desquels j'avais toujours vécu, je me retrouve seul, avec un autre Français, dans un block, le numéro 7, dirigé par un Polonais aidé par des Polonais. C'était l'enfer. Chaque nuit le kapo et ses aides pénétraient dans la stube et, au hasard, avec un garrot, étranglaient ou pendaient aux pieds d'un châlit quelques malheureux dont ils se partageaient, le lendemain, la maigre pitance. Sans arrêt dans la journée, c'était des matraquages fendant les crânes, cassant bras et jambes. Nous étions, véritablement, en perpétuel danger de mort. Par bonheur, je retrouve C... à qui j'explique la situation. Il me dit aussitôt : « Viens, on va arranger ça! » Il me suit, pénètre dans le block (ce qui était rigoureusement interdit; tout étranger y pénétrant avait beaucoup de chance de ne pas en sortir vivant), nous rejoint dans notre coin où aussitôt, signalé aux Polonais, nous les voyons arriver, décidés à nous faire un mauvais sort. Alors, C... tire de ses vêtements un magnifique poignard d'officier S.S. (où avait-il trouvé cet objet?) et, en poussant un rugissement, se rue sur nos assaillants. Ce fut une fuite éperdue. Il rattrape le kapo dans les lavabos et, le poignard sur la gorge, l'avertit qu'il fallait nous laisser tranquilles, sinon qu'ils auraient affaire à lui. Tout le temps que nous avons vécu dans ce block (quelques jours encore), C... venait régulièrement et bruyamment aux nouvelles; et nous ne fûmes plus menacés.

— Aux cuisines, nous étions en première ligne pour approvisionner la « Solidarité » en pommes de terre. « Dehors », ils étaient affamés. Avec la complicité, sinon l'aide tacite d'Orak, nous allions ouvertement aux « pluches » et nous sortions de pleins seaux de pommes de terre non épluchées. C'était toujours ça de moins pour la troupe et les S.S. Nous les faisions cuire dans les cendriers et la cendre, sous les foyers des autoclaves. C'était commode, mais il fallait faire attention de ne pas être pris, ce qui m'arriva un jour. J'étais accroupi devant un cendrier, en train de tourner les pommes de terre, enveloppé dans l'épais nuage de vapeur s'échappant des marmites lorsque je reçois une formidable bourrade dans le dos. Furieux et menaçant, je me redresse pour me trouver nez à nez avec le dangereux Strieckel. Dans le bruit, je n'avais pas entendu l'alerte régulièrement déclenchée à son arrivée. Heureusement que j'avais la cote et que ma réputation avait été jusqu'à lui. Me reconnaissant, il s'excuse : « Entschuldigung » (pardon) et sans insister il passe son chemin. Je crois que j'ai eu là la plus forte émotion de ma vie. Pris sur le fait par ce sauvage, je risquais d'être aussitôt abattu. Sortir des pommes de terre était relativement facile : dans les poches, les manches, les jambes de pantalon serrées en bas, ou mieux dans une brouette sous la cendre que l'on allait vider au dépotoir et que les camarades à l'affût venaient ramasser.

— Mais il y avait aussi les soupes. Une fois préparées, celles-ci étaient versées dans des marmites (« kessels ») d'une contenance de 50 ou 75 litres. Chaque block, en fonction de son effectif, avait droit à un certain nombre de ces « kessels ». Notre manœuvre consistait d'abord à se procurer une des rares marmites en excédent, à la garder soigneusement, puis lorsque les récipients des kommandos avaient été remplis, de se hâter de racler le fond des autoclaves vides pour y recueillir le dépôt du fond. On arrivait ainsi à avoir une espèce de crème beaucoup plus consistante que le liquide appelé soupe contenu dans les « kessels » officielles. Une sorte de *modus vivendi* s'était établi entre nous et, en principe, en principe seulement, nous avions chacun nos autoclaves. Mais il fallait toujours, sans arrêt, lutter pour conserver « ses droits » et arriver à remplir nos marmites. Ce combat de tous les instants était exténuant. Pour sortir cette soupe, c'était beaucoup plus difficile que pour les pommes de terre. Les marmites étaient volumineuses, pleines, elles étaient très lourdes. On profitait de la pagaille organisée et soigneusement entretenue qui présidait à la sortie des « kessels » des blocks. Il y avait toujours beaucoup de monde — plus que le nécessaire — qui tourbillonnait, se bousculait, criait à l'unique porte des cuisines. Dans ce désordre, on faisait passer le « rabiot » aux camarades. Martin, le kapo des cuisines, qui surveillait, voyait sûrement les resquilleurs, mais comme Orak, ne disait rien...

— Il nous était impossible de sortir des cuisines et d'organiser la répartition, cela aurait à coup sûr attiré l'attention sur nous et notre action. Personnellement, je faisais passer « mes provisions » à l'équipe de la désinfection des Français dont le patron était « le commandant Renaud ». Ce sont des hommes de la désinfection qui venaient au moment propice enlever ce que j'avais pu récupérer et en assuraient la distribution. Les autres, Quentin, Garnier, etc. avaient de leur côté mis au point un système. Garnier, qui travaillait « aux pluches » se contentait de sortir de grandes quantités de pommes de terre crues que ses clients se débrouillaient pour faire cuire. Certains se contentaient de les râper dans leur gamelle de soupe chaude. Ils disaient que c'était très bon et que l'on avait ainsi l'impression de manger du tapioca. Malheureusement, le pauvre Garnier se fit prendre un jour : les manches, la veste, les jambes de pantalon bourrées de tubercules. C'était trop visible. On aurait dit Bibendum. Il avait réussi des dizaines de fois. Hélas ! Il fut publiquement sur la place d'appel, condamné à recevoir cinquante coups de schlague. Punition terrible. Puis il fut envoyé en kommando de discipline d'où il ne serait pas revenu si l'évacuation du camp en catastrophe, à l'approche des armées russes, ne l'en avait pas sorti.

— En plus des pommes de terre et de la soupe, l'on arrivait aussi à « piquer » les choses les plus diverses. Ainsi, il arrivait parfois des bidons de lait déjà écrémé à blanc, destinés aux S.S. Régulièrement, on en prélevait jusqu'à cinquante pour cent, aussitôt remplacés par l'eau du Danube coulant dans les robinets. Du sucre cristallisé également. Il était assez facile d'en faire disparaître un sac sur la quantité avant qu'il soit comptabilisé et enfermé dans un genre de magasin situé à côté de la chambre de Willy. Un énorme cadenas sur un verrou condamnait la porte. L'ouvrir n'offrait aucune difficulté quand on avait appris à se débarrasser et à remettre, en un clin d'œil, les menottes de la Gestapo nous enserrant poignets et chevilles.

— Dans ce magasin, exclusivement réservé à nos gardiens, était entassé le produit de leurs rapines et de leurs trafics. Nous y faisions de sérieux prélèvements. Ainsi, en prévision de je ne sais plus quelle fête ou anniversaire, ils avaient accumulé pas mal de cochonnailles. La tentation était trop grande et, avec Quentin, enfermés pour la nuit dans les cuisines, on a eu la main un peu lourde. Notre butin sorti, aussitôt remis aux camarades avec consigne « de manger tout sans délai et de faire disparaître les os sans faute avant le jour ». Ce qu'ils firent. Mais le comptable du magasin s'aperçut qu'il y avait des manques dans ses réserves. Aussitôt, examen attentif du cadenas, de la porte, de la lucarne munie de barreaux et de grillages. Tout était impeccable, aucune trace d'effraction qui décide une fouille immédiate de tout le camp. Notre étonnement fut encore bien plus grand lorsque l'on apprit que les os de jambons et de petit salé, cependant soigneusement enterrés par nos camarades, avaient été découverts... cachés dans les paillasses chez les Russes. Les malheureux furent soumis, pendant quarante-huit heures, sans arrêt, à une séance de dressage terrible. Debout, couchés, marche en canard avec un sac de sable ou de pierre de 50 kilos sur les épaules, ramper dans la boue. Ce fut atroce. Il n'y avait que des Russes, avec leur tempérament, pour tenir sous un tel régime.

— La surveillance des cuisines fut renforcée après cet incident. On vit arriver un S.S. meneur et dresseur de chiens de garde et d'attaque. Ces chiens étaient féroces, avec des gueules et des crocs impressionnants. Au début, ils ne pouvaient pas nous voir; il était dangereux de passer à leur proximité. Leur gardien était une brute qui les maltraitait, les cravachait sans cesse et tirait violemment sur la chaîne reliée à leur collier muni de pointes acérées. Peu à peu, ils s'habituèrent à nous, devenant indifférents à notre égard. Ils finirent par accepter un morceau de pain qu'on laissait tomber à leur portée. Enfin, au bout de très peu de temps, ils se civilisèrent tout à fait. Laissés seuls la nuit avec nous, bouclés dans les cuisines, ils finirent par nous avertir par leurs grognements, leur attitude inquiète, de l'approche de leur maître et même de tout S.S. Hélas! l'un d'eux poursuivant avec ardeur un énorme rat qui passa sous les barbelés à haute tension, entraîné par son élan, heurta les fils et fut électrocuté. Après cet incident, son compagnon fut retiré des cuisines.

— Il nous arrivait, à nous aussi, de parfois nous livrer à un trafic : ainsi pour trouver au profit d'un camarade (le capitaine Meaudre de l'aviation) une paire de chaussures dont il avait un besoin urgent, j'ai « piqué » dans le fameux magasin environ un kilo de sel. Le sel faisait totalement défaut dans le Reich pendant la guerre. Le peu qui était extrait des mines était réservé à l'armée. Avec ce petit sac de sel, par l'intermédiaire d'un des maçons autrichiens travaillant avec nous, j'ai obtenu une paire de souliers en cuir, presque neufs.

— Willy avait une frousse intense des bombardements aériens. Aussi, lorsque sa présence devenait gênante, il suffisait de crier : « Flieg-alarm » pour le voir détaler vers les abris, nous laissant ainsi la place libre. A côté des autoclaves derrière lesquels étaient dissimulées nos « kessels », prêtes à sortir. Donc rien à faire tant qu'il serait là. Nous étions en janvier, il faisait très froid, aux environs de moins 20°. Les Russes avaient lavé, au jet d'incendie, les locaux, faisant couler ainsi par la porte une grande quantité d'eau qui avait gelé et formait une magnifique patinoire. Censé revenir de vider des cendres, je rentre aux cuisines, en prenant beaucoup de précautions pour traverser le miroir glissant qui s'étendait à l'extérieur et en criant à pleins poumons : « Gross Fleiger-alarm. » Entendant cela, Willy, la figure pleine de savon, abandonne le rasoir, attrape sa veste et, à toute vitesse, il fonce vers la sortie, bousculant tout sur son passage. Sans ralentir il se lance sur la glace, dérape, tombe dans un fracas énorme, glisse sur le dos sur une longue distance, se relève, non moins vite, et disparaît derrière le mess des S.S. Tard dans la soirée, il revient, le bras dans une attelle et en bandoulière. Lui présentant mes condoléances pour son accident, je lui dis tout à coup : « Mais c'est une blessure de guerre! Tu es un blessé de guerre! Tu vas recevoir la Croix de Fer! » S'apercevant que je me moquais de lui, il devient mauvais. Aussi je n'ai pas insisté, mais nous avons bien ri et de son courage et de sa bûche.

— Malgré la surveillance, nous avions l'adresse de rouler les Allemands qui n'y voyaient rien. Le ravitaillement à l'approche de la fin devenait de plus en plus difficile et même pratiquement introuvable. Strieckel (je l'ai déjà dit) faisait des miracles et, avec beaucoup de conscience et de travail, s'efforçait néanmoins de trouver quelque chose.

Revenant d'une prospection, il fait, un jour, décharger des pis de vaches dont il avait rempli un demi-camion. En même temps, pour l'usage de la popote des sous-officiers, il avait rapporté deux porcs. Il demande à Combanaire et à Georges — ou Macau? de les leur préparer. Ce n'était guère difficile ni compliqué : tout était mis à bouillir des heures dans deux autoclaves, et ils se régalaient de cette cuisine! Combanaire était furieux et disait : « Il n'y a pas de raison que nous mangions des pis de vaches et que ces « ordures » s'envoient du porc. On va arranger ça! » Il fait hacher soigneusement les pis en espèce de bouillie qu'il mélange avec la farine, des oignons en quantité, et qu'il assaisonne avec un ersatz de poivre dont nous nous servions quotidiennement. Il roule le tout en boulettes. récupère un peu de graisse de porc et fait frire ces boulettes qu'il appelle « fricandelles ». Les Allemands ont trouvé cela délicieux, déclarant n'avoir jamais mangé quelque chose d'aussi bon. « Ah! la cuisine française! » Inutile de dire que les porcs n'ont pas été perdus et ont également été appréciés par d'autres!

— Ce que l'on mangeait n'était pas toujours très appétissant, mais la faim était tellement lancinante! Et puis l'on ne savait pas ce qu'il y avait dans les marmites. Ainsi, un jour, arrive un camion de carottes destinées aux détenus. Ce légume faisait un potage plus apprécié que celui présenté normalement. Des carottes crues étaient passées en cachette aux camarades souffrant de scorbut, ainsi que des oignons quand il y en avait et qu'il avait été possible d'en « piquer ». Der Dick, installé sur un tabouret, découpait ces carottes au moyen d'un immense hachoir se composant d'une cuve large d'environ 1,50 mètre, dans laquelle tournaient, à très grande vitesse, des couteaux horizontaux. Les carottes étaient jetées à la pelle dans la cuve : inconscient, le Gros les poussait à mains nues vers l'orifice d'évacuation. Une maladresse et il se fait couper trois doigts de la main droite. Il va se faire panser et revient avec un gigantesque pansement en papier. En son absence, le hachage des carottes est terminé et elles passent dans la soupe. Le lendemain matin, impossible de tirer le café au robinet qui ne coulait plus. Démonté pour être réparé, l'on trouve dedans un des doigts du Gros, cuit à point. L'on n'a pas retrouvé les autres. Qu'importe ce détail puisque la soupe était bonne.

— Vers avril 1945, avant l'évacuation du camp, l'aviation alliée ne trouvant plus d'opposition, pilonnait sans cesse villes, voies de communications, lâchant des bombes un peu partout, en raid de terreur pour finir de démoraliser les populations. Un village, une ferme isolée devenaient des objectifs. Un kommando spécial avait été constitué pour aller déblayer les ruines, rétablir si possible un embryon de circulation.

— La gare d'Amstetten, gare de triage à une vingtaine de kilomètres de Melk, en direction de Linz, fut écrasée sous un terrible bombardement. Du camp l'on voyait les avions passant et repassant, piquant, et les chapelets de bombes s'abattant. On aurait dit des colonnes reliant les avions au sol. Tout vibrait et tremblait autour de nous. Les camarades travaillant dans une scierie à Amstetten, et ceux envoyés pour le déblaiement, nous racontèrent le spectacle affreux qu'ils avaient découvert. Des wagons éventrés, empilés les uns sur les autres sur plusieurs hauteurs, des trous énormes, les bâtiments rasés, mais le plus horrible : dans la cour de la gare un énorme abri enterré dans lequel s'étaient empilés de nombreux voyageurs surpris par l'alerte. Le secteur avait été arrosé de bombes incendiaires au phosphore, dont plusieurs explosèrent sur l'abri. La chaleur développée par le phosphore atteignant plus de mille degrés, ils avaient été étouffés et cuits dans cette gigantesque marmite. Malgré la haine qui nous animait tous envers nos bourreaux, les camarades, même les plus endurcis, sont revenus très émus et pleins de pitié. Mais ils n'avaient pas, pour autant, omis de remplir leurs camions de sacs de haricots destinés au front de l'Est, trouvés dans les wagons éventrés. Ces haricots firent une soupe encore meilleure que la soupe aux carottes et aux doigts du Gros, mais comme ils voyageaient certainement depuis longtemps, et qu'ils avaient souffert de l'humidité, ils étaient germés et la soupe déclencha chez ceux qui en mangèrent (c'est-à-dire tous) une crise d'entérite et de diarrhée. Sans gravité heureusement.

— Une autre fois, le kommando revient de déblayer une importante exploitation agricole, complètement détruite. En arrivant, ils déchargent aux cuisines des quartiers sanguinolents de viande dans lesquels on reconnaissait facilement des morceaux de vaches, de moutons, de chèvres ou de chiens, mais aussi des morceaux qui ont été baptisés porc, mais j'ai bien l'impression, sinon la certitude, que c'étaient sans doute quelques morceaux de porc mais aussi de fermier, de fermière et de personnel de la ferme. Heureux de cette manne, les camarades avaient tout ramassé avec soin, ne laissant rien. Ce fut, en définitive, un excellent bouillon gras, très apprécié, mais que personnellement je n'ai pas eu le courage de goûter. Je n'ai fait part de mes soupçons à quelques camarades que longtemps après, ne voulant pas, par cette révélation, gâter ni leur digestion, ni le plaisir évident qu'ils avaient eu à déguster ce bouillon et les morceaux de viande qu'il contenait.

— En principe, nous ne sortions jamais, vivant entre les lieux de notre travail et notre block attenant. Nos appels n'avaient lieu qu'une seule fois par jour, le soir, dans les cuisines et ils étaient passés par Willy. Ils duraient au maximum dix minutes, car il fallait nous remettre au travail. La soupe devait être prête à l'heure. Malgré ces avantages, notre emploi était exténuant et nous ne pouvions pas nous permettre la moindre flânerie car nos camarades n'auraient pas eu, cuite et chaude à point, l'ersatz de soupe que nous fabriquions et qu'ils attendaient évidemment. Nous étions pris environ quinze à seize heures par jour. La nuit, le café; le jour : deux soupes, celle de midi et celle du soir. A peine une préparation terminée, il fallait aussitôt se mettre à la suivante. Un seul d'entre nous, à tour de rôle, s'occupait du café, distribué vers 4 heures du matin. Il en avait pour toute la nuit et, immédiatement après, il se mettait à préparer les feux pour la soupe de midi. C'est-à-dire que, pendant vingt-quatre heures, il n'était pas question pour lui du moindre repos. Entre chaque fournée, il fallait éteindre et vider les feux pour permettre le nettoyage des autoclaves; ce qui ne pouvait se faire que s'ils étaient froids.

— Il fallait donc rallumer les feux trois fois par vingt-quatre heures et nous n'avions ni bois ni papier. On resquillait tout ce que l'on trouvait. Pour le papier, on éventrait des sacs de ciment dont on répandait le contenu par terre. Pour le bois, c'étaient des manches d'outils, des bois de coffrage; à défaut, des brouettes étaient démolies et coupées en menu bois, mais pour faire nos bûchettes, nous ne disposions pas de hache! On allumait d'abord un seul feu, puis celui-ci bien parti, on prélevait quelques charbons enflammés qui permettaient de démarrer le foyer suivant; et ainsi de suite pour une trentaine de marmites. Il fallait sans cesse courir de la soute à charbon aux feux pour alimenter ceux-ci en combustible et nous ne disposions que d'un seau pour cela. Le charbon était d'une qualité infecte (quand ce n'était pas de la mauvaise tourbe). Les foyers se remplissaient de blocs de scories énormes qu'il fallait sans arrêt casser et extraire, et par-dessus le marché, une suie grasse et collante colmatait les cheminées qui ne tiraient pas. Enfin, c'était un travail pénible qu'il fallait toujours faire en courant. Quant aux avantages alimentaires, je certifie sur l'honneur que nous ne bénéficiions pas de quantités, ni de qualités supérieures à celles qu'avaient nos camarades du dehors. A la Libération, je ne pesais plus que 39 kilos, pour 1,72 mètre. J'avais perdu pendant le séjour là-bas dans les 40 kilos. Les camarades étaient dans mon cas.

— Un jour (trente ans après, mes amis en rient encore), arrive un civil allemand qui fait décharger, avec des précautions infinies, un gros autoclave d'un modèle jamais vu, destiné, paraît-il, aux troupes du front. Matériel étudié et très perfectionné, permettant de chauffer très vite, avec le minimum de combustible. Le civil était l'inventeur et il venait mettre au point l'appareil dans nos cuisines. Un enquiquineur de première grandeur, râlant sans cesse, jamais content. Je ne vois d'ailleurs pas du tout comment, sur le front, dans des conditions précaires, les utilisateurs futurs auraient pu réussir à installer, avec tant de soins, de fils à plomb, etc. cet instrument dont le volume et le poids étaient prohibitifs. Mais le génie allemand n'en était pas à cela près! Enfin, l'autoclave est en place et, sous la haute surveillance du gars, on remplit d'eau la chemise entourant la marmite et la marmite elle-même. On allume. Sans être vu, je glisse un petit morceau de bois, à peine plus gros qu'une allumette, mais suffisant pour bloquer la soupape de sûreté. La pression monte tellement, et tellement vite, que le tout explose dans un nuage de vapeur. Le fond de l'autoclave, arrachant au passage le couvercle, vole en l'air avec une telle force qu'il fend, sous la violence du choc, le plafond en ciment armé servant de piste de roulement aux véhicules du premier étage du garage. Après cet incident, l'inventeur disparut. Le matériel est resté sur place, déchiqueté, jusqu'à la fin de Melk. Les soldats du front n'ont pas eu d'autoclave amélioré.

— Les journées étaient longues et ennuyeuses à passer pour Willy dans les cuisines, aussi il s'était inventé une distraction sportive. A côté du fourneau, sous une grande baie vitrée, exposée plein sud, il y avait une table servant à découper les viandes à cuire pour les sous-officiers S.S. Elle était toujours un peu grasse et attirait beaucoup les mouches, surtout lorsque le soleil donnait sur la table. Willy, avec une marche et des précautions de Sioux, s'avançait et, d'un geste rapide, raclant la main, il attrapait un certain nombre de mouches qu'il projetait violemment sur la table pour les assommer. Puis il comptait ses victimes, notait son score. Pour attirer davantage de proies, il lui arrivait également de répandre du sucre en poudre. Je trouve une aiguille et une vieille plume que je plante sur le plateau de la table et que je casse au ras, laissant seulement dépasser les pointes métalliques de quelques dixièmes de millimètre. Le pauvre chasseur de mouches s'est, au premier essai, copieusement entaillé (sans gravité je le précise) la tranche de la main; furieux, il a fait beaucoup de bruit, s'est promené plusieurs jours avec un pansement mais a définitivement cessé ses exploits cynégétiques.

— Se trouvant trop resplendissant de santé et trop gros, Willy s'inquiétait sérieusement, craignant que sur la vue de sa forme resplendissante il soit désigné pour le front. Aussi se met-il à faire, en chambre, de la gymnastique pour essayer de maigrir. Il n'était pas très calé dans cette matière et ne savait trop comment faire. Je lui indique quelques exercices de gymnastique suédoise, qu'il exécutait à mon commandement. Sans résultats. Alors je lui explique que ces exercices n'étaient pas assez énergiques, ni assez fatigants pour arriver à perdre des kilos. Je lui indique « la marche en canard », comme particulièrement efficace (cette marche en canard faisait partie des punitions appliquées aux détenus; on ne pouvait la subir longtemps et peu y résistaient). Il s'y met et très vite trouve l'exercice exténuant. Je lui explique que sa pratique, en rond autour d'une table, dans une petite chambre, ne pouvait donner les résultats envisagés, qu'il était logique et normal de pratiquer cette marche en ligne droite. Il est d'accord, j'ouvre la porte de la chambre et notre Willy s'en va, accroupi, se dandinant, les mains derrière la nuque et fait irruption dans la cuisine, moi le suivant en donnant la cadence à pleine voix. C'était d'un comique! Mais infiniment moins drôle que la tête et l'air ahuri des camarades travaillant dans le coin et jouissant du spectacle.

— Je n'ai raconté que ce que j'ai vu car mon champ d'observation était limité exclusivement aux cuisines et à notre block mitoyen. Nous y passions tout notre temps, très rarement nous avons eu l'occasion, ou le temps, d'aller plus loin, ne serait-ce qu'à l'intérieur du camp. Cela explique que ce pauvre Willy est devenu notre tête de Turc. Nous n'avions que lui sous la main. Il n'était pourtant pas méchant, c'était un brave type mais qui avait le tort de porter la tenue ornée d'une tête de mort, de l'aigle tenant entre ses griffes la croix gammée et, sur le revers du col, les deux lettres S. en caractères runiques. Ces simples détails suffisaient à le faire mettre au rang de ses brutes de collègues, sinon à le faire haïr comme les autres.

— Nous étions cinq responsables de la cuisson des soupes et des cafés destinés à plusieurs milliers d'hommes, et avions la lourde responsabilité, vis-à-vis de nos camarades, d'être toujours prêts à l'heure et aussi que la misérable nourriture qui leur était destinée soit cuite et chaude à point. Nous n'avons jamais failli à notre tâche, même une seule fois, malgré le mauvais charbon mélangé pour moitié de terre et de pierres et la tourbe qu'il était extrêmement difficile d'enflammer.

— En réalité, je suis sorti du camp en dehors de mon séjour au Sandkommando une seule fois. C'était la veille de Noël 1944. Notre camarade, « consul », Jacquet, parfait homme du monde, fourvoyé dans notre Cour des Miracles où il était moins à l'aise qu'en habit dans un salon, était malade. Il était couvert de furoncles, souffrait beaucoup et était extrêmement douillet de surcroît. Je faisais un peu auprès de lui l'infirmier, lui remontant le moral, l'aidant à manger, le soutenant lorsqu'il avait besoin d'aller aux w.-c. Le 24 décembre, au réveil et à l'appel des komandos, il déclare être dans l'impossibilité absolue d'aller travailler au bord du Danube, à la construction de la station de pompage. Pas question d'essayer de le faire entrer au Revier, où d'ailleurs il n'aurait pas été admis, n'étant pas assez malade; il fallait avoir au moins quarante de fièvre pour avoir une petite chance d'y entrer. Et le Revier était l'antichambre du crématoire! Je venais de rentrer des cuisines où, de nuit, j'avais préparé le café. Celui-ci distribué, les foyers vidés de leurs cendres, regarnis, prêts à être allumés pour la soupe, j'avais enfin quelques heures de repos. Nous avons décidé, avec Marc Zamansky qui faisait fonction de kapo au kommando du Danube, de le cacher dans une baraque et que je prendrais sa place pour aller travailler; Quentin, à son tour, me remplaçant aux cuisines pendant mon absence.

— Au passage devant le poste de police, ou à l'annonce du kommando se présentant pour sortir, un comptage rigoureux était effectué, tout se passa bien. Au retour, pareil. Nous avions peur qu'un des S.S. préposé au comptage et habitué à voir plusieurs fois par jour les mêmes silhouettes, plus attentif ou plus perspicace et astucieux, s'aperçoive de la substitution. Cela aurait été très mal alors. Heureusement, il n'en fut rien. Tranquillement, on se dirige vers le chantier, entre le fleuve, la route, la voie ferrée et la falaise. Arrivé sur les lieux, tout le monde s'installe pour passer au mieux la journée. Il faisait froid et de gros flocons de neige épars tombaient lentement. J'ai vu passer sur la route des femmes venant de faire des achats. L'une d'elle portait un petit cheval en bois destiné à un enfant. J'ai eu le cœur bien gros en pensant au Noël des miens, là-bas, bien loin et dont j'étais sans nouvelles. Cette sortie, que j'avais considérée comme une distraction, fut en réalité une source de tristesse et d'ennui pour moi.

— Jamais je n'ai autant ressenti la poésie et la tendresse d'un Noël que ce jour-là, sur les bords du Danube.

Un jour comme les autres.

— C'est [1] un matin d'hiver en janvier 1945. Il fait encore nuit. Nous sommes rassemblés dans la cour de l'ancienne caserne des Pionniers et nous attendons le départ du travail. A 5 heures moins le quart, un des Espagnols chargé de la police de nuit à l'intérieur des barbelés, sonnait la cloche primitive faite d'un tuyau de fonte pendu à une chaîne. A ce signal, il n'a pas fallu traîner pour s'habiller, boire le « café » et manger le huitième de boule de pain. Ce matin encore, nous n'avions pas d'eau aux lavabos du block et c'est le troisième jour que je ne me suis pas lavé.

— Soudain Houli, l'Oberkapo chargé de la discípline des deux mille cent détenus qui vont sortir, arrive, accompagné du Feldwebel. Il compte chaque rangée par cinq et si, par malheur, l'un d'entre nous s'affaisse et tombe d'inanition, à grands coups de poing et de pied il saura ce qu'il en coûte de déranger ces messieurs en plein travail. Houli est un détenu tzigane, de taille moyenne et particulièrement bien musclé si l'on juge par la facilité avec laquelle il casse un manche de pelle sur la tête d'un retardataire ou d'un malade. Sa mâle figure aux yeux noirs n'a rien des traits caractéristiques du criminel, mais plutôt de ceux d'un sportif aventurier et sympathique. Alors que nous sommes

---

1. Manuscrit inédit Pierre Pradalès (septembre 1973).

misérablement vêtus et chaussés de sabots rafistolés, lui s'habille avec une élégance des plus recherchées. Il porte tantôt des bottes tantôt des chaussures de marche confortables, ou des sandalettes de repos. Sa canadienne est barrée de traits rouges soigneusement peints de haut en bas, et en largeur, des fenêtres en tissu rayé sont aussi découpées dans le dos de ses confortables pardessus, pour faciliter les recherches en cas d'évasion. Houli porte des complets ajustés et cintrés, taillés dans les meilleurs tissus rayés dont dispose son ami kapo tailleur qui ne lui refuse rien, car Houli satisfait une de ses passions majeures en lui apportant du schnapps.

— Ce précieux schnapps ouvre toutes les portes des puissants responsables de l'intérieur : que ce soit aux blocks, aux bureaux, à l'infirmerie, aux magasins, au tailleur et aux cuisines. Mais il n'est pas facile de se le procurer et Houli, à ce titre, est un précieux intermédiaire. Les dents en or, arrachées aux cadavres de l'infirmerie sur les ordres des S.S., ne sont pas toutes récupérées par ces messieurs. Avec la complicité du kapo de l'infirmerie, certaines sont utilisées justement par notre Oberkapo qui les échange contre de l'alcool à des travailleurs civils de la mine. Et c'est pour cela qu'Houli bien vu par le commandant S.S. d'une part, possesseur de monnaie, d'autre part, jouit à l'intérieur du camp d'un standard de vie bien supérieur à n'importe quel kapo. Houli est un criminel, un droit commun jugé et condamné. Il porte le triangle vert à côté de son matricule...

— Mais voilà que les lumières du poste de garde viennent de s'allumer. Nous allons sortir. Le long serpent de détenus en guenilles s'allonge sur la route. Ils quittent leur béret au cri de « Mutzen Hop » lancé par le kapo chef de centaine. Toutes les têtes, barrées d'une large raie rasée de quatre doigts partant du milieu du front jusque derrière la tête, se couvrent, au nouveau signal du kapo, de coiffures les plus diverses allant du bonnet russe pointu au béret avec protège-oreilles rapportés par d'ingénieux couturiers.

— Houli contrôle la sortie. C'est la vingt-troisième fois

que nous sommes comptés ce matin; je me suis amusé à le vérifier : ce fut d'abord par le Schreiber, puis par un aide bureaucrate du block, ensuite par le chef du block, enfin par le kapo qui nous prit en charge. Chacun recommença plusieurs fois avec force coups de gueule... et de poing...

— Nous marchons maintenant sur la route. Carette, mon ami belge, est à mes côtés. Il me fait part de ses rêves et de ses inquiétudes immédiates : le rabiot de soupe est de plus en plus difficile à trouver quand on rentre le soir, me dit-il. Et il poursuit: « Ce soir c'est la soupe sucrée, tu ne pourrais pas penser un peu à moi? » J'aurai peut-être une soupe d'un litre d'un camarade espagnol qui m'aide assez régulièrement par simple solidarité d'opinion; nous partageons, il me passera un peu de pain qu'un infirmier « commerçant » échange contre des cigarettes. Justement, il lui en reste encore une des cinq qu'il a touchées contre le « bon pour un mark » que le chef de chantier lui a donné, non sans mal, il y a quelques jours. Tout en parlant, nous nous appliquons à garder nos distances pour ne pas prendre un coup de crosse de fusil d'un Posten, à moins que ce ne soit un coup de tube de caoutchouc d'un kapo.

— Carette poursuit sa conversation. Il m'apprend qu'un camarade de bureau lui a dit, hier soir, que cinquante-quatre morts avaient été inscrits dans la journée. A cette cadence, l'effectif du camp diminue vite et de huit mille nous passons à sept mille en moins d'un mois. Mais nous ne nous attardons pas en réflexions pessimistes. Nous nous évadons par la pensée bien loin dans le temps et l'espace, en Belgique, en France, avant guerre...

— Nous marchons au pas, de nos sabots traînants, plus ou moins démontés, blessant nos pieds abîmés. Attention de ne pas heurter ceux du camarade qui précède; qu'il soit Russe, Polonais, Grec ou Français, il n'emploiera pas les mêmes mots mais dira presque toujours la même chose, dans des termes qui ne sont pas pour de prudes oreilles.

— Houli est à la tête de la colonne. Il plaisante en allemand avec quelques « beaux jeunes gens » qu'il protège. La différence entre eux et nous s'établit immédiatement à l'aspect physique: le poids, le teint, le pardessus confortable, le chaud bonnet fourré avec cache-oreilles, les bonnes chaussures. Ce sont des signes extérieurs qui les distinguent des prolétaires. Ils auront des places de choix, surveillant d'une dizaine de détenus ou « planqué » aux compresseurs qui fournissent l'air comprimé à toute la mine, ou encore comptable au magasin d'outillage.

— Sur le côté de la route, passe un « Posten » avec un chien policier dressé pour la recherche des évadés.

— Nous attendons une heure notre train qui vient de la direction de Linz. L'attente se prolonge alors que toutes les dix minutes, des trains de marchandises, de matériel et de troupe, de rares civils et de militaires passent rapidement en direction de Vienne qui se trouve à 70 kilomètres.

— Enfin, notre vieille locomotive apparaît suivie des vingt wagons de marchandises que nous connaissons bien depuis le temps que nous l'utilisons. Nous montons deux par deux, nous devons nous tenir par le bras pour faciliter le comptage. Nous sommes entassés de chaque côté de la porte centrale à laquelle nous devons tourner le dos, et surtout ne pas chercher à tourner la tête, la schlague du kapo veille.

— Nous sommes tellement serrés les uns contre les autres, sans autre bagage que notre fidèle gamelle en forme de cuvette accrochée à la ceinture, qu'à plusieurs reprises j'ai pu lever mes deux pieds en même temps sans m'affaisser pour cela. Cette performance est irréalisable dans le métro à Paris où pourtant les compressions sont à un tel point sérieuses que les vitres en sont parfois cassées. Les paroles de mauvaise humeur se font entendre en même temps que des poussées et un peu de bousculades dans le fond du wagon. L'explication est dans cette exclamation de Carette: « Quelle odeur! » La soupe aux choux déshydratés et aux betteraves sucrières travaille étrangement les intestins... et il n'est pas toujours facile de se retenir... Carette évoque à ce moment-là notre voyage de trois jours, de Compiègne à Mauthausen: « Nous étions plus de cent dans un wagon aux lucarnes bouchées. Nus, comme des bestiaux. Cent assoiffés qui se battirent quand les S.S. leur donnèrent de l'eau, par deux fois. » Et il conclut: « A quoi peuvent-ils nous réduire. Ah! les salauds! » Nous arrivons, nous nous hâtons de quitter ce wagon qui sent le fumier.

— Comptés à nouveau sur le quai, nous regardons le soleil rouge qui apparaît au-dessus de l'horizon vers le petit bois de pins, là-bas, sur la colline qui couvre l'usine souterraine creusée dans son flanc. C'est là que nous allons travailler.

— Nos camarades de l'équipe de nuit sont alignés sur la gauche de la route cimentée. En tête, trois cadavres sur des brancards. Au passage, les camarades que nous relevons nous demandent: « Est-ce du café ou de la soupe ce matin?» Ainsi, chaque équipe au retour quête les informations alimentaires de l'équipe qui arrive : « Quart ou huitième de boule de pain? margarine, fromage? salami? marmelade? »

— La hantise de manger aura été terrible, elle obsédait totalement certains cerveaux.

— Bientôt nous arrivons sur le terre-plein de sable tiré de la colline. Nous nous divisons en équipes pour les différentes galeries: A, B, C, D, E, F. Les contremaîtres des firmes allemandes chargées des travaux sont là. Chaque kapo prend son compte d'hommes en accord avec le Meister civil.

— La A est la plus ancienne galerie déjà bétonnée sur 100 mètres de long. Là, il ne fait pas chaud, mais au fond, où nous allons avec Carette, il fait bon.

— La B a des kapos français: avec eux on peut s'arranger. C'est la plus longue galerie. Elle atteint presque l'autre côté de la colline.

— La C est la galerie la plus chaude.

— La D a un kapo grec et beaucoup de ses compatriotes préfèrent aller avec lui.

— La E est surveillée par un assez chic kapo italien, mais elle est humide; avec la F c'est la plus mauvaise galerie.

— A la F, l'eau suinte partout et les pompes n'arrivent pas à assécher les grandes flaques d'eau. Beaucoup de nos camarades ont attrapé là les derniers coups nécessaires pour abattre leur fragile carcasse. Les kapos y sont de cyniques assassins.

— Carette et moi, nous nous dirigeons vers les « spécialistes ». C'est un des meilleurs kommandos qui n'a pu nous embaucher qu'après des mois de travaux divers: poseurs de rails qui se disputent, accusent l'« autre » de ne pas porter, boiseur et porteur de troncs d'arbre, pousseur de wagonnets, à la chaîne, sous les coups, en équipe avec des gars épuisés et amorphes, brouetteur dans les galeries basses, cela vous brise les reins, mineur travaillant au marteau pneumatique. Nous connaissons tout cela. Nous avons tout fait, sauf le kapo.

— Beaucoup de nos camarades qui se trouvaient avec nous au début des travaux sont morts d'épuisement. Les « anciens » dont nous sommes, ont pris les meilleures places disponibles avec le développement des travaux.

— Je vais chercher ma lampe à carbure au magasin pendant que Carette se débrouille, à la forge, pour trouver des colliers indispensables au raccordement des tuyaux d'air comprimé.

— Equipés, nous nous dirigeons vers le fond de la A. Les galeries latérales bétonnées et claires sont équipées industriellement avec de grosses machines qui tournent des roulements à bille. L'entrée nous est interdite. Nous allons plus loin, au fond. Là où l'on attaque le sable dur au marteau piqueur, où l'on élargit les galeries creusées primitivement, où l'on monte les carcasses de fer qui enchassent les panneaux de bois destinés à maintenir le béton et une voûte invulnérable aux bombardements.

— Je suis électricien, chargé du prolongement des lignes au fur et à mesure des avances, chargé également des réparations de toutes sortes: court-circuit dans les armatures de béton et surveillance des tapis roulants qui portent le sable au déversoir à l'extérieur. Que la lumière s'éteigne, que le tapis s'arrête, c'est le branle-bas. Il faut trouver la cause et réparer en vitesse. Si la réparation tarde, le Meister civil n'hésitera pas à donner une volée de coups de canne ferrée et le surveillant S.S. ira de ses vingt-cinq coups sur les fesses si, à ce moment-là, occupé au fond d'une galerie, je ne m'aperçois pas rapidement de la panne.

— Carette est « Schlosser ». Il est chargé du bon fonctionnement et des réparations de la tuyauterie qui distribue l'air comprimé aux marteaux piqueurs. Etudiant en droit, il a su s'adapter parfaitement et il se débrouille suffisamment pour ne pas avoir trop d'ennui.

— Nous montons sur une plate-forme de sable où l'on peut surveiller les arrivants et répondre si l'on appelle : « Electrika » ou « Schlosser ».

— Je profite d'un moment de liberté pour essayer de crever un phlegmon qui m'embête au pied droit et mettre sur mes plaies un peu de ce papier propre qui enveloppe les ampoules électriques.

— Avec un clou j'essaie en vain de crever cette boule noire. Mais c'est seulement deux jours après que le soulagement arrivera, quand un camarade me marchera dessus au retour du travail.

— Tiens voilà Germain! C'est un électricien civil français, requis à Figeac dans le Lot où j'ai de la famille qu'il connaît. Pour une autre firme, il surveille l'électricité de la galerie A. Je lui laisse d'un commun accord le travail le plus difficile. Il nous donne quelques informations recueillies à Vienne, où il a été dimanche. Il nous parle des effets des bombes au phosphore, les nouvelles militaires ne sont pas celles que nous attendons. Cela ne va pas vite. Les V.1 moi je n'y crois pas. C'est de la propagande allemande. Je suis persuadé d'autre part qu'Hitler est mort au cours de l'attentat de juillet.

— Il nous parle de son amie, une Russe, dont il est emballé. Elle est infirmière pour les ouvriers requis au chantier. Il faut parler avec des « civils » pour aborder une telle conversation. En enfer, l'amour n'a pas d'attrait.

— Mais des cris attirent notre attention. Germain va voir en éclaireur. Il nous raconte, à son retour : c'est l'Oberkapo tzigane Houli qui assomme à coups de bâton un Russe surpris à échanger ses vêtements contre ceux d'un civil. D'après la description, la victime d'Houli est touchée à mort. Carette nous raconte alors que tout à l'heure il a vu

Houli arriver aux cabinets construits de quelques planches à l'extérieur de la mine. Il était furieux de voir autant de monde, la culotte baissée, assis sur la barre de 5 ou 6 mètres derrière laquelle, sur la même longueur et sur un mètre de large, une fosse se remplit lentement des défécations des malades. Un Italien, maigre et dysentérique, ne s'est pas levé comme les autres s'enfuyant la culotte à la main, sous les coups de bâton. Houli l'a attrapé par les pieds et l'a balancé dans la fosse. Le malheureux s'en est tiré difficilement pour aller se laver à l'eau glacée qui suinte de la mine et arrive canalisée jusqu'à l'extérieur. Il fut obligé de remettre ses vêtements humides sur lui. Il mourut deux jours après au Revier.

— Mais voilà le moment d'aller chercher le papier qui nous sert de chaussettes. Nous nous dirigeons vers la bétonneuse, nous déchirons des sacs de ciment vides que nous cachons sous notre veste pour revenir.

— Je rencontre alors un vieux camarade parisien, Michel Wallaert, avec qui je collais des affiches du Parti socialiste au cours de la campagne électorale de 1936. Il est prisonnier de guerre. Chose curieuse, je l'ai rencontré en 1940, à Blamont en Moselle, alors qu'il conduisait un autocar et que j'étais caporal cuisinier au 19e bataillon de chars, commandé par le colonel de Gaulle. Maintenant, Michel me rend de grands services. Il donne de mes nouvelles à Paris, car il peut correspondre plus souvent que nous. Il me donne des cigarettes venant d'un colis américain et des « chaussettes russes » qui remplacent, pour quelque temps, les papiers qui enveloppent mes malheureux pieds. Mais nous sommes prudents et je vais le voir à sa machine avec tout mon attirail d'électricien qui me sert de « laissez-passer ». Je fais semblant de bricoler sur une lampe et ainsi nous pouvons parler sans trop de risques. Aujourd'hui, il me dit ce seul mot : « demain ». Je ne manquerai pas le rendez-vous.

— A midi, c'est la soupe. La lumière coupée trois fois de suite prévient tout le monde jusqu'au fond. Chacun arrive, sa précieuse gamelle à la main. C'est, paraît-il, de la soupe aux haricots.

— Les bouteillons sont là, alignés, et nous, derrière, attendons en colonne. Le kapo hongrois sert à droite, le kapo polonais à gauche. Le Hongrois a un meilleur coup de louche, tout le monde le sait. Et tout le monde est de son côté. Mais le bouteillon du kapo polonais est incontestablement plus épais. Sa file va se renforcer sans qu'il ait besoin de schlague. Carette passe avec lui, moi avec le Hongrois. La soupe est vite savourée, elle n'est pas mauvaise, mais beaucoup trop liquide; je compte combien de haricots sont au fond de ma gamelle : dix-huit. Carette arrive tout fier. En effet, la sienne est beaucoup plus belle : elle a bien cinq ou six cuillerées de haricots.

— C'est fini, les gamelles sont léchées. Il faut regagner le travail et les surveillants nous chassent à coups de bâton. Nous montons sur notre observatoire et nous voyons, la faim tirant notre estomac, les kapos et les surveillants happer de pleines cuillerées de haricots... Il y a toute une science pour distribuer la soupe, et les kapos l'apprennent vite. Voici la tactique : ne pas trop remuer, servir le liquide qui se trouve au-dessus et, quand on arrive à la fin, passer au bouteillon suivant en gardant le fond pour soi. Quand, repus, il reste encore de la bonne soupe, ils vont la vendre deux ou trois cigarettes à un camarade affamé et non fumeur.

— Mais le temps passe vite, encore quelques réparations à effectuer et c'est la fin du travail à 14 heures.

— Au rassemblement, il manque deux camarades : Houli est déchaîné. Il frappe les uns et les autres sans regarder les nationalités, lui qui, généralement, ménage les Français. Les kapos sont lancés à la recherche dans les galeries. Ils reviennent une demi-heure après. Ce sont deux malheureux Juifs hongrois qui se sont endormis dans une galerie désaffectée. Houli se précipite sur eux et leur casse, successivement, deux bâtons sur la tête; ils tombent tous deux. L'Oberkapo leur lance de grands coups de pied dans le ventre et en pleine figure. Le sang gicle. Ils ne poussent plus de cris. Il faudra les porter jusqu'au camp. En arrivant, il n'y aura plus qu'à les transporter au Revier, à la salle basse, avec les cadavres. Le Posten et les Feldwebel ont assisté au drame. Un Feldwebel leur a donné également quelques coups avec rage. Impuissants, nous ne pouvons marquer notre désapprobation qu'en tournant un peu la tête de l'autre côté. Les Posten, dans l'ensemble, sont assez dégoûtés. Tout à l'heure, dans le train, l'un d'entre eux donnera la moitié d'une boule de pain au plus jeune d'entre nous, un Juif hongrois.

— La relève est arrivée. C'est l'équipe d'après-midi. Elle nous confirme la nouvelle : oui, ce soir, ce sera bien la soupe sucrée.

— Maintenant, Houli est calmé ; il marche, la casquette relevée; il est un peu fatigué. Il a envie de se changer les idées, aussi demande-t-il qu'on lui chante quelque chose. Nous n'aimons pas beaucoup chanter sur commande et les premières chansons que les kapos entonnent ne sont guère appuyées. La troisième est la marche des bataillons d'Afrique; nous nous y mettons tous, pour nous changer les idées, nous aussi.

— A l'arrivée au camp, c'est la fouille. Heureusement que je n'ai pas de morceau de caoutchouc pour mon ami l'Espagnol, sans cela j'aurais pu avoir chaud. Je glisse la lame de scie qui me sert de couteau dans une fente aménagée dans le bas de ma veste et je passe sans encombre après avoir jeté des clous, de la ficelle, des chiffons qui me servent de mouchoirs. Tout ça c'est interdit.

— Carette me fait remarquer qu'il y a trois de nos camarades au « piquet » en face des barbelés électrifiés. Qu'ont-ils fait? Nous essayerons de le savoir ce soir.

— Maintenant, nous sommes relativement libres à l'intérieur du camp.

— Je me dirige vers la cabane des électriciens. Peut-être ont-ils eu un bouteillon et en feront-ils la distribution? Mais mon ami Noël m'annonce que non, et ce soir il ne pourra rien pour moi. Nous échangeons quelques nouvelles et je vais voir l'Espagnol Albala qui me dit de repasser après l'appel. J'en profite pour regagner le block où ma chambre est en grand remue-ménage. Le chef de block est là, en tricot rouge; il déblatère en allemand. Il rouspète violemment parce que les lits ne sont pas suffisamment bien faits, il nous interdit de nous coucher tant qu'il ne sera pas satisfait de l'aspect de notre chambre. Je profite du désordre pour aller me laver aux lavabos de la cuisine, où il y a toujours de l'eau, à 200 mètres de l'autre côté du camp. L'appel sonne. Cela durera quarante minutes, debout, au garde-à-vous. Le S.S. commandant du camp a fait chercher une chaise et il a administré vingt-cinq coups de schlague à deux pauvres types qui ont « gueulé » lamentablement; le troisième n'a pas desserré les dents. Ils ont été trouvés porteurs de deux chemises l'une sur l'autre. Quant aux trois qui sont au piquet, ce sont les coiffeurs du block 13; le commandant a trouvé que les détenus de ce block avaient les cheveux trop longs.

— L'appel terminé, c'est la distribution du pain dans le block, 250 grammes le soir, 250 grammes le matin. Voilà la ration que nous aurons le plus couramment. Avec le pain, une petite « louchée » de soupe au lait sucré de moins d'un quart de litre. J'en fais une pâtée avec mon pain et je la mange lentement, à bouchees comptées.

— Albala m'a donné un peu de rabiot de soupe sucrée et je vais à la recherche de Carette. Le voilà, lui aussi en a trouvé un peu qu'un Schreiber belge lui a donné. Il mange avidement et me fait part en même temps de son inquiétude. Le docteur français à l'infirmerie l'a ausculté; il y a quelque chose qui ne va pas dans sa poitrine. Doit-il rentrer à l'infirmerie? Je ne le lui conseille pas. L'atmosphère y est tellement mauvaise que l'on risque de se rendre plus malade que l'on n'est. Il m'informe que son meilleur camarade, Jean Briquet, veut me voir dans la stube des tuberculeux. J'irai à l'infirmerie demain au retour du boulot; je me ferai porter malade, comme ça je pourrai, avec le papier du Schreiber de mon block, franchir les deux barrages disposés à l'extérieur et à l'intérieur pour empêcher les visites.

— Mon pauvre Briquet est à bout. Il doit vouloir me donner quelques commissions pour sa femme, alors qu'il en a encore la force.

— Dans la chambrée, nous ne pouvons pas encore nous coucher. Il faudra attendre 9 heures pour que, la revue passée, nous puissions nous allonger. Je dispose les planches du pied de mon lit de façon à avoir les jambes en l'air, ce qui diminue mon œdème, et je me couche avec mes deux couvertures sur lesquelles je dispose, avec application, tous mes vêtements de façon à me couvrir le mieux possible.

— C'est une journée comme tant d'autres que nous avons vécues qui se trouve terminée. Elle n'a été ni plus dure, ni plus particulièrement facile.

— Nous [1] sommes un noyau de Français n'ayant jamais quitté le kommando d'Amstetten depuis sa formation. Il y a toujours avec moi Georges Bernard, Georges Henry, notre zozo, Pierre Bellec, Georges Siguier, Marcel Sanson au caractère impossible mais au cœur d'or et Ané et William, André Laithier, Maurice Faure, Bernard Ores, le petit Juif polonais à qui nous apprenons le français, et combien d'autres encore. Les Français sont toujours en majorité et nous connaissons une certaine sympathie de ceux qui sont journellement témoins de notre misère, sympathie silencieuse, limitée sans doute à des regards, à une présence, parfois à de discrets petits signes, mais chaude et réconfortante.

— A Amstetten en particulier, le matin à 8 heures, le soir à 4 h 30, chaque jour sans exception, qu'il pleuve ou qu'il neige, une vieille grand-mère, sa fille et ses petits-enfants sont à leur fenêtre et nous regardent passer et nous sourient. De même une jeune femme à quelques mètres de là. De même un vieil Autrichien ressemblant à Hindenburg fumant sa pipe; de même à Melk, une autre jeune femme. La même commisération, la même affection se lisent sur leur visage et nous comprenons qu'ils sont nos amis. Dans les plus fortes tourmentes de neige, sous les averses les plus drues, nous chantons de plus belle en passant sous leurs fenêtres. Car nous chantons, nous les Français.

1. Manuscrit inédit René Gille.

— L'hiver semble vouloir durer. Après un mois de janvier excessivement rigoureux qui nous a ramenés à des températures moyennes inférieures à moins quinze, et une journée de pointe à moins vingt-neuf, par bonheur sans vent, mais où nous avons particulièrement souffert, nous redoutons février, période habituelle de recrudescence du froid. Et cependant, dès le 1er février, en sortant au petit jour sur la place d'appel, nous sentons un adoucissement certain de la température. Et effectivement, le thermomètre marque moins quatre et jamais plus il ne descendra plus bas. La débâcle, le dégel rapide, la température presque printanière, nous apportent un réconfort sérieux après les durs mois d'hiver qui ont clairsemé nos rangs. Combien manquent à l'appel? Bientôt la neige disparaît complètement du sol et fait place à une boue glacée. Mais bientôt aussi la pluie fait sa réapparition dans cette plaine du Danube, ouverte à tous les vents d'est et d'ouest nous apportant, indifféremment, neige ou pluie, selon la saison. Et nous recommençons, comme au printemps et à l'automne derniers, à porter des semaines entières des vêtements qui n'ont jamais le temps de sécher.

— L'hiver a été très meurtrier. Des quelque mille cent Français que nous étions, le 23 avril 1944, nous sommes peut-être trois cents alors. Mais beaucoup plus que nous qui sommes acclimatés, les « 28 000 », les Français arrivés en septembre, ont payé un lourd tribut à la saison froide. De sept cent cinquante au début, ils ne sont plus que cent cinquante, dont soixante-quinze à peu près connaîtront la Libération! Des cinq cents Grecs arrivés en juillet, une dizaine seulement verront ce jour béni!

— Février 1945, le 18 exactement, un dimanche, jour anniversaire de mon arrestation, premier bombardement sérieux d'Amstetten. Le 19, nous arrivons au travail avec trois heures de retard pour trouver la gare effondrée, crevée, anéantie, les bâtiments détruits et incendiés, les voies bouleversées, wagons retournés, rails à la verticale. Une seule voie est en service dans cette importante gare de triage qui en compte au moins vingt, sur au moins 2 kilomètres de longueur. Notre travail n'en sera pas — pour l'instant — plus compliqué. Seules les relations ferroviaires s'en trouveront aggravées et nous connaissons des retours, tard dans la nuit, dans des wagons sans vitres. De plus en plus nous passons des heures entières, parfois toute la matinée ou l'après-midi, dans les tranchées. Il y fait froid, elles ruissellent d'humidité. Mais qu'importe, assis sur deux planches posées perpendiculairement l'une sur l'autre, nous bavardons ou plaisantons, ou nous y dormons. Notre plaisir de voir cette forme active de la guerre, à laquelle nous sommes maintenant directement mêlés, est activé par la couardise de nos gardes-chiourme. Ainsi, je me rappelle le jour où des mitraillages, par avion, sont particulièrement nourris : je me sens saisi par les jambes et je vois un soldat tremblant de peur, à mes pieds, où il semble chercher une illusoire protection...

— Je retourne à l'usine de Roggensdorff. Le chantier que j'ai quitté il y a neuf mois est méconnaissable : sept tunnels de plusieurs centaines de mètres de long s'enfoncent perpendiculairement dans la colline, reliés entre eux par un réseau de galeries transversales où les machines tournent à plein rendement, servies par des centaines d'ouvriers civils et quelques prisonniers français. Sans cesse, les marteaux piqueurs creusent de nouvelles galeries aussitôt coffrées et bétonnées. De forme ogivale, elles doivent recevoir un système de poutrelles horizontales sur lesquelles est ensuite posé un plafond où courent fils électriques et tuyauteries. C'est le travail du kommando « Lopur » dirigé par Henri Blanchard, le meilleur et le plus humain des kapos, qui a payé si souvent, de magistrales corrections, sa mansuétude et son manque de dureté à l'égard du matériel humain qui lui est confié : vingt-cinq hommes au total. Blanchard a choisi, pour cela, hors quelques camarades communs comme moi, des « Häftling » fatigués, pratiquement incapables de travailler, mais que précisément il ménage. Aussi le rendement du kommando est-il piètre. Nous sommes sur des échafaudages à 2 mètres du sol et nous perçons des trous dans le béton. L'installation électrique est provisoire et précaire et, de temps en temps, au moins une fois par jour, dans un coin écarté, un « maladroit » très opportun crée une panne d'une heure ou deux qui nous permet de nous reposer dans l'obscurité. Il fait bon dans ces galeries où la température est toujours de 14°, hiver comme été! Et l'Elektriker Armand Caminade se trouve justement loin de là et ne vient effectuer la réparation que très tard. Les autres électriciens sont aussi des Français et ils ne sont jamais pressés (je garde de ce kommando un excellent souvenir, toutes proportions gardées. Il correspond à une période où je ne fus jamais frappé, où je travaillais sans grandes dépenses physiques et où les distributions de soupes étaient faites régulièrement, avec la plus grande impartialité, par Blanchard). Et puis, dans l'usine, est-on au moins à l'abri toute la journée et peut-on se sécher un peu, si l'attente sur le quai s'est faite sous la pluie.

— S'il fait beau, nous avons toujours la ressource des petites corvées, peu fatigantes, qui nous permettent de respirer l'air pur pendant une demi-heure. Régulièrement, je suis de corvée de soupe ou de transport des poubelles dont nous avons toujours un stock à l'intérieur, pour nous donner l'excuse d'une promenade à l'extérieur.

— A partir du printemps, la perturbation apportée par la guerre dans la circulation ferroviaire est telle que les services des gares de Melk ou Loosdorf se révèlent incapables même de lancer notre train sur la ligne pour un voyage où il ne l'occupe qu'un quart d'heure. Car la ligne est encombrée, et combien! par les trains de réfugiés les plus hallucinants; bourrés à craquer, composés d'archaïques wagons semblant sortis d'une opérette viennoise, crevés, sans vitres, peinture passée, circulant sens de l'est vers l'ouest. Souvent même, ce ne sont que de simples plates-formes ou des « tombereaux » à charbon dans lesquels sont entassés des familles entières avec leurs ballots multicolores : navrante et pitoyable image de la guerre peut-être, mais nous sommes endurcis et nos misères personnelles nous interdisent toute émotion autre que de joie.

— Des trains militaires aussi se succèdent, descendant de l'est plus qu'ils n'y montent. Une sorte d'anarchie en quelque sorte, un fouillis dans lequel il est difficile de placer notre train. Aussi attendons-nous souvent le soir, une heure voire deux, debout sur nos quais de bois, en rangs serrés par cinq. Et c'est harassés par cette station debout prolongée, après une dure journée de travail, que nous rejoignons le block où nous tombons littéralement sur nos lits.

— Nous [1] savions, par notre poste radio donnant les nouvelles de la B.B.C., que le front russe des Balkans, après avoir été longtemps calme au profit des autres fronts où d'importantes offensives se développaient, venait enfin de s'animer. Vers la mi-février 1945, on apprend la chute de Budapest, puis l'avance russe qui, en mars, bordait le lac Balaton et atteignait la frontière autrichienne. Enfin, ce fut l'offensive en direction de l'ouest, le long du Danube. Le 10 avril, la chute de Vienne et la poussée en direction de Melk et Linz. Depuis le début d'avril, il y avait de l'agitation et de l'énervement chez les S.S. Une fourmilière dans laquelle on aurait donné un coup de pied. Les soldats de la Wehrmacht qui, de plus en plus nombreux, constituaient la garde du camp, avaient au contraire l'air plutôt satisfait. Les S.S. brûlaient beaucoup de papiers dont on voyait voltiger les morceaux calcinés; mais le travail continuait comme par le passé.

— Un jour, au début d'avril, ils évacuent le Revier, entassant les malades incapables de marcher, dans des charrettes. On apprit, plus tard, qu'ils avaient été empilés dans des chalands et remorqués ainsi dans des conditions atroces et inhumaines à Mauthausen. Ceux jugés capables de se déplacer seuls ont été conduits également à Mauthausen, à pied, jalonnant la route de cadavres. Restaient au camp les « valides ». Le 15 avril, vers 15 heures, on voit arriver des chantiers de l'usine, dans un désordre inouï, au galop, les détenus mélangés aux S.S. et Posten qui, de la voix et du

1. Manuscrit inédit lieutenant-colonel Robert Monin.

gummi, accéléraient le train. Tous s'engouffrent dans le camp. Rassemblement immédiat de tout le monde, sans exception, sur l'Appel-Platz. Là, dans une pagaille indescriptible, sans appel préalable, sans aucun contrôle, toujours au pas de course direction la gare de Melk où un train, composé de vieux wagons de marchandises, est sous pression avec une locomotive minable, laissant échapper sa vapeur par tous les joints. Sans délai, on est poussé dans les wagons, lorsque arrivent des avions qui s'amusent à faire des piqués sur le train, dans des vrombissements effrayants de moteurs. Heureusement, ils ne lâchent ni bombes ni rafales de mitrailleuses. Fuite éperdue des S.S. et des Posten. Quant à nous, chacun s'abrite où il peut. Pour ma part, étant devant deux châteaux d'eau, je me glisse dans la fosse contenant les vannes dont je ramène la plaque, laissant juste une petite fente pour voir et entendre ce qui se passe. Les avions s'en vont, nos gardiens reviennent et encore plus vite, pressés de partir, font réintégrer les wagons à leurs prisonniers, sans contrôle de l'effectif. Je ne bouge pas de mon trou pour attendre, enfin libre, l'arrivée des Russes qui ne pouvaient tarder si l'on en juge la hâte des Allemands à détaler. Hélas! les camarades, ne me voyant pas, se mettent à m'appeler à tue-tête, me croyant blessé dans quelque coin. Je fus bien obligé de reparaître, craignant que leurs appels signalent ma disparition. Furieux, je quitte mon trou et me hisse dans le wagon en face. Dans ce wagon, une trentaine d'hommes, dont le brave père Combanaire qui me dit que j'avais tort de vouloir rester là, que ça sentait la fin, qu'on allait vers l'ouest, qu'il n'y en avait plus que pour quelques jours à prendre patience...

— Avec nous pour nous garder, deux braves vieux réservistes du Volk-Sturm, d'au moins soixante à soixante-cinq ans, inoffensifs et imprudents. Ils font fermer les portes d'un côté, « pour éviter les courants d'air » et s'installent assis sur le plancher, les jambes pendantes à l'extérieur, leur vieux Mauser en travers des genoux. Nous tous, debout derrière eux, dans l'obscurité du wagon. C'était d'une inconscience et d'une imprudence! Je me voyais déjà, lorsque la nuit serait venue et que je pourrais partir sans être vu, les prendre sous les aisselles et les expédier dehors. Mais dans le wagon, des cris, des bousculades : c'était un des « mignons » du kapo tailleur, vêtu comme un prince, égaré au milieu de nous (deux Français, le reste des Russes) à qui les Russes, qui venaient de le découvrir, étaient en train de régler son compte. Il appelle au secours les Posten qui déclarent ne pas vouloir se mêler de nos affaires et laissent faire. En tout cas, moi dans ce règlement, j'ai hérité un beau chapeau tyrolien avec un magnifique ruban dans lequel était plantée une plume de faisan. Le train roulait doucement. La nuit venait. On passe au milieu des décombres de la gare d'Amstetten. La région devenait vallonnée, coupée de bois de sapins noirs qui cloisonnaient des prairies. J'estime que c'est le moment, il fait suffisamment sombre et le terrain paraissait favorable.

— Au dernier moment, j'ai hésité à balancer dehors ces deux pauvres vieux; je me suis discrètement glissé dehors, par l'autre porte, me recevant au sol sans difficulté, le train allant au pas, entouré des volutes noires de la fumée de la locomotive poussive. Le train disparu, je prends la direction sud pour m'éloigner du Danube et chercher dans les montagnettes pas très éloignées un camouflage adapté à ma situation de promeneur irrégulier. La campagne résonnait de bruits divers, dont ceux reconnaissables du roulement des convois. Chose normale, me suis-je dit, ils font monter des troupes au-devant des Russes. Donc, pas de doute, il fallait que je m'éloigne le plus possible des grands axes longeant le fleuve.

— Il n'y avait pas de lune. Il faisait très noir. Seules de nombreuses étoiles brillaient dans le ciel. Peu à peu, dans la nuit, ma vue s'adapte et j'arrive à distinguer les obstacles sur ma route. Mais je n'étais pas seul dans la campagne, j'entendais tout autour des voix allemandes et la résonance caractéristique des travaux de terrassement. J'ai tout de suite compris que j'étais tombé au milieu de troupes travaillant un peu partout à installer des lignes de fortifications de campagne et certainement aussi à installer des champs de mines où je risquais de me faire sauter si j'avais la malchance de les traverser. Il fallait qu'au plus vite, je me sorte de là. Donc, avec une extrême prudence, l'oreille aux aguets, le plus silencieusement possible, choisissant mon chemin, j'avançais pas à pas. Cette première nuit fut pénible et plusieurs fois j'ai eu peur d'être repéré. Mais la Providence était de mon côté.

— Avant le jour, je me cache au flanc d'un ravin, dans un buisson d'épines noires très touffu, qui me dissimulait parfaitement. Il faisait très beau, j'ai dormi toute la journée. La nuit revenue, j'ai repris ma route en me dirigeant vers l'ouest. A ma droite, la grande plaine du Danube, à ma gauche la ligne de hautes collines. J'ai marché avec la même prudence et les mêmes précautions que la nuit précédente. Et ainsi une journée et une nuit encore. Mais je mourais de faim, et je n'osais pas m'approcher des habitations où j'aurais pu, avec hardiesse et adresse, trouver quelque nourriture. Je craignais d'y rencontrer des humains ou de mettre des chiens en éveil.

— Au matin du troisième jour, la cachette choisie était à proximité d'un hameau et d'une route. Je suis tiré de mon sommeil par le bruit d'une voiture sur la route en contrebas. L'événement méritait que je m'y intéresse car rien ne passait sur cette route depuis que j'étais là. Quel ne fut pas mon étonnement de découvrir, dans une carriole à deux roues tractée par un gros cheval de labour, rouan, aux paturons ornés de grosses touffes de poils et trottant lentement et lourdement : Pichon qui, au camp, servait de secrétaire. La voiture était lourdement chargée de bagages divers. Pichon tenait les rênes; près de lui, sur le siège, dormait un vieux Posten, le fusil entre les jambes. J'ai appris plus tard qu'il avait été chargé de rapporter, de Melk, des documents; il allait ainsi vers un nouveau camp, celui d'Ebensee. Plus que la route, déserte, je surveillais les trois maisons du hameau qui semblaient inoccupées. Dans la prairie, à mi-chemin du hameau, il y avait une grosse meule de paille dans laquelle des volailles allaient et venaient.

— La nuit venue, je vais explorer la meule, non dans le projet d'y attraper une poule que je n'aurais pu faire cuire et qui, à coup sûr, aurait alerté le voisinage par ses cris, mais dans l'espoir d'y trouver des œufs. Effectivement, je découvre un nid avec beaucoup d'œufs. Je n'aurais jamais cru que des œufs couvés ou pourris puissent être aussi répugnants et immangeables. J'ai repris ma route, le ventre creux. La nuit était déjà assez avancée lorsque j'ai eu la plus belle frousse de toute ma vie. Avançant avec prudence et dans le plus grand silence, le long d'une haie, j'entends tout à coup, à quelques mètres de moi, un bruit de branches froissées et comme des pas. Je me plaque au sol, n'en menant pas large, jusqu'au moment où le souffle caractéristique émis par les naseaux d'un bovin me fait comprendre à qui j'avais affaire. Des vaches! quelle aubaine! Je traverse la haie et je distingue les silhouettes de plusieurs vaches. Prudemment, j'accoste la plus proche, la caresse. Elle paraissait pacifique. Je vérifie bien que j'avais affaire à une vache en constatant qu'elle avait des pis. Je décroche la cuvette qui me servait de gamelle et que j'avais gardée et me dispose à la traite. Chose extrêmement difficile quand on ne sait pas s'y prendre. Ce que j'ai pu recevoir comme coups de queue! et éviter comme coups de pied de la vache avec sa jambe arrière cherchant à m'atteindre d'un mouvement latéral et rasant. J'ai failli renoncer. Je devais lui faire mal, ce qui la rendait nerveuse et méchante et, en outre, l'incitait à avancer. Il m'était difficile de la suivre à genoux en essayant d'obtenir du lait. Enfin, j'ai réussi. Il y a un certain mouvement d'appel à faire avant de tirer sur le pis, et le lait arrive en un jet puissant. Je me suis gavé. Je n'avais jamais fait un repas aussi substantiel et aussi bon.

— La nuit suivante, j'ai fait beaucoup de chemin. Je n'entendais rien. J'avais l'impression d'être seul dans la campagne. Le petit jour me surprend au milieu d'une vaste plaine, sans aucun abri susceptible de me recevoir. Heureusement, il y avait une ancienne position de D.C.A. complètement dévastée et retournée par un bombardement. Des trous de bombes énormes, les canons avec les roues en l'air, des véhicules pour m'y cacher. Mon choix était bon car j'étais dans un fourgon contenant des sacs de paquetages.

Fouillant dedans, j'ai eu la chance de trouver trois boules de pain rassis et moisi, un saucisson et quelques autres bricoles comestibles. De quoi faire un festin! Une musette également récupérée, enfourna mon trésor.

— Au nord, à proximité, passait une voie ferrée. Il y avait aussi plusieurs routes et tout près de moi un carrefour avec un panneau sur lequel je suis arrivé à déchiffrer: Steyr, Enns, Linz. Je voyais aussi à très courte distance une localité qui s'appelait, si je ne me trompe pas, quelque chose comme Grossaming. Je savais donc approximativement où j'étais et je savais aussi que le torrent qui traversait Steyr était l'Enns qui coulait sud-nord et que je devais obligatoirement le traverser. J'étais inquiet, me demandant où et comment trouver un pont en dehors d'une localité car j'étais absolument tenu d'éviter tous les lieux habités. Mais une fois encore, j'eus de la chance car, longeant le torrent impétueux vers l'amont, j'ai trouvé en pleine campagne un pont en bois, typiquement autrichien, avec son toit. Le jour venu, je me cache au bord d'une petite route sur laquelle je vois arriver et défiler devant moi un très long convoi de réfugiés. Quelle aubaine! sortant ostensiblement de mon buisson, comme si je m'y étais dissimulé pour une raison physiologique naturelle, je me joins à la colonne. Jeune encore, alors que tous les hommes jusqu'à soixante-cinq ans étaient mobilisés, je risquais d'attirer l'attention, bien que n'ayant pas belle mine. J'étais, à l'exception de mon beau chapeau, misérablement vêtu et, pour faire mieux, je me suis mis à marcher en traînant péniblement derrière moi une jambe raide. Dans la foule, personne ne s'est occupé de moi. Repérant soigneusement où, dans leur carriole, mes compagnons de route avaient placé leurs victuailles, j'ai mis la nuit suivante en pratique la méthode du « comme ci, comme ça ». Je dois reconnaître que j'étais virtuose, car j'ai, sans aucune bavure, bien regarni ma musette. Cela alla ainsi jusqu'au lendemain, au moment où le convoi s'arrêta. On appelait en tête les responsables par localités. Allant voir ce qui se passait, je fus atterré. Nous étions arrivés au bord d'une très large et profonde vallée, encaissée, au fond de laquelle il y avait un gigantesque barrage avec une usine électrique. En amont, un lac immense, en aval, sous la chute, des eaux bouillonnantes. Il fallait traverser le pont. A l'entrée, une chicane avec des Feldgendarmes demandant que les responsables reconnaissent au passage leurs concitoyens. J'étais cuit! Tristement, je regagne le maquis d'où je vois le convoi franchir le pont et disparaître.

— Inutile d'envisager de traverser la vallée à la nage. Bien que bon nageur, je ne me sentais pas capable, dans mon état de faiblesse, de traverser ce grand lac, ni d'affronter les tourbillons écumants du torrent. L'eau provenant de la fonte des neiges devait être glaciale. Inutile et imprudent de chercher un passage vers l'aval, dans cette plaine où devaient se trouver beaucoup de troupes. Vers l'amont, combien de kilomètres à faire pour arriver au bout de cet immense réservoir d'eau? Dans ma cachette, je ruminais ces problèmes et la nuit tombée, ne sachant que faire ni où aller, je reste tapi dans mon fourré. J'avais quelques provisions qui me permettaient de tenir un temps et j'espérais voir partir, rapidement, les gendarmes du contrôle sur le pont! Sommeillant je suis réveillé dans la nuit par un piétinement et des cris. C'était un convoi de quelques centaines de déportés venant de l'est et allant, misérables, vers quelle destination? Qu'importe, avec eux je pourrai traverser le pont. Je me glisse donc dans la colonne après m'être débarrassé de mon beau chapeau trop repérable. Comme depuis des semaines j'avais réussi à éviter la tonte des cheveux à Melk, j'avais une chevelure normale et surtout je n'avais pas l'« autostrade à poux », c'est-à-dire le coup de tondeuse obligatoire allant du front à la nuque et qui, au premier coup d'œil, indiquait la qualité de pensionnaire d'un Konzentration-lager. A Melk, j'avais pu, sans difficulté, me promener ainsi (mais avec une coiffure). Dans le convoi, il était absolument indispensable que je retrouve une autre coiffure. Ce fut facile de troquer une Mutzen crasseuse contre un peu de nourriture. Cette casquette était pleine de poux qu'évidemment j'ai aussitôt récupérés.

— Sans difficulté, on traverse le pont, mais au-delà, impossibilité de quitter la colonne, le jour étant levé et la garde, renforcée par des chiens. On a marché ainsi et j'avais toujours l'espoir de m'échapper à la première occasion. Je souhaitais avidement la venue d'avions dispersant nos gardiens. Hélas! rien ne vint. Et ainsi l'on arrive subitement devant l'entrée d'un camp où nous pénétrons. C'était Ebensee où les camarades, venus par le train, étaient depuis plusieurs jours. Ce qu'ils ont pu me mettre en boîte!

— « Avoir connu de telles émotions, de telles fatigues, avoir couru de tels risques, etc., pour en arriver au même point qu'eux. »

— Qu'importe! La promenade, l'air de liberté que j'avais respiré, valaient bien tout cela!

Gusen I, Gusen II, Loibl-Pass, Melk ne sont pas les seuls « bagnes sans importance » de l'empire Mauthausen. Gross-Raming, Ebensee, Redl-Zipf, Modling, Wiener Neudorf, Schwechat, Florisdorf, Linz, Steyr ont connu des existences différentes, d'autres souffrances, d'autres crimes, d'autres espoirs.

La suite du *Neuvième Cercle,* consacrée aux autres kommandos de Mauthausen, paraîtra sous le titre *Des Jours sans Fin* et constituera le troisième et dernier tome de *Mauthausen.*

TABLE DES MATIERES

Achevé d'imprimer
en mars mil neuf cent quatre-vingt-deux
sur les presses de l'Imprimerie Gagné Ltée
Louiseville - Montréal.
Imprimé au Canada